文春文庫

誰か　Somebody

宮部みゆき

文藝春秋

誰か　Somebody

——目　次——

誰か Somebody

誰か

暗い、暗い、と云ひながら
誰か窓下を通る。
室内《うち》には瓦斯《ガス》が灯《とも》り
戸外《そと》はまだ明るい筈だのに
暗い、暗い、と云ひながら
誰か窓下を通る。

西條八十
詩集『砂金』より

1

しぶとい熱気をはらんだ西風が、埃《ほこり》っぽく乾いたコンクリートの歩道を吹き抜ける。風の後味にはかすかな涼しさがあった。しかし暑気は、閉店時刻が近づいても席に残って話し込んでいる客のように、まだ当分は腰をあげそうにない。

白地に墨痕《ぼっこん》鮮やかな立て看板は、二対の針金で電柱にくくりつけられているおかげで、強い風にも煽《あお》られることなく、忠義深い歩哨《ほしょう》のように直立して、白金色の陽光を照り返している。街のいたるところに、ピンクめいたタテカンを、文字通りステカンとして設置しまくる業者とは違い、さすがに警察は仕事が丁寧《ていねい》だ。針金の結び目は、こよりのようにきれいによじって丸めてある。必要以上にこのタテカンに近づいた不用意な誰かが指を刺したりしないようにという計らいだろう。ますますよろしい。

そんな不用意な誰かがどこにいるのか。ここにいる。私だ。ポケットから取り出した大判の白いハンカチで額の汗をぬぐい、首筋まで拭《ふ》いて、ついでに腕時計を見た。午後二時になる。時計の文字盤では、三つ重ねのアイスクリームを載せたコーンを持ったコミックのキャラクターの犬が笑っている。

これは桃子《ももこ》からの借り物だ。何ヵ月も前に壊れたきり、修理することもなく引き出しにしまいこんである私の腕時計のかわりに、娘が貸してくれたのである。

「お父さんの時計はどうしたの？」

「壊れちゃったんだ。それとも電池が切れたのかもしれない」

「なおしてもらえばいいのに」

「携帯電話があれば、腕時計は要らないと思ってたんだ」

「でも今日は時計がいるの？」

「うん。実は携帯電話も壊れちゃったんだよ」

この世に生まれ落ちてまだ四年ながら、すでにして笑顔の達人となっている我が娘は、いつも私を魅了してやまない笑みを浮かべてこう言った。

「お父さんは、何でもコワしちゃうメージンだね」

桃子の小さな脳のなかに、「名人」という言葉を登録《インプット》したのはどこの誰だろう。あるいは本か、映画かコミックか。教師が誰であるにしろ、彼女はそれをきわめて正しく使った。子供は呼吸するように学習する。だから私も妻も、耳に汚い言葉は一切口にしないよう心がけている。

それでも今は、禁を破り声に出して罵《のの》りたい。幸い、ここには桃子もいないから。なんでこんなにクソ暑いんだと。すると太陽は応じるだろう。それならあんたは、どうしてそんなふうに、道端にぼんやり突っ立っているんだね?

私には私の用があるのだ。私はこの立て看板を見にきた。事故現場を、この目で確かめるために足を運んできたのである。事故の起こった、まさにその時刻を選んで。

東西に延びる十五メートル公道に沿って広がる、静かな住宅地だ。私がタテカンと共に佇《たたず》む側には、総戸数三百八十九戸という大型マンションが、秋の景色を先取りするうろこ雲の浮かぶ青空を背景にそびえ立っている。仰ぎ見ると、書き割りのように非現実的な感じがするほど立派な建物だ。

マンションの右隣には、ぐっと規模の小さなアパートが二つ。左隣にはさらに小さな商業ビルと、古い戸建住宅が肩を寄せ合っている。道を隔てた対面にはこぢんまりした児童公園があり、その並びにも戸建住宅がちまちまと整列しているが、公園の向こうには「高崎電子」という社名をかかげた灰色のビルが見える。ひと月の小遣いをまるごと賭《か》けてもいいが、この児童公園は、高崎電子の社員たちの憩いの場となっているに違いない。真冬と真夏を除いたすべての季節、彼らはここのベンチやブランコに座り、膝《ひざ》の上に昼食を広げる。彼らの昼休みの時間帯には、児童公園を利用する子供たちの大半は、まだ学校という檻《おり》のなかに閉じ込められているのだから。

公道を彩る街路樹は、枝を広げ葉を茂らせている。街路樹の足元に四角くのぞいている地面にも、どれも例外なく、さまざまな草花が茂っていた。赤や黄色の花が咲いていいる。雑草ではない。町の住人たちが丹精しているのだろう。

私はこの町が気に入った。訪れてすぐそう感じたが、タテカンのそばで三十分以上を過ごした今となっては、引っ越してきてもいいような気分にさえなっていた。

道路に沿って西へと目をやると、灰色のコンクリートが、大きくうねるように波うっているのが見える。舗装が悪いのではない。橋があるのだ。その下には、都区内にしては上々の程度に澄んだ川が流れている。護岸は遊歩道に整備され、ツツジの植え込みが並んでいる。ぶらぶら歩きするのもよし、釣り糸を垂れるのもよし。妻もきっと喜ぶだろう。私は彼女に釣りを教えてやることができる。生餌《いきえ》は私がつけるのだから、サービス満点だ。

本当に移転してきたくなるような町だ。子供のころから、川のそばの家に憧れていた。さっき私は嘘《うそ》をついた。タテカンのそばに三十分もいたわけではない。うち二十五分ほどのあいだは、橋の上から町並みを見おろし、うっとりとしていたのだった。

程よい勾配《こうばい》で、滑《なめ》らかな半円を描く橋。

私は美しい女性の曲線を愛《め》でるように、ゆっくりと橋の輪郭《りんかく》を目でたどった。ペダルを思いっきり漕《こ》いで、自転車をすっ飛ばすにはうってつけの場所だ。

今から十九日前。子供たちだけではなく、大人たちにとっても夏休みの真っ最中の、八月十五日午後二時のことだ。誰かがこの橋をそうやって渡り、自転車のスピードを落とすことなく、私とタテカンの佇むこの場所までやって来た。

そして一人の男を撥《は》ねた。男は激しく転倒し、歩道で頭を打って、救急病院に運ばれる途中で死亡した。死因は脳挫傷だった。

彼は六十五歳で、検死解剖の結果、死因だけでなく、胃の幽門部に早期癌《がん》があったことも判明した。しかしその癌が彼を殺すまでには、まだかなりの年月があったはずだ。彼の命を絶ったのが、一台の暴走する自転車だったという事実は揺るがない。

橋を渡り、風に乗って、走れ、走れ、ペダルを漕いで走れ。

犯人はまだ捕まっていない。だから所轄《しょかつ》の城東《じょうとう》警察署は、事故現場にこのタテカンを立てた。

「八月十五日午後二時ごろ、この場所で自転車による死亡事故が発生しました。この事故について何か目撃した方は、情報をお寄せください」

「死亡事故」。「目撃」と「情報」。さらには城東警察署の電話番号が、赤い文字になっている。

そう、これは立派な轢《ひ》き逃《に》げ事件なのだった。だからこそ、私も今ここにいる。

犯人を捜そうとしているわけではない。私は警察官でも弁護士でも検事でもない。私立探偵でも、もちろんない。妻子持ちの三十五歳のサラリーマンで、運転免許は持っているが、危険物取り扱い資格があるわけではなく、拳銃も所持していない。私は、できる限り善良であろうとしているだけの、ごく平凡な一市民だ。

それでも、自転車で道を走っていて人を殺してしまうことが容易に起こり得る社会では、善良で平凡であり続けることも、実はたいへんな偉業であるのかもしれない。

一昨日《おととい》の夜のことだ。夕食が済み、すでに桃子はベッドに入っていた。昼間たいそう活発に遊んだらしく、彼女は私が『小さなスプーンおばさん』の最初のエピソードを二ページと読んでやらないうちに、すやすやと眠ってしまった。正直言うと、私は少し残念だった。スプーンおばさんのお話をもっと読みたかったのだ。子供のころ大好きだった本なので、読み返すのを楽しみにしていた。

しかし桃子とは約束していた。どんな本でも、お父さんは自分だけ先に読んだりしない。

いつも桃子と一緒に読んで、一緒に楽しもうと。だから本を閉じて娘の部屋の小さな書棚に戻すと、妻のいるリビング・ルームへと引き返した。

私の妻はソファに腰かけていた。何もせず、ただぼんやりとテレビに目をやっていた。彼女には珍しいことだ。家にいてくつろいでいるとき、妻はたいてい本を読んでいる。さもなければ何かしら手を動かしている。水彩画を描いているときもあれば、千ピースのジグソー・パズルに挑んでいることもある。込み入ったフランス刺繍《ししゅう》をしていることもある。いっときは通信教育でパッチワークを習っていた。だが、これも彼女にしては珍しいことに、半年ばかりでやめてしまった。

「わたしには向いてないみたい。布と布を組み合わせて、面白い柄をつくることができないの」

それならやめればいいと、私は言った。組み合わせて楽しむものは、他にもいくらでも見つかる。

最近は、和紙を使って紙人形を作ることに凝っている。このところ毎晩、夕食が済むと、いそいそと道具箱を広げていた。

今夜は何もしていない。片手にテレビのリモコンを持ち、気のなさそうな表情で、番組の切れ目のコマーシャルを眺めているだけだ。

私が声をかけようとしたとき、妻がこちらを見た。そしてリモコンでテレビを消した。

「すぐ寝ちゃったみたいね」

私が隣に座れるように、ちょっと寄ってくれた。そんなことをしなくても、ソファは充分に大きい。結婚前の私の年収を全部はたいても、消費税分が足りなくなるくらいの高価な輸入家具だ。妻が席を動いたのは、隣に座ってほしいという意味なのだ。

だから私はそうした。妻はにっこりして、リモコンをフロアテーブルの上に置いた。

「実はね、あなたにちょっと相談したいことがあるの」

私はとっさに、離婚を切り出されるのだと思った。

信じられないような幸運のなかにあって、それがいつ自分から取り上げられてしまうかとビクビクせずにいるには、どのくらいの度量が必要なのだろう。仮にそれがバケツ一杯分ほどの量だとしたら、私が持ち合わせているのはコップ一杯分ほどでしかない。

このコップが、バケツに成長するという見込みもない。

結婚して七年。私は常に、自分のコップを大事に持ち運んできた。少ししかなくても、まったくないよりはましだ。しょっちゅうひっくり返して中身をこぼしてしまうコップでも、掌《てのひら》ですくうよりは役に立つ。

「今日ね、昼間父と食事をしたの」

私の心臓が不規則に跳ねた。お父上か。ますます離婚の匂いがする。私は緊張した。

「そこで出た話なんだけど……」

妻の口調はのんびりとしている。

「父が、あなたに頼んでみてくれないかと言うの。自分で話せばいいじゃないって言ったら、それだと会長命令になるから、あなたが断りにくくなるって。わたしから話してくれって譲らないのよ」

確かにそうである。我が舅《しゅうと》殿は、私の奉職する今多《いまだ》コンツェルンの会長なのだから。

しかし、「頼む」というのならば離婚話ではなさそうだ。義父が私を彼の愛娘《まなむすめ》のそばから追いはらおうとするのなら、それこそ命令すれば済むことなのだから。私は自分の度量を溜め置いてくれているコップの取っ手をしっかりと握りなおした。

「あなた今でも、父のことになるとすぐ顔が強張《こわば》るのね。あれでけっこう優しいところもある人なのよ。あなたのことだって、気に入ってるんだから」

妻はくすぐったそうに笑い、私もくすぐってやろうというように、指でわき腹をつっついた。

私の妻、杉村菜穂子《すぎむらなほこ》は二十九歳だが、笑うと二十四歳に見える。おおかたの女性とは逆で、化粧をすると三十一歳に見えることがあり、素顔だと二十歳に見えることが多い。どんな年齢に見えるときでも美人だ。

誰にも、「まあ、可愛らしい奥様ですね」と言われる。もしくは「素敵な奥様」だと。私が「家内です」と紹介した後には。紹介する前には、誰も私たちが夫婦だとは思わない。

よくあるパターンでは、私は妻の秘書だと思われる。運転手ということもある。兄妹に間違われたことが一度だけあるが、妻はその後しばらく、「仲のいい夫婦は顔まで似てくるっていうものね」と喜んでいた。私も喜んだが、心のなかでは首を振っていた。我々に兄妹かと尋ねた人は（ブティックの店員だったが）、他のどんな間違え方よりも、それがもっとも穏当な間違え方だと判断しただけだろう。

すっぴんで、簡素な綿のハウスドレスを着て、やわらかな髪を束ねて片方の肩の上に載せている今、妻は十八歳の娘のようだった。すらりとして、ほんの少し痩《や》せ気味で、頬は青白い。それでも溌剌《はつらつ》として見えるのは、瞳が明るいからだろう。ついでに言うなら、彼女の視力は両目とも裸眼で一・五である。だからあんなにたくさんの本を読めるのだろう。大金持ちの娘が、デパートの外商よりも、書店の外商の方と先に馴染《なじ》みになるなんて稀有《けう》なことだ——と、わかったように言うが、私は妻と交際するようになって初めて「外商」という存在に会ったのだった。私と私の育った環境では、店とは客が足を運んで行く「場所」であって、客の家を恭《うやうや》しく訪ねてくる「人」ではなかった。

「父の運転手だった梶田《かじた》さんのことなんだけど……」

フルネームは梶田信夫《のぶお》という人だ。妻が「だった」という言葉を使ったのは、彼がすでに故人であるからだ。私は妻の顔を見ながら、彼女の言わんとするところ、つまりは義父の依頼の内容をあててみようと試みた。

「そろそろ納骨だったかな」

義父は私に、お気に入りの運転手だった梶田氏の納骨に、また自分の代理として出席してくれというのだろう。しかし妻は、軽くたしなめるように私の膝を叩いた。

「納骨にはまだ早過ぎるわ。今はやっと半月だもの」

「亡くなったのは、先月の十五日だったよね？」

私だって忘れたわけではないのだ。八月十五日というのは、人の命日としてなかなか印象に残る日付である。

梶田氏が死んだという報《しら》せを、私たちは軽井沢のリゾート・ホテルで受け取った。電話をかけてきたのは義父の第一秘書で、私が常々（心のなかだけで）畏敬《いけい》の念を込め〝氷の女王〟と呼んでいる人物である。

〝氷の女王〟は、今多会長が私に、梶田氏の通夜と葬儀に列席することを望んでいると伝えた。私はすぐに了承し、手荷物をまとめ、自宅に戻ることにした。妻は、私が一人では喪服《もふく》のしまってある場所さえわからないだろうと心配し、一緒に戻ると言ってくれたが、私はやわらかく説得して諦《あきら》めさせた。それが会長命令だったからだ。

〝氷の女王〟の伝えるところに曰《いわ》く、

「この一週間ばかり、東京は猛暑です。最高気温が三十六、七度になることも珍しくありません。会長は、少なくともこの熱波が去るまでは、お嬢さまと桃子さまが軽井沢に滞在しておられることを望んでおられます」

私はその指示に従ったのだ。というより、義父にそう言われなくても、私は一人で戻ったと思う。体温よりも高い気温が、菜穂子の身体に与える影響が案じられたからである。あなたの娘のことを心配しているのは、あなただけではないのですよ、お義父《とう》さん。

いずれにしろ、私としては、会社に与えられた夏休みを数日早く切り上げただけのことだった。妻と娘はそのまま軽井沢で過ごし、桃子の幼稚園が始まるのを待って帰京した。

「梶田さんのお葬式はどうだった？」

尋ねられて、私は答えた。「簡素だったけど、しみじみしていたよ」

列席者は思いのほか少なかった。盆休み中ということもあったろうが、梶田氏が、今多コンツェルンの役員たちや賓客《ひんかく》を送迎する役目を担う「車両部」の正社員ではなく、あくまでも義父の個人的な運転手であったということも影響したのだろう。

その葬儀に、義父はまるで故人の友人であったかのように、親しげな、しかし名前の目立たない花を出していた。今多コンツェルンからは、車両部で梶田氏と面識があったらしい数人が来ていただけだった。義父も来なかった。つまり私は名代《みょうだい》だったのだ。

そのことの意味を、私はしばらく考えたものだ。そして、梶田氏について私が覚えている事柄を、義父もまたよく覚えているのだろうと結論を出した。

義父と親しく秘密を分かち合ったような気分を、ほんの少しだけ味わった。

半月前の回想に浸っていた私を、妻の声が引き戻した。

「梶田さんが亡くなって、お父さまの生活にもちょっと変化が起こったでしょう。いつどこへ行くのでも、車両部の人たちと一緒で。何だかそれが窮屈のようだわ。もちろん淋《さび》しくもあるのでしょうし。やっぱりお歳なのかもしれないわね」

「そうは思わないけどね」

私は妻が自分の父親を「お父さま」と呼ぶのを聞くと、いつもちょっぴりたじろぐ。桃子が「おじいちゃま」と呼ぶときもそうだ。

どちらも、身内の呼称としては、私の語彙《ごい》に登録されてからの年月が浅いものだから。

「いいえ、物事の変化になかなか馴染めないというのは、年齢のせいよ。自分でも認めていたし」

私の舅にして妻の父親であり、財界の要人の一人でもある今多嘉親《よしちか》は、今年七十九歳である。妻は末娘で、歳の離れた兄が二人いる。二十歳年長の長兄は今多コンツェルン社長であり、十八歳上の次兄は専務取締役だ。二人の肩書きはそれだけでなく、兼務している傘下《さんか》の企業の役職が、他にもたくさんあった。どうしても覚えきれない。今多コンツェルンの組織図は、いまだに、私の目には恐ろしく込み入った進化の系統図にしか見えないのだ。それも、どこか地球外の生態系の。

それを読み解こうと努力した時期も（ごく短い間だ）あったけれど、その努力は空《むな》しい結果に終わったし、それで私には何の不都合もないということだけは、今ではよくわかっている。とにかく彼らはトップにおり、彼らの頭の上には親父殿しか存在していないということさえ押さえておけばいい。

そして、自分はその末端にいるのだということも。

では菜穂子はどこにいるのか。図の外にいる。系統図の脇に添えられた、とても美しいカラーのイラストとでも言えばぴったりだろうか。

彼女の母親も、同じように図の外にいる。

父親が五十歳のときの子供だと言えば、誰でも察するかもしれないが、菜穂子の生みの母親は、義父の正妻ではない。だから二人の兄たちも腹違いだ。

そのことで、格別辛い目にあったわけではないと、菜穂子は言う。お父さまもお兄さまたちも、わたしにはずっとよくしてきてくださったもの。今もそうよ、と。

菜穂子の母親は、銀座の町の端の方に、親から受け継いだ小さなギャラリーを持っていた。彼女自身も絵描きだったが、美術界に名前が残るような作品をものしたわけではない。ギャラリーのあがりで、質素にしていれば生活に困ることはないので、好きな絵を描いて暮らしていくことのできた幸せな女性だったのだろう。

彼女がどういう縁で今多嘉親と知り合ったのか、詳しいことを私は知らない。娘の菜穂子が知らないから、私にも教えようがないのである。義父も話してくれないそうだ。

ともあれ、今多嘉親と婚姻外の関係を結び、菜穂子が生まれたとき、彼女の母親は三十五歳だった。今多嘉親は菜穂子を認知したが、むろんのこと生活は別々だった。それでも、菜穂子が言うには、母子二人の暮らしは楽しかったそうだ。父親にも、けっこう頻繁に会っていたそうである。

菜穂子の母親は、菜穂子が十五歳のときに亡くなった。急性心不全だった。未成年の菜穂子は、父親の元に引き取られることになった。姓も父の姓にかわった。そこで初めて兄たちとも顔を合わせた。

菜穂子にとって幸い（といっては失礼かもしれないが）なことに、今多嘉親の正妻も、当時すでに亡くなっていた。彼女は姉さん女房で、義父よりも五つ年長だったと聞いている。その死は、菜穂子の母の死よりも二年早かった。

二人の兄たちも、思いがけず身近で暮らすことになった美しい妹に、苛烈《かれつ》な感情を抱くような感じやすい年頃ではなくなっていた。長兄は結婚して子供もあり、次兄は新婚ほやほやだったそうだ。

今多コンツェルンの後継者であり、若き財界人として多忙な彼らは、菜穂子に適度な無関心と、それを冷たいと感じさせない程度の親切とを与えた。もちろん彼らがそのように快適な距離を保てたのは、菜穂子が、彼らと争って今多コンツェルンという巨大な「資産」を分け合うような存在ではないことを、最初からよく言い聞かされていたからではあろうけれど。

菜穂子は生まれつき身体が弱いのだ。肥大症と言い切るまでのことはないが、心臓が普通の人よりもやや大きい。人間の命を司《つかさど》るこの臓器は、サイズが大きいとそれを動かすための負担が増し、かえって弱くなってしまうのだそうだ。母親もそうだったというから、体質なのだろう。

幼いころ、菜穂子は何度も死にかけた。普通の風邪でも、高熱が出れば彼女の虚弱な心臓には文字通りの命取りになる。

友達と外で遊びまわることもできず、体育の授業は見学ばかり。遠足にも移動教室にも運動会にも参加できない。それどころか、何ヵ月も休学しなくてはならないこともあり、結果として彼女は小学校に七年通った。中学と高校はそれぞれ三年で無事卒業、大学にも合格したが、通いきることができずに結局二年でやめている。

学校では、いつも一人ぼっちで淋しかったと菜穂子は言う。ただ、母親から絵を描くことを習い、本に親しんだ彼女は、退屈をもてあますことはなかった。友達は空想の世界でたくさんつくった。

今多嘉親は、そういう愛娘のことをよく知っていた。なにしろ、彼の伝手《つて》を使って、小児科で有名な病院には、片っ端から菜穂子を連れてゆき、診《み》てもらったというのだから。

だから菜穂子が母を失い、寄《よ》る辺《べ》ない身の上になったとき、この父親の考えたことはただひとつだけだった。この娘が一生、世間の煩《わずら》わしい事柄から解放され、安楽に、心安らかに暮らせるようにはからってやろう。今多コンツェルンの財力があれば、そんなことぐらい造作《ぞうさ》もない。

こうして、現在の菜穂子の暮らしがある。

今も変わらずおっとりとして菜穂子と距離を置き、ときおり優しく挨拶《あいさつ》をおくってくれる義兄たちは、二人とも私より年長だ。頭も私よりはるかに切れる。世慣れているなどという言葉を使っては失礼にあたるだろう。彼らは、その気になりさえすれば、世の中の方を自分の都合に合わさせることができる立場にあり、その能力もある人物だ。もちろん、義父も同様である。

私にとってばかりではなく、世の中のかなりの部分にとって幸いなことに、今多家の三人の男たちは、自分たちの擁《よう》しているそういう力を、みだりに使おうとはしない。私がそうであるように、彼らも一人の人間としてさまざまな長所と短所を合わせもっている（そのはずだ！）が、短所のなかに、「意地悪」という項目はない。「暴君」という要素もない。少なくとも身内に対しては。そのことに、私は敬意を抱いている。

「梶田さんの車には、僕も四、五回は乗せてもらった」と、私は言った。

「お父さまと一緒に？」

「うん。グループ広報室に入ってから、何度かお供する機会があったからね」

但《ただ》しそのうちの一度だけは、七年半前のことで、私はまだ今多コンツェルン会長室直属の今多コンツェルングループ広報室には入っていなかった。生涯忘れることのできない経験だったが、妻はそのことを知らない。

その時の車中会談で、私は菜穂子との結婚を許してもらったのだった。義父は現在同様、当時も超のつく多忙の身だったから(財界人で多忙でない人間などどこにいる?)、会談は長いものではなかった。せいぜい一時間ほどだったろう。小雨の降りしきる都心を、私の未来の舅と私を乗せた銀色のメルセデス・ベンツは、ぐるぐると走り回った。運転席の梶田氏は、まるで彼自身が車の一部であるかのように、滑らかにメルセデスを操っていた。未来の舅との話し合いで息が詰まるほど緊張していた私は、そんな自分を励ますために、あるいは今多嘉親の前だからといって臆してはいないことを見せつけようとして、対等の男同士であることを誇示しようとして、梶田氏に向かって冗談を飛ばそうとした。ところであなたは、工場出荷時からこの車についていたのですか? それともディーラーがあなたをオプションでつけたのですか?

つまらない冗談だ。結局、口にすることはできなかった。私は今多嘉親の前で臆していたし、対等の男同士でもなかったのだから。

私の記憶に残っているのは、運転席の梶田氏が終始無言で、ごくかすかに、品のいいアフターシェイブローションの匂いを漂わせていたことだけである。

私が降りる時、彼も運転席から降りてきて、後部座席のドアを開けてくれた。私が不器用に傘を広げているあいだ、小雨に濡れながらも姿勢を正してそばに立っていた。

そして、私にだけ聞こえるくらいの小さな声で、私にだけ見えるぐらいの小さな笑顔と共に、こう言った。

「おめでとうございます」

私が受けた、最初の祝福の言葉だった。その後ろに、「でもねぇ」とか「これから大変だ」とか、「うまくやったじゃないか」とか、猜疑《さいぎ》、冷笑、疑念、軽蔑《けいべつ》などなど、さまざまな表情や仕草のくっついていない、純粋な「おめでとう」だった。私の目には、彼が喜んでくれているのが見えた。気持ちが伝わってきた。それは、私の実の親たちがとうとう発することのできなかった祝福の言葉だった。だからよく覚えている。

義父も覚えていたらしい。聞こえていたのだ。だからこそ、大勢いる秘書や補佐役の誰かを遣《や》れば済むところに、わざわざ私を名代に立てて、梶田氏の死出の旅の見送りに行かせたのだろう。

そして今度は、その梶田氏にかかわる何事かで、義父が私に頼みがあるという――

梶田氏は事故で亡くなった。真夏の陽盛りの歩道で、自転車に撥ねられたのだ。撥ねた人物は逃げてしまった。梶田氏を見つけて一一九番通報してくれたのは、通りがかりの主婦である。

犯人が捕まったという報せは、まだない。自転車による歩行者の死傷事故というのは、昨今じわじわと増加しているという。自転車が歩行者と一緒に歩道を走れるように交通規則が変えられたのは、昨日今日のことではない。ただ、ちょっとした衝突ではなく、救急車が来るような死傷事故が目立つようになったのは、ここ数年のことらしい。その原因としては、自転車の性能がアップして、誰でも容易にハイスピードが出せるようになったことと、携帯電話の普及が関係しているのではないかと推測されているという。街中《まちなか》を歩いていて、背後から曲芸のようなハンドルさばきで自転車に追い越されたことや、自転車に乗りながら携帯電話をかけている人とぶつかりかけた経験なら、私にもある。

義父の意見は違うようだった。梶田氏の通夜と葬儀の後、会長室へ報告に行ったとき、吐き捨てるようにこう言っていた。

「民度が下がっておるのだ」

常識のない人間が増えている——と言い換えれば判《わか》りやすい。街中でこんなことやあんなことをすれば、こんなことやあんなことが起こるかもしれないからやってはいけないというブレーキが欠けている。義父の意見に私も賛成だったし、その怒りも理解できたから、今にも彼が口を開いて、どんどん自堕落《じだらく》に自己中心的になっていくばかりの日本人と、不可解な現行の交通規則に関する非難と抗議の叫びを発してくれるのではないか——と、ちらりと夢想して楽しんだ。義父の怒り方には、見る者を爽快《そうかい》な気分にさせてくれるところがあるのだ。怒られている当事者でない限り。

若いころ、義父は「猛禽《もうきん》」とあだ名されていたそうである。八十歳を間近にした今でも、その面影《おもかげ》は色濃く残っている。日本人にしては珍しい見事な鉤鼻《かぎばな》に、切れ上がった目尻と険《けわ》しい目つき。体格は小柄で華奢《きゃしゃ》だが、それがかえって義父の容貌《ようぼう》に凄《すご》みを与えていた。世間ではよく、小柄な男は気が強いという。戦闘機だって、たいていの輸送機や旅客機より、ずっとサイズが小さいではないか。

機動力を活かして大空を自在に飛び回り、もっと身体の大きい鳥たちが入り込むことのできない森のなかにまで舞い降りて、獲物を狩る。義父のあだ名には、そういう意味がこめられていたのだろう。

今多コンツェルンの前身は、義父がその父親から受け継いだ都内の運送会社で、営業範囲は関東一円に限られていた。工業資材や小さな部品をパレットに載せて運ぶことを生業《なりわい》としていた。

義父はそれを一代でここまで大きくしたのである。現在でも、物流業は今多コンツェルンの大きな核ではあるが、依然として運ぶのは工業部品や資材が主なので、義父が独自に開拓した外食産業のチェーン店や、吸収したり傘下におさめたりしてきた他の会社の名前の方が、一般にはよく知られているだろう。

もちろん規模の大小はある。もっとも小さいものは、東京と博多に一店舗ずつしかない高級エステティック・サロンだ。私は足を踏み入れたことさえないが、菜穂子は数回利用して、地味な店だと驚いていた。高名な舞台女優御用達の店なのに、である。いや、だからこそなのかもしれない。女性誌などには絶対に知られず、取材も受けず広告も打たない。そして法外な値段をとるが、確かに効果はあるそうである。

義父はエステになど行ったことはないが、そのなめし革のような色の顔はいつも艶《つや》やかで、疲労の色が浮かんでいたこともない。梶田氏の横死《おうし》を怒っているそのときは、興奮のせいでなおさら血色がよく見えた。

「梶田には娘が二人いてな。上の娘がもうすぐ結婚するところだった。他人の迷惑も考えずに自転車で暴走する輩《やから》のせいで、真面目に働いていた男が娘の花嫁姿を見ることができなくなってしまったのだ」

通夜と葬儀で、私も梶田氏の二人の娘には会っていた。梶田氏は五年前に妻に先立たれていたので、喪主を務めたのは長女だ。花嫁衣装よりも先に、母を、次には父を送るための喪服を身につけることになってしまった姉妹は、かすみ網で捕えられて籠《かご》に押し込められたばかりの小鳥のように、肩を寄せあって怯《おび》えているように見えた。

私がそのときのことを話すと、妻は大きくうなずき、身をよじって私の方を向いた。片手がまた私の膝の上に載せられる。

「そのお嬢さんたちのことなのよ」

梶田氏の娘たちは、葬儀が終わって一週間ほどすると、わざわざ義父のところに挨拶に来たという。その折に義父は彼女たちに、警察の捜査に進展があったら教えてほしい、また、何か困ったことがあったらすぐ相談に来るように——と言ったそうである。

その数日後、梶田姉妹から義父に連絡があった。相談事ができたというのだ。義父は喜んで、休日に自宅に来るようにと招いた。そして彼女たちの話を聞くと、これは自分よりも、娘婿に向いている案件だと判断したのだそうだ。

妻は、少しばかり私を驚かそうとしたのか、思わせぶりにちょっと間を置いてから言った。

「梶田さんのお嬢さんたちは、本を書きたいのですって」

「本?」私は眉を持ち上げてみせた。私の眉は端が下がっているので、これはなかなか難しい作業だ。

「お父さんの伝記というか」妻は言って、自分で自分の表現に小首をかしげた。「それだと大げさになるわね。要するに、お父さんがどんな人生をおくり、どんな人だったかということを文章で書いて、本にして出版したいということじゃないかしら」

私にも、ようやく義父の考えがわかった。私は編集者だ。本を作るとなれば、編集者の出番だ。

「それじゃ僕に、その原稿を見てくれということなのかな?」

「たぶんね。具体的な内容は、お嬢さんたちに会って聞いてみた方が話が早いと思うけれど、でもあなた、どう? 引き受けるにしろ断るにしろ、一度は会ってやってほしいと父は言っていたけど、あなたが気が進まないなら、わたしが代わりに会ってもいいのよ」

気持ちは嬉しいが、義父は私が断るなど、まして、その手間を惜しんで菜穂子に代わってもらうことなど、想像もしていないだろう。

「いや、大丈夫だよ。会ってみる。先方が落ち着いたところで、もう一度お悔やみも言いたいしね」

「時間はとれる？」

「もちろん」

「そう」妻はまたにっこりと笑った。「ありがとう。父のわがままに付き合ってくれて」

さほどわがままな依頼だとは思わない。七年と半年前、私は海に飛び込む決心を固めた。今になってその海に、コップ一杯や二杯の水が足されようと、全体の嵩《かさ》に変わりはない。

「さっそく連絡をとってみるよ」

そう約束し、話に区切りをつけてしまうと、その後は、私たちは、子どもが早寝した後の若い両親にふさわしい時間の使い方をすることにした。

2

今多コンツェルンの本社ビルは、地下鉄銀座線新橋駅から徒歩二分のところにある。この二分を歩くのに、雨天でも傘は要らない。地下鉄のC8出口から、直接ビル内に入ることができるからだ。

本社ビルは地上二十二階建てだ。いわゆるインテリジェント・ビルだが、昨今では、わざわざそんなふうに断らなくても、この十年ほどのあいだに新築されたビルなら、皆そうだろう。地下は三階まであり、B2とB3は駐車場になっている。フロアすべてを今多コンツェルンで占めているのではなく、三分の一ほどには店子《たなこ》が入っている。外資系金融機関や、特殊法人が多い。

鋼鉄と硝子《ガラス》で造られたバベルの塔のようなこのビルの裏側には、もうひとつ、今多コンツェルン所有のビルがある。古風な円柱に支えられた三階建てのこの建物には、「ビルヂング」という呼称の方がふさわしい。落成は昭和初年だそうである。

義父が最初に買った都心の建物だ。三十代の十年間、今多コンツェルン伸び盛りの時期に、一部は私邸としても使っていたという。職住近接だ。

だから義父は、周辺の土地を買収し、新社屋ビルを建てることが決まったときも、これを壊すことを許さなかった。確かにゆかしいデザインで、有名な第一生命ビルを縮尺十分の一ぐらいで縮めたような建物だが、建築史上に飛びぬけた価値を持つものではないし、もちろん進駐軍の誰かが接収して使ったなどの歴史的価値もない。あるのは義父の思い入れだけだ。

結果としてこのビルヂングは、〝現代そのもの〟のようにインテリジェントな新社屋ビルの足元に、ひっそりとうずくまることになった。社員たちにはもっぱら「別館」と呼ばれている。

私の職場、今多コンツェルングループ広報室は、この別館の三階にある。

C8出口経由のルートでは、別館に入るために、新本社ビルのロビーを通り抜けなければならない。二つのビルは背中合わせに建っている。社員である私でも、入るときに一度、出るときに一度、社員証を掲げて守衛に見せなくてはならない。それが面倒くさくて、私はたいてい別の出口から出て、別館の正面入口から入るようにしている。知らない人が見れば、別の会社の社員に見えるだろう。

別館は、当然のことながら、現代のオフィスビルとしては使いにくい。使用電力の容量の上限が低いので、大型コンピュータや電力を食う最新のオフィス機器の設置台数に限りがあるのだ。だから義父は、今さらこのビルヂングのフロアを、すべてオフィスで埋めようとはしなかった。一階は内装を変えて賃貸にした。「睡蓮《すいれん》」というティールームと、「アビシオン」というフラワーショップが入っている。二階には傘下にある会社が三つ入っているが、そのうちのひとつは「東晋社《とうしんしゃ》」という出版社である。

三階のグループ広報室は、ワンフロアをすべて占領して贅沢《ぜいたく》のようだが、三分の一は「社史編纂室《へんさんしつ》」にとられているし、資料室も広いので、実際に使えるオフィスは二部屋だけである。ビルヂングといっても、私邸としても使えるくらいのサイズだから、もともと容積には限りがあるのだ。

一階の「睡蓮」は、せっかくのこの器を無駄にはせず、戦前の映画に出てくる洋風喫茶のようなつくりにしてある。明かり取りの小さな窓を飾るステンドグラスや、ボックス席を囲む磨きこまれた木の手すりが、落ち着いた雰囲気をかもしだしている。私もここで本を読むのが好きだ。

レトロ調というのだろうか。この手の店は女性に人気がある。いくつかの雑誌やテレビ番組で紹介されたこともあって、ランチ時など、外まで長い行列が並ぶ。それでも大家の顔を立ててくれているのか、三階からコーヒーやサンドイッチの出前を頼むと、驚くような早さで持ってきてくれるのが嬉しい。

別館にはエレベータがない。二階と三階で働く者たちは、「この先は関係者以外ご遠慮ください」という立て札の立てられた階段を使うことになる。足音のうるさいのと、冬場の底冷えが厳しいのを緩和するために、幅広の階段には真紅《しんく》の絨毯《じゅうたん》が敷かれている。このせいで、「睡蓮」や「アビシオン」に来たお客が、上にも他の店があるのかと間違えて、立て札があるにもかかわらず、迷い込んできてしまうことがたまにあった。

エプロンがけをした「睡蓮」のマスターが、美しいエッチング細工のほどこされた硝子のドアを拭いている。硝子クリーナーの匂いが漂う。ここはモーニング・サービスを出さないので、開店が遅いのだ。私は彼と挨拶を交《か》わし、三階まで階段をのぼった。

午前八時三十分。グループ広報室の執務室の出入口には、まだ鍵がかかっていた。私がいちばん乗りだ。本社の方では部署ごとに朝礼があったり、早朝会議があったりして、もっと早い時刻から社員たちが出てきている。別館は別世界だ。

私は壁際《かべぎわ》のタイムカードを押すと、古びた引き上げ式の窓を開け、部屋の空気を入れ替えた。ハンディモップを持ってきて、つつましく机の上の塵《ちり》をはらう。自分の机の上だけではなく、両隣の机と、ついでに作業台兼打ち合わせ用の大机も。それから給湯室にあるコーヒーメーカーをセットして、席についた。

私は受話器に手を載せると、几帳面《きちょうめん》な筆跡で書き付けられたメモを見直した。梶田氏の二人の娘の名前がふりがな付で、その下には住所と電話番号が並べて書いてある。長女の名は聡美《さとみ》。次女は梨に子と書いて、リコと読む。住まいは高円寺《こうえんじ》南のマンションである。半月前までは、父娘三人でそこに暮らしていたのだ。

「聡美さんは、結婚準備のために会社を辞めたので、連絡はいつでもとれるそうなの。

ただ、いろいろと用があって外出することも多いから、自宅に電話をするなら、朝か夕方の方がいいみたい。あとは携帯電話ね」

菜穂子はそう言っていた。確かに、自宅の電話番号に加えて携帯電話の番号も書いてあり、カッコして（長女）と添えてある。しかし私には、いきなり彼女の携帯電話にかけるのは憚《はばか》られた。自宅に連絡して、よほどつかまらなかったら使わせてもらうことにしよう。

番号を間違えないよう、慎重にプッシュした。給湯室の方からコーヒーの香りが漂ってくる。窓の外からは、動き始めた新橋の街のざわめきが入り込んでくる。幸いなことに、窓を開けたままでは電話もできないほどの騒音ではない。むしろ心地よい程度の活動音だ。

呼び出し音は何度も鳴った。留守ならば留守番電話が応答するだろう。それでも十回鳴らして出ないので、受話器を置きかけた。

そこで、息を切らした女の声が出た。

「はい、梶田です。もしもし？」

ハスキーでしっかりした声だった。

梶田氏の葬儀では、義父の名代として参列したこともあって、姉妹と話す機会もあった。しかしあのときは、こんな印象に残る声を聞いた記憶がない。そういえば二人の容貌も、とりたてて印象に残るものではなかったような気がする。

「失礼ですが、梶田聡美さんでいらっしゃいますか？」

「そうですが」

私は椅子の上で座り直した。「おはようございます。こんな時刻に申し訳ありません。私は今多コンツェルンの杉村三郎《さぶろう》と申します」

ああと、梶田聡美は小さく驚きの声をあげた。おはようございますと、急いで挨拶を返してくれた。

「お父様のご葬儀のときにも、会長に代わってお悔やみを申し上げました。ああいう場では、大勢の人に一度にお会いになるので、ご記憶にはないかとも思いますが——」

私の前口上を遮《さえぎ》って、梶田聡美は言った。

「いいえ、覚えております。あの節はありがとうございました。あの、それで、お電話いただきましたのは、わたしたちが今多会長にお願いにあがった一件のことでしょうか」

「はい、そうです」

彼女の声が縮んだ。「すみません、図々しいお願いをしましたのに、こんなに早くご連絡をいただくなんて。それになかなか電話に出られなくて。ベランダにいたんです」

洗濯物を干す時間帯か。今日は好天だ。見るからに残暑厳しくなりそうな色の空だ。

「お気遣いは無用です。会長からは、一度梶田さんにお目にかかり、私でお役に立てるかどうか検討することも含めて、詳しいお話を伺うようにと言われております。ご都合はいかがかと思いましてご連絡しました」

「わたしはいつでも大丈夫です。今日でもかまいません。あ、でも妹が」

「そうですね、お二人ご一緒にお目にかかった方がいいと思いますが」

「ちょっと――ちょっと待っていただけます？」

急《せ》きこんだ様子で言い置くと、彼女は電話から離れたようだ。保留ボタンを押さなかったらしく、スリッパでフローリングをぱたぱたと急ぐ足音が聞こえる。

「リコ、リコ」と、呼んでいる。妹もまだ在宅しているようだ。そういえば、彼女がどんな仕事をしているのか聞いていなかった。

ほどなく、またパタパタと足音が戻って、

「もしもし？　お待たせしました。妹も、今日でも都合がつくそうです。それですと急すぎますか？」

「いえ、かまいません」

私は遊んで暮らしているわけではないが、どうしようもないほど多忙な身体でもない。それでも、梶田聡美はしきりと恐縮した。

相互の譲り合いの結果、午後二時に「睡蓮」で落ち合うことになった。

梶田聡美は私の顔を覚えているというが、念のため、私は今多コンツェルンのグループ広報誌を携えてゆくことにした。それを聞くと、相手の声が初めてほころんだ。

「杉村さんは、その広報誌の記者をなさっているそうですね。会長先生から伺いました。

もともと出版社で編集者をしていた人だから、こういう話にはうってつけだって」

やっぱり、義父は最初から私をあてにしていたのだ。それにしても、「会長先生」というのは初めて耳にする呼称である。

私はお愛想程度に声をゆるませた。「それは会長の買いかぶりですよ。実際に、私にどの程度お手伝いができるかわかりません。お父様の人生を綴《つづ》った本を出したいということですよね」

なぜかしら一瞬ためらってから、梶田聡美は答えた。「はい」

「出版社に勤めていたころも、私は、人物評伝や伝記などを手がけたことはありませんでした。ですから、詳しくお話を伺った上で、もっと適任の者がいましたら、ご紹介します。あるいは伝手《つて》を頼って、ふさわしい編集者を探すこともできるかと思います」

梶田聡美は、またなぜかしら間をおいた。それから言った。「杉村さんは、会長先生のお嬢さまと結婚していらっしゃるんですよね」

「はい、そうです」

とっさに、義父が「そんな話なら娘婿に頼めばいい」と言ったのかな——と思ったが、考えてみれば、葬儀の折に、私の方から自分の身分をそのように名乗ったのだった。

「会長先生は、杉村さんのことをとても信頼しておられるようにお見受けしました」

はあ、そうですか。それもまた買いかぶりですよ。どっちとも答えようがないので、私は「ありがとうございます」とだけ返した。

その後、また不自然な間が空いた。

「それであの——ヘンに思われるかもしれませんが」

梶田聡美のハスキーな声が、さらに一段と低く籠《こも》る。送話器を手で覆《おお》ったようだ。

「二時のお約束ですけれども、わたしたち二人で参りますが、妹を先に帰しますので、その後、もうしばらくお時間を頂戴《ちょうだい》することはできるでしょうか」

私はちょっと目を瞠《みは》った。「かまいませんが」

「すみません。何から何まで。それでは二時に伺います。場所はわかります。本当にありがとうございました」

私たちは互いに丁寧な挨拶を送りあって、電話を終えた。

「おはよう」

目を上げると、机の向こうに園田《そのだ》室長が立っていた。今日も珍妙な——と言っては失礼だが、かなり個性的な服装をしている。

「朝から精が出るわね」

園田瑛子《えいこ》は、大学を出て今多コンツェルンに奉職し、今年で二十八年目になるベテラン社員である。事務職としてさまざまな部署を経験し、関連会社や傘下の会社に出向した経験も豊富だ。おそらくはここで定年を迎えることになるであろう彼女が、自らの社歴の最後を飾るこの肩書き、「グループ広報室長兼グループ広報誌編集長」を、どのように受け止めているのかはわからない。

私の目には、彼女がけっこう今の立場を楽しんでいるように見える。窮屈なスーツとハイヒールを脱ぎ捨て、もちろん制服を身につける義務からも解放され、アジアの民族衣装のようなワンピースやパンツ姿（その大半はお手製だ。布はバンコクやタイペイで買ってくるのだという）にスニーカーやスリッポンを履いて出勤し、喫煙室以外の場所でもパカパカと煙草を吸い（厳格な社内分煙制度を敷いている本社ビルでは、これは大罪だ）、誰からも「編集長」と呼びかけられる。そのすべてを満喫しているように見える。

だが、大半の社員たちは私とは正反対の意見を持っているようだ。彼らは園田瑛子という「個人」を見ているのではなく、グループ広報室に島流しにされたお局《つぼね》社員という「立場」で見ているから。

「午後、人に会う用事ができました。『睡蓮』にいますが、ちょっと時間がかかるかもしれません」

私は、梶田聡美が最後に付け足した、謎《なぞ》めいた依頼に引っかかっていた。

「かまわないわよ。今は暇だもんね」

園田編集長は自分の机に近づき、回転椅子を引くと、顔をしかめた。無言のまま、椅子の上に載せられた書類を、無造作に床へとはらい落とすと、腰かける。

「どうしてこんなところにゲラを置くのかしら」

「編集長に見てもらいたいゲラなんでしょう、きっと」

園田編集長の机の上は常に、いわゆる〝片付けられない症候群〟の若い女性の部屋もかくやという状態だ。確実に彼女の目に留まるよう、メモや伝言を残すのには工夫がいる。いわんや、毎月排出される校正刷りにおいてをや。

そのうちに他の部員たちも出勤してきて、回転椅子の上のゲラの謎は解けた。編集長以下六名しかいない小さな所帯だから、この手の謎を保ち続けることの方が難しい。

いちばん若手の部員が、来月号の「四季おりおりニッポン巡り」に、早く目を通してほしいと考えたのだった。社員たちから聞き書きして構成する気楽な旅のコラムだが、初めて単独で重役連の一人にインタビューして構成した記事なので、気が揉《も》めているらしい。

「本人はゲラチェックしてるんでしょ？　直しも済んでるんでしょ？　だったらいいわよ。問題なし」

私が過去の経験で築いてきた「編集長観」というものは――まあ、それ自体頼りないものではあったのだが――園田編集長によって、かなり変わった。良く言えばおおらか。悪く言えばおおまか。それで通っている。そこに我が編集長の幸せがあると、私は思う。そこに園田瑛子の不幸があると、他の社員たちは思う。

今多コンツェルン会長室直属グループ広報室。字を並べればいかめしく、なかなか権威のある部署のように見える。「広報室」だから華やかにも見える。しかしこれは言葉の魔術だ。

義父が次々と事業を拡大してきた結果、今多コンツェルンのなかには、多くの会社――多種多様の生業が同床異夢することになった。義父はそれが、従業員相互のコミュニケーション不足につながることを不安に思った。そしてちょうど十年前に、会長命令でこの部署をつくらせたのだ。

仕事は何か。今多コンツェルン全社員に行き渡る社内報を作成することである。

それだけ。掛け値なしに。

それ以前にも、もちろん社内報は存在した。物流グループを始め、生業を同じくする関連企業や傘下の会社が、個別に発行していたのである。それは今もある。

それらの社内報とグループ広報誌は、まったく由来と機能を異にしている。交流らしい交流もない。我々は独立独歩なのだ。よく言えば。

一方、外部向けのまっとうな広報部は、本社ビルのなかにある。そここそが本当の「広報」で、状況によっては「大本営」になることもあるという、実に有能な部署だ。我々グループ広報室とは、これまた由来も機能もまったく違う。太陽と月が違うように。

聞いた話ではあるが、会長室直属という肩書きを持ってグループ広報室が誕生したとき、社内の一部では、ここに配属される社員は、つまりは会長のスパイなのではないかという憶測が飛んだことがあったそうだ。スパイという言葉はまだ穏当で、「ゲシュタポ」と呼んだ人々もいたそうである。

これは、組織のなかにいると、人は悪い想像ばかりをしたがるという見本だ。

私の舅は用意周到な人間であるから（これは洒落《しゃれ》ではない）、実際に社内にスパイを飼っているのだろうし、それにゲシュタポ的な仕事をさせることもあるだろう。しかし、グループ広報室は違う。そうでなければ、私が配属されるわけがない。

菜穂子と結婚するとき、義父が提示した条件がそれだった。今多コンツェルンに奉職し、グループ広報室で記者兼編集者として働くこと。

つまりは、常に義父の目の届く場所にいるということだ。この場合の「目」は、イコール「権力」だが。

私は当時、子ども向けの図鑑や絵本専門の小さな出版社「あおぞら書房」に籍を置いていた。大学を出たばかりの私を採用してくれた、ありがたい会社だ。好きな仕事だった。定年まで働きたいと思っていた。子供の本を作るのは、私にとって充分にやりがいのある事だった。

それでも、菜穂子を諦められなかった私は、義父のその提案を呑んだ。

「あおぞら書房」は良い会社だった。ずっと良い会社であり続けるために、私は必要不可欠な存在ではなかった。一方、私には菜穂子が必要だったし、菜穂子も私を必要としてくれていた。だから他に道はなかったし、選択は厳しいものではなかった。

「あおぞら書房」の同僚たちは、私のために喜んでくれた。たいそうな出世だと。「逆玉の輿《こし》」いわゆる「逆タマ」という言葉を、私とて知らなかったわけではない。ただ、自分に対してその言葉が適用されることがあり得るとは夢想だにしていなかった。

あのころの私は、菜穂子と二人きりでいるとき以外、あまり上手に嬉しがることができなかった。もしかしたら、今でもそうなのかもしれない。嬉しがる必要に迫られる機会が少なくなったから気づかないだけで。

ところで少しばかり皮肉なことに、そうやって私が働くことになったこのグループ広報誌は、「あおぞら」という。発行人はもちろん義父、今多嘉親だ。

それで気がついた。ひょっとすると義父は、梶田姉妹の本を、グループ広報室から出してやるつもりなのかもしれない。自費出版させるのは忍びないと。単行本の発行人として奥付に名前を載せることにも、色気があるのかもしれない。

階下《した》の東晋社は、経済学やマーケティングの、主に海外の書籍を翻訳して出している。例の高級エステと同様、義父が半ばは付き合いで、半ばは道楽で買収した会社だが、作っているのは非常に硬派の良質な書籍だから、意味のある買い物だった。が、間違ってもビジネス本部門のベストセラーを生むような会社ではないから、経営には当然、ゆとりがない。それに、付き合いのある取次業者は、学術関係の本ばかり専門に通しているところだから、ぽつりと一冊『わたしたちの父の思い出』を持ってこられたところで、扱いようがないだろう。買収したきり、切り盛りは旧経営陣（といっても小さな所帯だが）に任せっぱなしにしている義父でも、それくらいは承知しているはずだ。だったら――

梶田姉妹の希望を聞いた上で、そのあたりに関しては、義父の腹積もりを確認しなくてはならないと、私は心にメモをとった。

誰かと待ち合わせているときには、必ず十五分前に着くようにしている。だが梶田姉妹には先手をとられた。私が「睡蓮」に入ってゆくと、二人はすでに、深い琥珀《こはく》色のアイスティを前に、窓際のボックス席に座っていた。

私たちはほとんど同時に互いを認め、梶田姉妹は揃って椅子から腰をあげて会釈《えしゃく》を寄越した。

「お待たせして失礼しました」

「いいえ、わたしたちの方が早く来たんです。懐かしかったものですから」

向かって左側の女性が、あのハスキーな声でそう言った。ひと目で彼女の方が年長とわかる。隣に座る妹の梨子は、頭を下げあう姉と私の顔を、興味深そうに見比べている。

女性が喪服を着ると、普段の服装のときとはがらりと印象が変わったりするものだ。梶田姉妹も例外ではなかった。とりわけ姉娘の方は、和装の喪服のせいもあり、葬儀のときには四十歳代に見えた。ほのかな朱鷺《とき》色のワンピースを着た今は、三十そこそこに見える。私の印象に残らなかったのが不思議なほどの、目鼻立ちのすっきりとした美人だ。いわゆる〝マダム・カット〟というのだろう、品のいいショートカットの髪型がよく似合っていた。耳元でピアスが光っている。

妹娘は、豊かにウエーブを描く肩までの髪を、思い切って明るく染めていた。栗色に、かなり強い赤みが混じっている。装いもそれに合わせて大胆で、くっきりした花柄のブラウスに、思い切って丈の短いスカートだ。こちらもよく似合っていた。若々しく美しい。

私は二人の正確な年齢を知らない。ただ、こうして並んでいるのを見ると、かなり歳の離れた姉妹のようだ。妹の方は、せいぜい二十歳ぐらいにしか思えなかった。今朝、勤め人なら出勤しているはずの時刻に在宅していたのも、学生なのだとしたら納得がいく。

「勝手なお願いに、お時間を割《さ》いてくださってありがとうございました」

私が注文したアイスコーヒーが運ばれてくるまでのあいだに、梶田聡美はまた丁寧な礼を繰り返した。妹も初めて、「とてもありがたいです」と声を発した。姉とは対照的な、子供っぽいような声だった。

「この店には、お父様といらしたことがおありなんですね」

話のきっかけに、私は尋ねた。聡美が答えた。

「父は歌舞伎《かぶき》が好きでした。観たい演目がかかると、わたしたちを誘うんです。ここで待ち合わせてお茶をして、それから歌舞伎座へ行って、観劇が終わると銀座で食事をするというのが決まりのコースでした」

「楽しそうですね」と私は言ったが、内心驚いていた。梶田氏と歌舞伎が、ちょっと結びつかなかったのだ。私自身は歌舞伎が苦手で、何度見ても面白さがわからないせいもある。

「わたしは映画の方がよかったんだけど」と、梨子が言った。くちびるが艶やかに光る。リップグロスだ。

「新橋演舞場へ行ったこともあったよね？」

姉娘に尋ねる。彼女はうなずいた。「あれはずいぶん昔のことよ。『黒蜥蜴《くろとかげ》』を観に行ったときね」

この美しい娘二人を伴って、梶田氏はさぞかし鼻が高かったことだろう。

「梶田さんのことは、本当に残念です。会長も身辺が淋しくなりました。梶田さんを懐かしく思っているようです」

姉妹は嬉しそうに笑った。梨子は、笑うと左の頰に目立つえくぼができることに、私は気がついた。

「会長先生には、本当にお世話になりました。お礼の申し上げようがありません」

そうそう、その呼称だ。

「電話でも、会長のことをそうお呼びでしたね」

「ああ、そうですね」聡美はちょっと手をあげて口元を隠した。照れくさそうだ。「すみません、勝手に〝先生〟なんて」

謝ることはない。少しばかり新興宗教の教祖みたいに聞こえるというだけだ。

「わたしたちなんかが、気安く〝会長〟とお呼びするのが憚られまして。家《うち》ではいつもそうお呼びしていたんです」

「父が言い出したんですよ」と、梨子が付け加える。そして軽く身を乗り出すと、アイスティのグラスの裾《すそ》に指を添えて、まっすぐ私の顔を見た。

「あんな偉大なお舅さんがいらっしゃるって、どんな気分なんですか？　やっぱり頭があがらないって感じですか？」

失礼よ、と、聡美があわててたしなめる。私は笑った。

「そうですね。冷汗をかくことばかりですよ。会長はあのとおり、まだまだ矍鑠《かくしゃく》としていますし、頭も切れますからね」

「でも杉村さんは、お婿さんじゃないでしょ。名字《みょうじ》が違うもの」

姉の渋い顔をよそに、梨子はいっそうフランクなことを訊《き》く。

「ええ、入り婿ではありません。でも、いわゆるマスオさんですよ」

やっぱりねというようにうなずき、梨子は澄まし顔でアイスティのストローに口をつけた。彼女の長い爪には、凝ったネイルアートがほどこされている。自分でやったのだとしたら、たいした腕前だ。

「杉村さんはお仕事がおありなんだから、余計なおしゃべりをしちゃご迷惑よ」

聡美は妹を制すると、目の前のグラスをつと脇に退《ど》け、私の視線をとらえた。

「わたしたちが会長先生にご相談した件について、杉村さんはどの程度ご存知でいらっしゃいますか」

とりあえず電話で話した程度のことだと、私は説明した。義父から直《じか》に聞いたのではなく、あいだに妻がワンクッション挟まっていることは、省略した。わざわざ〝頭のあがらない婿〟度を強調することはない。

「そうですか……本当にすみません。会長先生のご好意をいいことに、甘えたことを言い出しまして」

「いいじゃない。会長先生が、〝何でも相談しなさい〟って言ってくれたんだもの。口先だけでそんなことを言う方じゃないでしょ」

軽く口を尖《とが》らせて反論すると、梨子は言った。「お父さんの伝記を書こうって言い出したのは、わたしなんです」

私はうなずいた。どうもそうらしいなと思い始めていたのだ。

「失礼ですが、梨子さんは学生さんですよね」

彼女はあわてて、顔の前で手をひらひらさせた。「いえ、違います。大学の文学部とかにいるわけじゃありません。フリーターですよ、いわゆる」

高校を出て大学入試を受けたが全滅、最初は一浪して再チャレンジするつもりでいたのだが、予備校通いをするうちに、何となく嫌になってしまったのだと、笑顔で説明してくれた。

「今は家の近所のマクドナルドでアルバイトしてます。いつまでもフリーターでいるわけにもいかないから、美容学校にでも行こうかなって思ってて、父も賛成してくれてたんですよ」

美容師か。このネイルアートが自前のものなら、素質はありそうだ。

「それじゃ、梶田さんも楽しみにしておられたでしょうにね」

「おまえのことだから、どうせすぐ飽きるだろうって笑ってましたけどね。わたし、子供のころから、習い事とか塾とかって、長続きしたためしがなかったんです。ピアノもバレエもスイミングスクールも」

照れたように髪を押さえる。

「何にでも首を突っ込みたがるんだけど、すぐ興味を失くしちゃう。ホント、飽きっぽいんです。父はそれをよおく知ってましたからね。話半分に聞いてたんでしょうけど、でもね、わたしが本気で頑張って美容師の資格をとったなら、将来は店のひとつも出してやるって言ってた」

人なつっこくて屈託がない。たっぷりと親に愛されて育った娘なのだと、私は思った。それに、もしも梶田梨子が私の推察どおりまだ二十歳ぐらいなのだとしたら、かなり遅い子供だ。父親の愛情は、いや増したことだろう。

話すときも身振り手振り、表情豊かでエネルギーに満《み》ち溢《あふ》れているような妹と、少し堅苦しいくらいに落ち着いた姉。梶田氏はもちろん、聡美のことも同じように愛《いと》しんでいたはずだ。ただ、姉妹の年齢差と、もともとの気質の違いが、磁石の両極のようにタイプの異なる女性をつくった。梨子の話に相槌《あいづち》を打ちながら、私はそんなことを考えた。

「ご存知だと思いますけど、父を殺した犯人はまだ見つかっていません」

楽しい思い出話が一段落すると、梨子はきゅっと口元を引き締め、そう切り出した。

「まだ半月しか経っていないのに、警察からは連絡も来なくなっちゃいました。本当に捜査してくれてるのかどうかも怪しいと思うんです」

「それはどうかな」と、私は穏当な疑念を差し出した。「人一人亡くなっているんですからね」

「せめて相手が自動車だったらね。もう少し対応が違うと思うんです。でも自転車でしょ。しかも、目撃した人の話だと、父を撥ねたのは子供だったらしいんです。一生懸命捜査して見つけたって、たいした罪には問えません。警察だって、やる気が出ないんじゃないかしら」

それは初耳だった。目撃者がいたということさえ、私は聞いていない。

こういう外交的な娘なのだから、この夏、梶田氏が亡くなるまでには、ずいぶんとレジャーも楽しんだのだろう。それでも近頃の若い女性は、暦よりも早く夏の日焼けを脱ぎ捨てる。梨子の頬はしみひとつなく白い。それをうっすらと紅潮させて、彼女は憤《いきどお》っていた。

「だからわたし、父のことを本に書こうと思ったんです」

いつの間にか、片手を固く握り締めている。

「このまま放っておいたら、父を撥ねて死なせた子供は、まるでそんなことなんか起こらなかったみたいに、きれいに忘れてしまうでしょう。誰にも追及されなければ、そんな嫌なこと、進んで忘れようとするでしょうからね。その子にとっては、父は見ず知らずの他人です。真夏の歩道に、ぼやっと立ってた方が悪かったんだぐらいで、片付けられてしまうんでしょう。わたし、それが許せないんです」

聡美が妹を遮ろうと何か言いかけた。私はそれを制するために質問をした。梨子の言わんとすることを、このまま続けて聞きたかったのだ。

「お父さんの人生について本を書くことが、犯人を見つけ出すために役に立つと思うのですか？」

髪が乱れるほど強くかぶりを振り、梨子は「いいえ」と答えた。

「直接、役に立つかどうかはわかりません。ただわたし、その子に教えてやりたいんです。父は道端の電柱や標識なんかじゃなかった。自転車をぶつけられて、コンクリートで頭を打って、痛みや怖さを感じて苦しみながら死んだんです。自分の命が危ないって感じたときには、後に残していくわたしたちのことを心配したかもしれません」

私はゆっくりとうなずいた。聡美は目を伏せている。

「その子に思い知らせてやりたいんです。あんたが死なせて知らん顔を決め込んでいる相手は、二人の娘のお父さんで、ちゃんとした仕事があって、歌舞伎が好きで、奥さんを先に亡くして淋しがっていて、来月に予定されている娘の結婚式を楽しみにしていて、孫が生まれることもうんと楽しみにしていて、他にももっともっと、いろんなことがあって——」

ちょっと震えて、梨子はいったん言葉を切り、それからかすれた声で続けた。

「人間だったんです。六十五歳で、そりゃこれから華々しい未来があったわけじゃないけど、地味な運転手でしたけど、でもわたしたちには大切な父でした。若いときにはずいぶん苦労して、わたしたちを育ててくれた人でした。新聞に載るような有名人じゃなかったし、表彰されるような立派な人でもなかったけど、でも、ちゃんとした人でした。真面目に働いて、生きてきたんです」

梨子は目を上げた。目じりが赤くなっていた。

「そういう父の人生を、すっかり再現して、あんたはこの人を殺したんだよって、わたし、その子の目の前に突きつけてやりたいんです。六十五年間、一生懸命生きてきた、この人の人生を、あんたが終わらせちゃったんだよって」

私はちょっと鳥肌が立った。感動したのかもしれないし、少し怖かったのかもしれない。どうして怖いのだろう。私は社内報の記者をするには、想像力が豊か過ぎるのかもしれない。だから思わず、この怒れる娘の前で、きわめて正当なその望みを聞きつつ、梶田信夫の六十五年の人生を目の前に突きつけられた犯人の側に立ってしまうのだ。

「人の命を奪ってしまったんだもの。そんなの、口をぬぐって忘れていいことじゃない。わたしたちは怒ってるし、悲しんでる。それを犯人にわからせてやりたいんです」

梶田梨子は身をよじり、身体の脇に置いてあったハンドバッグのなかを探ると、ハンカチを取り出した。それは間に合わず、涙が一滴、真っ直《ま す》ぐに落ちた。

何を言おうかと、私が言葉を探しているうちに、聡美が静かに言い出した。

「妹は、そうすることによって、犯人がいたたまれずに名乗り出てくるんじゃないかと思っているんです」

私は黙ったまま、姉妹に向かって何度もうなずいてみせた。

「でもわたしは、そう上手く事が運ぶとは思いません。作家でもジャーナリストでもないわたしたちの本なんて、いくら刷ってもらったとしても、世間の人の目に触れる機会は少ないでしょう。まして父を撥ねた犯人が本当に子供なら、そんな本の存在にさえ気づかないでしょうしね」

「だから、ただ本を出すだけじゃないって言ってるじゃない！」

梨子は声を強めて姉に抗議した。ハンカチでぬぐったら、かえって目が赤くなってしまった。

「本を作ったら、それをテレビ局とか週刊誌とかに配って訴えるのよ。マスコミに取り上げてもらえたら、広く知られるようになるわよ！　絶対！　そしたら、警察だって気合の入れ方が違ってくるはずよ」

そういえばごく最近、似たようなケースがあったことを、私は思い出した。兄の不審な死を警察に自殺と決めつけられ、納得がいかなかった妹が、辛抱強く独自の調査をして、その成果を一冊の本にまとめた。それが週刊誌やテレビのニュースショウで話題となり、結果、警察が再調査に乗り出したという事例だ。

私がそれを口にすると、梨子は飛びつくようにうなずいた。「ええ、それです。ね？実際にそういうことがあるんですもの」

「あれは稀《まれ》なことよ」と聡美は首を振る。「今までにだって、他にも、遺族の方がそういう本を出したとか、失踪《しっそう》した家族について情報をくださいってテレビで訴えたりとか、あるじゃないの。だけど、実を結んでないものの方が多いわ」

「最初から諦めちゃったら、可能性はゼロよ。やってみなくちゃわからない」

私は考えた。いくら義父でも、まったく畑違いのメディアの世界に顔がきくとは思えない。だが、なにがしかのコネぐらいは持っているかもしれない。

「会長も今のお話を伺ったわけですよね」と、私は尋ねた。

「はい、全部お話ししました」

力強く、梨子が答えた。その先を尋ねる必要はなかった。聡美が先回りして答えてくれたのだ。

「会長先生は、そういう本を作ることができたならば、心当たりのところに声をかけて、取り上げてもらえるようにはからってみようと言ってくださいました。でもそんなこと、あまりに図々しすぎます」

「どうしてよ？」梨子が小学生のように口を尖らせる。

「甘えるにもほどがあるってことよ」

「だって会長先生は——」

「いい加減になさい」

私は姉妹喧嘩に割り込んだ。「これまでに、テレビ局や新聞社にはたらきかけてみたことはないのですか。本は無しで」

腹立たしげに、梨子は答えた。「やってみたんですけど、駄目でした」

私は記憶を呼び起こした。「去年だったかな……テレビのニュース番組で、暴走自転車による死傷事故について特集しているのを見た覚えがあります。あれはどの局だったかな」

梨子はその特集を知っていた。リアルタイムで見たのではないが、父親が死んだ後、インターネットで調べたのだそうだ。

「自転車による交通事故の被害者や遺族が集まるサイトがあるんですよ」

「そこにお父さんについて書き込んだことはありますか」

「何度も書きました。たくさんの励ましのメールや、慰めの言葉をもらいました。でも、そもそも犯人はそんなサイトなんか見やしませんよ」

「被害に遭《あ》った方は大勢いるんです」と、聡美が言った。「件数が多すぎて、マスコミだっていちいち取り上げてはいられないんでしょう。その——もうちょっと話題性がないことには」

ミもフタもないが、現実はそういうことなのだろう。

だったら話題性を作ろうという梨子の考えは、的外れではない。だが、彼女が考えているほど上手くゆくかどうかは、私も聡美に同感で、かなり悲観的にならざるを得なかった。

私は当惑し、少し腹立ち始めていた。梶田姉妹——とりわけ妹の梨子がこれだけ思いつめていると知っているのならば、どうして義父は自分で動こうとしないのだろう？　本を作ればそれを売り込んでやるなどという迂遠《うえん》なことを言わなくても、本人が口を開けばいいことだ。長年仕えてくれた私の運転手が、暴走自転車に轢き逃げされて死亡した。犯人は見つからない。私は義憤を感じている、と。

地味な事件だから、各社こぞってというわけではなくても、それならば、どこかしらのテレビ局や新聞が取り上げてくれるだろう。

轢き逃げの犯人が、子供であるかもしれないという可能性が、ブレーキになっているのだろうか。義父が活発に運動し、めでたく犯人が見つかったとき、財界の大物が、自分の影響力をフル活用し、無力な未成年の子供を追い詰めたかのように見えかねないことを警戒しているのか——

おそらくは、そうだ。義父はよくよく知り抜いているのだから。具体的な事象を離れて鳥瞰《ちょうかん》したとき、「何があったか」ではなく、「どのように見えるか」ということの方に心を寄せてしまう、世間というものの気まぐれさを。

「わたしは何度も止めたんです」

謝るように頭を垂れて、聡美が言った。

「それなのにこの子ったら、勝手に会長先生に電話をかけてしまって」

梨子はふてくされたように口を結んでいる。半分ほど残ったアイスティのグラスを取り上げると、しゃにむにストローで吸い上げて、ずずずという音をたてた。

「姉さんだって忘れたわけじゃないでしょ？」

グラスを握り締め、声を尖らせる。

「お父さんの身体には、自転車のタイヤの痕《あと》が、くっきり残ってたじゃないの。撥ねられた現場を見た人がいたわけじゃないのに、自転車にぶつけられたんだってことがすぐ判ったのは、そのせいだったのよ」

「忘れるわけないわ」と、聡美は呟《つぶや》いた。

「腰から背中にかけて、タイヤの柄の焼印でも押されたみたいになってた」

「もうやめてちょうだい」

「悔しくないの？　お父さんがどんなに痛くて辛かったか――」

聡美が片手で顔を覆ってしまったので、梨子は口をつぐんだ。

「先ほど、目撃者がいたとおっしゃいましたね？」

私は梨子の注意を私に向けさせることにした。彼女はグラスをテーブルに戻してうなずいた。

「ええ、事故のあった道路沿いに住んでいる学生さんです」

「その人も、事故の瞬間を目撃したわけではないのですよね？」

「そうですけど、ちょうど父が撥ねられたらしい時間に、家の前を、凄いスピードで走り抜ける自転車を見てるんです。赤いTシャツを着た男の子が乗っていたって」

その学生の家は、梶田氏が撥ねられた現場から二十メートルほど西側に離れたところにあるのだという。

「父が撥ねられた場所と、道路の同じ側にある家なんです。だから、窓からのぞいたくらいじゃ、父が歩道に倒れているのは見えなかったんでしょうね。通り過ぎる自転車だけが見えたんです」

「物音を聞きつけて外をのぞいたということではないんですか」

「残念ですけど、そうじゃないんです。ホントに偶然、二階の窓越しにちらっと見ただけだって」

八月十五日の陽盛り、炎天下で人通りも稀な道路での出来事だ。窓から外を見たという人がいただけでも僥倖《ぎょうこう》だった。衝突の瞬間、多少の衝撃音があったのだろうが、周囲の家は軒並み窓を閉め切ってクーラーをかけている。誰も気づかなかったとしても無理はない。

「お盆休みで、都内は人口が半分くらいになってるときでしょ？」

梨子は、私に対しても嚙《か》みつくような口調で問いかけた。

「父を撥ねたのは、その自転車に間違いないですよ。あんな時期に、そう何台も、自転車が走り回ってるわけありません。倒れている父を見つけて救急車を呼んでくれた近所りで、がらんとして、車さえ通ってなかったって」カンカン照の奥さんも、そのときまわりには人っ子一人いなかったって言ってました。カンカン照りで、がらんとして、車さえ通ってなかったって」

お盆の帰省シーズン、抜け殻のように静まり返った街の情景が目に浮かぶ。排気ガスの総量が減るから、空は底抜けに青い。

「その自転車の、赤いTシャツの子供が、父を殺した犯人に決まってます」梨子は断言し、またぎゅっと拳を握った。

確かにその可能性は高い。だから義父は表面に立とうとしないのだと、私は思った。

私も右手をゆるく握って、鼻の下にあてがった。考え深そうに見えるといいのだが、と思いながら。

「そうしますと――お父さんについて本を書かれるのは、主に妹さんということになりますかね」

聡美が私を咎《とが》めるように、ぱっと顔を上げた。梨子は勢いよくうなずく。

「はい、わたしが書きます！」

「梶田さんの人生を忠実に書くとなると、いろいろと調べごとや、人に会う必要も出てくると思いますよ。お父さんが若いころのことは、あなた方もご存知ない。昔の話をしてくれる人が、すぐ連絡のとれる人ならいいですが、たとえばお父さんの昔の同僚なんかは、現住所や連絡先さえわからない可能性がある。お母さんがご存命でしたらまた違ったでしょうけれど」

「頑張ります。大丈夫、わたし、こう見えて調べものは得意なんですよ」

張り切る妹の横で、聡美はため息をついている。

「ところで会長は、出版元について何かお約束をしましたか？」

梨子はきょとんとした。怒れる娘になっていたときは影を潜《ひそ》めていた子供っぽい口調が戻ってきた。

「え？　えーと、あの会長先生は、出版社も経営してますよね？」

東晋社のことだ。

「そこで出せると申しましたか」

「ええ、そんな感じだったけど……。駄目なんですか？」

私は義父から一ポイントを勝ち取った。オールマイティな舅殿も、出版物の取次業者のことはよくご存知ないとみえる。

「まあ、それはおいおい相談しましょう。とりあえず梨子さんは、どんな事柄を書きたいか、腹案をまとめてみてはいかがですか。頭のなかで考えているだけでは、なかなか整理がつきませんよ。書き出してみるといいです。そうすると、誰に会ってどんなことを調べればいいか、段取りもついてきます」

梨子はバッグから小さな手帳を取り出すと、私の助言を書き留めた。

「会長先生からもお話を伺えますよね？」

「大丈夫だと思いますよ」

個人的運転手としての梶田信夫氏を、いちばんよく知る人物だ。私にこの話を持ち込んでおきながら、自分だけ逃げることもあるまい。

「さあ、そろそろ失礼しましょう」聡美は妹を急《せ》きたてた。「お化粧を直してきた方がいいわよ」

この言葉には、魔法のような効き目があった。梨子はそそくさと席を立った。確かに、泣いたせいで目元のメイクが少しにじんでいるようだ。

彼女が洗面所に消えると、聡美は私の顔を見て言った。「すみません、いったんあの子と一緒に出て、また戻ってきます。少しお待ちいただけますか」

私は承知した。ここまで充分に内容の濃い会見だったが、むしろこれからの方が本番だという気がした。

3

二十分ほど後、梶田聡美が戻ってきたとき、私は席を窓際に移していた。何となく、その方が彼女の気分が落ち着くのではないかと思ったのだ。

店に入ってきて、さっきまでの席に私の姿がないことに気づくと、彼女は瞬間、ひどくうろたえた。そして私が軽く手をあげると、いっぺんに安堵《あんど》した。あまりに急にほどけたので、葬儀の折と同じくらい老けて見えた。

妹に嘘をついて別れてくること。妹のいない場所でしか話せない何かを隠し持っていること。どちらも、彼女にとっては等しく荷の重いことであるようだった。

ずっと空調の利いた店内にいるので、私たちはどちらも温かい飲み物を頼んだ。香りのいい「本日のコーヒー」が運ばれてくると、梶田聡美はカップを取り上げて、目を伏せたままほっと息をついた。

「重ね重ね申し訳ありません」

今までいちばん小さな声だった。

私は彼女に微笑みかけた。「謝ることなどありませんよ。それより、失礼を承知で、私の方からあなたのお話しになりたいことをあてさせてもらえませんか」

聡美は目を上げた。

「あなたはお父さんの人生について書き綴った本など出したくないのですね。梶田さんの過去を調べたくない。そうでしょう？」

両手でカップを持ったまま、聡美は問いに問いで応じた。「お判りになりますか」

「格別鋭い人間でなくても、判ります。それも、こんなことで会長を頼りにするのは気が引ける——という遠慮からではない。何か別の理由がある。でも、その理由を妹さんに打ち明けることはできない」

ひたと私の顔に目を据えて、思いがけず、梶田聡美ははにかむように頬をゆるめた。

「わたしがそんなにも判りやすい人間ならば、どうして梨子にはそれが通じないんでしょうね」

「ご家族だからですよ。それにあなた自身、妹さんにはけっして悟られまいと、努力をなさっているのだと思います」

納得したように深くうなずくと、カップを置き、「すみません、煙草を吸ってもよろしいですか」と、聡美は言った。彼女が煙草喫《の》みだというのは意外だったが、もちろんまったくかまわない。

「どうぞ。私も昔は吸っていたんです」

「禁煙なさったんですか」ハンドバッグからろうけつ染めのきれいな煙草入れを取り出し、そろいのカバーのかかったライターで火を点《つ》けた。細身のメンソールだ。

「十六のときから吸っていたんですが、娘が生まれたときにやめました」

「そうですか。わたしも十代から吸い始めたんですけど、どうしても禁煙できなくて。子供ができたらやめることにしようかな」

上品に顔をそむけて煙を吐き出しながら、笑顔になった。

「ご結婚間近なのですよね。おめでとうございます」

さっき梨子は、挙式は十月だと言っていた。

「ありがとうございます。父は、わたしの結婚には、嬉しいというよりは安心していたみたいです。やっと片付くか、って。でも、孫の顔を見るのは楽しみにしていました」

私は黙ってうなずいた。聡美は、妹がそばにいたときよりも、ずっと気楽そうな表情になっている。

「もうお気づきだと思いますが、わたしと梨子はだいぶ歳が離れています。ちょうど十歳違うんですよ。あの子は二十二、わたしは三十二歳です」

私の観測は、年齢差については正確だったが、年齢については僅差《きんさ》で外《はず》れていたことになる。

「あいだにもう一人いるはずでした。中絶したんだそうです。母はそれをずいぶん苦にしていました。生みたかったけれど、そのころは経済的にとても苦しくて、父も母もめいっぱい働いていました。とてもとても、乳飲み子を抱える余裕がなかったのだそうです」

当時の詳しい事情を知ったのは後年のことだが、それは彼女が六歳、小学校にあがった春のことで、おぼろに覚えているという。母がひと晩家を空け、翌日帰ってきたが、顔色が悪くて、何日も寝込んでいたことを。

「三十年近く前の話ですから、中絶の処置も、今よりずっと大変だったし、身体の負担も大きかったんでしょう。両親ともに、もう子供は持てないと諦めていたみたいです。だから、梨子ができたときには、本当に嬉しかったんだと思います」

私はぼんやりと、義父と菜穂子の顔を思い浮かべていた。遅く授かった子供。それだけでも可愛い。もう授からないと諦めていたところなら、なおさらに。

「そのせいかしら。両親は揃って、梨子に甘かった。特に父はメロメロで……。梨子は、いつでもお父さんの〝いちばん星〟でした。大のお気に入りの娘だったんです。わたしはずいぶんヤキモチをやいたものです。そんなことをしても何にもならないとわかるまでは」

「長女は辛いですね」と、私は言った。

「杉村さん、ご兄弟は？」

「上に兄と姉がいます。私は次男です」

「でもお名前は——？」

よく尋ねられることだ。三郎というわかりやすい名前のせいである。

「単に、三番目の子という意味なのでしょう。私の両親は男女平等主義なんです」

笑いながら、聡美は慣れた手つきで煙草を消した。なるほど、昨日今日吸い始めたという様子ではない。美人で品がよく、おそらくは学校でもずっと優等生だったであろうこの人の、十代からの喫煙というのも、ひょっとしたら両親の愛情をめぐる妹とのさやあての結果なのかもしれない。

「十歳違うと、親に対する見方も変わってきます」と、聡美は言った。「それだけ親との付き合いが長いわけですものね。妹の知らないことも、わたしは——いろいろと知っているんです」

いよいよ本題だ。

「父が会長先生の運転手をするようになって、今年の六月で十一年になりました。ご存知ですよね？」

「はい。梶田さんは、私よりも会長との付き合いが長かった」

週日は車両部の役員付き運転手がいるので、義父が梶田氏を呼ぶのは週末だけのことだった。だからこその個人雇いの運転手で、正社員ではなかったのだ。

土曜日曜に、義父がどこかに出かける必要ができたり、誰かと会う約束ができたりすると、梶田氏が呼ばれる。接待したりされたりのゴルフや会食、理事や委員をしている各種会合への出席、個人的な買い物や観劇などが大半だったろうが、社内の人間——他の役員たちはもちろん、同居している長男夫婦にさえ知られたくない用件で外出することも、もちろんあるはずだ。重要度としては、そちらの方がはるかに高い。

義父が娘の婿候補としての私と会うときも、梶田氏の車に乗ってきたことを忘れてはいけない。

梶田氏は、それらをすべて承知していた。固く口を閉ざして、誰にも話さずに。

「平日は、父は個人タクシーをやっていました。もともとそちらが本業でしたから。それもご存知ですよね？」

「そのように聞いていましたが」

「タクシー会社に入ったのは、父が四十歳のときでした。その仕事に向いていたんでしょうね。十年で個人タクシーの営業許可をとれました。会社を辞めて独立しようとしたときに、上の人から、辞めずにハイヤー部門に転向しないかと誘われたりしたそうです。でも父は、もう宮仕えは嫌だったみたいで、断ってしまったんですけど」

「会長の個人運転手になるについては、前任者からの紹介があったそうですね？」

「ええ、そうです。橋本《はしもと》さんですね。あの人は、父のタクシー会社時代の先輩なんです。勤続十五年でハイヤー部門に移って、そこで何度か会長先生をお乗せする機会があって、気に入られたんでしょうね。いつも指名されるようになったそうで」

その橋本という前任者は、ハイヤー会社を定年まで勤め上げた。退職を機会に、今多嘉親の週末のみの個人運転手として雇われることになったのである。

だから、雇われたときすでに六十五歳だった。四年ほどつつがなく勤めたところで、持病の糖尿病の影響で視力が弱まり、辞めることになってしまったのだ。そして旧知の梶田氏を後任にと推薦した――

と聞いている。私の話に、梶田聡美はうなずいた。

「おっしゃるとおりです。橋本さんと父は、父が独立してからもずっと親しくしていました。父の腕を高く買ってくれていましたし、本当に兄弟みたいに仲がよくて。年齢的には、叔父と甥という感じでしたが」

週末だけとはいえ再び雇われの身分になるわけだし、乗せる相手は大物だ。橋本運転手から自分の後任にという話を持ちかけられた当初、梶田氏は固辞したそうである。自分にはとても勤まらない、万にひとつ、粗相があったら大変なことになる――

「でも橋本さんは、どうしてもって粘りまして。父以外に安心して推薦できる心当たりがないし、今多会長は素晴らしい人だからって。それがあまりに熱心なので、とうとう父も承知することになったんです」

「かなり強引なお願いをしたんですね。存じませんでした」

そういえば私は、梶田氏に労《ねぎら》いの言葉をかけたことがなかった。その機会も少なかったのだけれど。

「もともと、週末だけの自分専用の運転手を雇うというのが、会長のわがままですからね。まあ、社内の人間に知られたくないことがあるからというのは、わからないでもないのですが」

「会長先生も、昔は、週末のお出かけでも、車両部の人を使っておられたそうですよ。橋本さんの前は」

聡美に言われて、私はちょっと驚いた。義父の個人運転手は、もっとずっと以前からの習慣だろうと思い込んでいたのだ。

「何度か嫌な出来事があって——情報漏れっていうんですか。といっても、会社の大事にかかわるようなことじゃないですよ。会長先生の、ごくごく身近なことですよね。でも、それですっかり嫌になってしまわれたんだそうです」

「会長がそのように？」

「はい、父におっしゃったそうです。人の口には戸がたてられないよ、と。もちろん、だからあなたもしっかりしてくださいという意味を込めてのお話だったと思いますよ。父もそう言っていました」

私は考えた。義父が誰と会った。誰とゴルフに出かけた。何を買った。どこどこの店の誰々がお気に入りであるらしい。そんなつまらない噂でも、車両部を通して社内に広まれば、いいネタとして一人歩きをしてしまう。あるいはそれを聞きかじり、義父の機嫌取りの材料として使おうとする者も出てくるだろう。確かに煩わしい。噂の出所《でどころ》を突き止めて処罰しようにも、車両部には大勢の社員がいる。だいいち、その程度のことにいちいち目を吊り上げ、犯人探しをするのも大人気ない。

しかし個人運転手なら、何かあって気に入らなければさっさと首を挿《す》げ替《か》えればいいだけの話だ。いっそ気楽だ——ということか。

「それにしても、聡美さんは昔のことをよくご存知ですね」

私は純粋に感心していた。

「父がよく話してくれたんです。どうしてお父さんなんかが会長先生のおそばにいるのか、おまえたち不思議だろうって」

照れくさそうに。いくぶん自慢そうに。私は想像してみた。娘たちに自分を語る梶田氏の表情を。

「そうですね、でも……うちの母も橋本さんも亡くなってしまいましたから、このあたりの事情を知っているのは、もうわたし一人になりました」

澄んだ硝子ごしに外の植え込みに目をやって、聡美はふと顔を曇らせた。

「妹は何も知りません。これからも知らないでしょう」

私にではなく、他の誰かに聞かせているような口調だった。たぶん——梶田氏に。

彼女は私に向き直った。

「さっきも申しましたように、父がタクシー会社に入ったのは四十歳のときでした。橋本さんや会長先生とご縁ができたのも、それがあったからです。でも父には、それ以前の人生もありました。そしてそれは父の——それ以降の人生とは、かなり色合いが違っていました」

私は急に居心地が悪くなった。私のなかに残っている梶田氏の印象を崩されることが嫌になってきた。

――おめでとうございます。

私を祝福してくれたあの人の、苦労人らしい微笑を、そのままとっておきたくなった。

しかし、今さら逃げるわけにはいかない。

「浮き沈みの激しい人生――と言うと、少し大げさかもしれません。そんなに華やかに浮いたことはなかったですから。不安定な人生という方が正確ですね」

聡美は言って、目をしばたたいた。

「父は栃木県の水津《みず》という村の生まれです。実家は農家で、けっこう裕福だったそうですが、父は親兄弟と折り合いが悪くて、中学を出るとすぐ家出同然で東京へ出てきてしまいました。以来、実家とはまったく縁が切れてしまって、わたしたちも父方の祖父母や親戚を一人も知りません。連絡をとりたくても、手がかりもなくて」

葬儀への参列者が少なかったことを、私は思い出した。

「母は東京生まれですが、やっぱり家庭環境が複雑で――母の父親が女癖が悪くて、揉め事が絶えなかったそうなんです。経済的にも苦しくて、母は高校を中退して働き始めました。手に職もないし学もないしで、どうしても水商売っていうんですか、ただ昔は十代の娘が働ける水商売のお店ってそうそうありませんでしたから、喫茶店とか居酒屋のお運びとか、そんなことをやっていて、父と知り合ったんですね。父は当時、蒲田《かまた》の町工場で工員をしていたそうです」

二人は同じ歳だった。知り合って間もなく、二十歳のときに結婚したそうだ。

「所帯を持ったっていっても、ママゴトみたいなものですよね。おまけに父は次々と職場を替えて……。ひとつの仕事先に、半年と続いたことがなかったそうです。そのくせ、一人前に遊びたい盛りですから、いつもお金がなくてね」

「あの梶田さんが――という気がしますね」

私の言葉に、聡美は苦笑した。

「娘のわたしが言うのも変ですけど、そうですよね」

鼻っ柱ばかり強いガキで、夢ばっかり見ていた――梶田氏は彼女に、若き日の自分のことをそう評していたそうである。

「要するに、いつかでっかいことをやってやる、金持ちになってやるっていう、ヤマっ気ばっかり強かったんですよ。出世して、故郷に錦を飾りたかった。折り合いの悪かった親兄弟を見返してやりたかった。でもそのためにどうすればいいかわからないし、具体的な努力目標も見つからなくて、なんとなく流されるままに転々として、文字通りのその日暮らしをしてる。うちの両親の二十代って、そんな感じだったんじゃないかしら」

四十年以上も前のことだ。我が国の戦後が終わり、高度経済成長の曙光《しょこう》が見えてきたころである。半端《はんぱ》仕事でも、探せばいくらでも見つかったろう。若夫婦が二人、暮らしていくことはできた。ただ、それでは未来は見えない。世界にも稀な輝ける高度成長期は、反面、日本という国がまるごとひとつの企業として機能していた時期でもある。そこにきちんと所属しないで生きてゆくのは、現在よりもはるかに難しかったことだろう。

「母はホステスとか、近郊の旅館で住み込みの仲居もしたそうです。父ともたびたび喧嘩別れして、またよりが戻って」

聡美はちょっと目を細めた。黒い瞳が、針の先のように小さくなった。

「母ははっきり言っていませんでしたが、そのころ子供ができたみたいなんです。でも、そんな状態では生めなくて……。わたしの次の子供を中絶したときの落ち込みぶりから想像するに、あれが二度目ってことはないと思うから、流産したんじゃないかと思うんですけどね」

「あなたが生まれるより前にということですね？」

「はい。わたしは両親が三十三歳のときの子供ですから」

転々として職が定まらない梶田氏が、ようやく落ち着きを見せたのが、その前後のころなのだという。

「それまで、父はとにかく、呆れるくらいいろいろな仕事についたそうです。母も全部は覚えていないと言ってました。工員もやれば売り子もやる、セールスマンもしたし、いわゆる街金《まちきん》ていうんですか、怪しげな金融業者の使いっ走りをしていたこともあるそうです。そういうところのひとつで競馬のノミ行為をしていて、父がちょっと外へ出ているあいだに手入れがあって、みんな逮捕されてしまって、父一人だけあわてて逃げ出したなんてこともあったそうです」

語る聡美の口元は微笑んでいたが、目の色は暗かった。

「そんなこんなでいるときに、たまたま縁があって入った玩具《がんぐ》製造会社の、社長さんがいい人だったんですね。おまえだっていつまでも若くないんだ、しっかりしろって叱りつけて、鍛えてくれた。時間給の、今でいうアルバイトで採用されたのを、頑張れば正社員にしてやるってね。一から仕事を教えてくれたし、それまでは住まいも定まらなくて——家賃を滞納しては追い立てられてたからなんですけど——困っていた両親を、寮に入れてくれました」

八王子《はちおうじ》にある「トモノ玩具」という会社だったという。そこの社員寮で、聡美は生まれたのだ。

「母も社長さんの勧めでホステスをやめて、同じ会社で事務をしていたんですが、わたしが生まれてからは、内職を斡旋《あっせん》してもらっていました。だから、よく覚えているんですよ。きれいな玩具の部品が、うちにはいっぱいあったんです」

「じゃ、ご両親とも、梶田さんがタクシー会社に移るまでは、ずっとそこで働いておられたんですか」

私の質問に、聡美の瞳の影が濃くなった。

「いえ……そうではないんです。結局辞めてしまったんですけど、それはまた別の込み入った事情がありまして」

言いにくそうだった。私ははっとした。先ほどの中絶の話だ。あれは彼女が六歳のときだったという。彼女の両親がずっとトモノ玩具で働いており、社員寮で落ち着いた生活をしていたのなら、無理に子供を諦めることはなかったはずだ。

なるほどとうなずいただけで、口を閉じた。

「とにかく、あの……そういうことで」

聡美は煙草を取り出した。ちょっと指が震えているようだ。私の思い過ごしだろうか。

「うちの父は、褒《ほ》められたものじゃない人生を送ってきました。いえ、晩年は立派だったと思いますけど、立派ではない時期もあった人なんです。ですからわたし、妹が父の人生を掘り返すのを、やめさせたいんです。今はあの子、何も知りません。でも、いくら素人のやることでも、熱心に聞き回れば、何かしらわかってくるでしょう」

火をつけないまま、指のなかで煙草をひねくりまわす。折れてしまいそうだ。

「申し上げましたように、父は怪しげな人たちと付き合っていたこともあります。下っ端でしたけどね。妹が何かしら手がかりを見つけて、そんな人たちのところに取材記者みたいに乗り込んでゆくのも心配です。父がせっかく切り離したそういう悪縁を、あの子がつないでしまうことになったら——」

結局、聡美は煙草に火をつけないまま、灰皿に置いてしまった。今度ははっきりわかった。指先が震えている。

「妹さんが傷つくことも心配だし、妹さんが掘り出した過去で、お父さんの名誉が傷つけられることも心配だ。それがあなたの正直なお気持ちなのですね」

私は尋ねた。聡美は顔を上げてうなずいた。目元が張り詰めている。

「はい。父の——父の恥ずかしい昔話を、会長先生のお耳に入れたくはありません。会長先生には、父はとても信頼されていました。本当によくしていただいてきました。それをそのままにしておいてあげたいのです」

だからこそ、当の今多嘉親にこの話をするわけにもいかない。

私は自分でも最上等と思われる笑顔を浮かべた。桃子が熱を出したとき、枕元で彼女を慰めてやるために浮かべる笑顔。大丈夫、ひと晩寝ればお熱は下がるよ。お父さんはずっとそばにいるよ。だから安心してお寝《やす》み。

「事情も、お気持ちもよくわかりました。しかし、それほど心配なさらなくてもいいと、私は思いますよ」

聡美が案じるほど簡単に、梨子が父親の過去に肉薄することはないだろう。それで彼女に危険が迫るという可能性も少ない。なにしろ、梨子には手がかりが少なすぎる。危険を避けたいと思うなら、姉である彼女が情報を伏せてしまえばいいのだ。

私の楽観的な意見を、聡美は息を止めて聞いているようだった。

「おっしゃるとおり、ご両親の昔のことは、妹さんよりあなたの方がずっとよくご存知です。あなたは最大の情報源だ。ですから、あなたが妹さんをコントロールすることだってできるでしょう」

「コントロール?」

「はい。あまり昔にさかのぼり過ぎても、本の趣旨に外れてしまう。この十年の、今多嘉親の運転手になってからのお父さんの人生を再現するだけで充分ではないか、お父さんがどんな暮らしをしていて、何を楽しみにしていたか、それを具体的に書く方がいいのではないかと提案するんですよ。実際、その方が説得力のある本になるとも思います」

これは編集者としての意見でもある。だいいち、いくら時間があるとはいえ、取りかかってみればすぐわかることだが、素人の調査では、一人の人生を十年さかのぼるだけでも大仕事だ。目標はしぼった方がいい。

「妹さんに、本を書くことそのものを断念させるのは難しそうだ。あまり強硬に反対すれば、かえって不審に思われるでしょう。それはうちの会長にしても同じです。それに、この本を書く意味はあると思いますからね。うまく運んでマスコミで取り上げてもらえれば、本当に犯人を見つけるきっかけになるかもしれませんよ」

梶田聡美は凍ったように動かない。指だけが震えている。しっかりと両手を組み合わせているのに、それでも震えを抑えることができない。

「それで……大丈夫でしょうか」

身体のどこか別のところ、衣服の下に隠された、小さいが深い傷口から漏れ出てくるような声だった。

私は楽観的な笑みを消した。いや、自然に消えてしまったのだ。彼女の気持ちをおもんぱかったからではない。気がついたからだ。

少し思いつめすぎるくらい配慮に富んでおり、緻密《ちみつ》にものを考えることのできるこの女性が、今、私が口にしたような代案を、自分で考えつかなかったわけはない、と。彼女は充分に考えていた。だが、それができなかった。だから、第三者からの働きかけで、妹に待ったをかけてほしかったのだ。

なぜなら、ひどく怯えているから。

どうして、何を怯えているのだろう。

「梶田さん」と、私は呼んだ。できるだけ静かに呼びかけたつもりだが、それでも彼女はビクリとした。

「私の誤解かもしれませんが、あなたにはまだ他にも心配事がありそうですね。それも、とても具体的な心配だ。これまでにお話しいただいてない事柄なのでしょう」

そして目顔《めがお》で語りかけた。彼女の視線は私から逸《そ》れていたが、懸命に語りかけた。その具体的な心配を、私に教えてはくれませんか。

彼女は一人で暗い場所へ行っている。私は呼んでいる。そこから戻ってきた方がいいと。そして、どうしてそんな場所へ行こうとするのか教えてほしいと頼んでいる。

その頼みは、何とか通じた。彼女の目にまたたきが戻った。

聡美は片手で頬を押さえると、さっき置いた煙草を手に取って、ゆっくりと慎重に、初めてライターを手にした小学生のように気をつけて火を点け、深く煙を吸い込んだ。

「隠し事は難しいですね」と、彼女は言った。

「それは善人の証拠ですよ」と、私は言った。慰めではない。私の信条だ。

「おかしいですね。会長先生は、杉村さんはいい編集者だっておっしゃっただけでした。うちの娘婿は、事業にはてんで向いてないが、本は作れるって」

義父に褒められている図を想像するのは難しかった。

「妹と一緒に会長先生にお会いしたときも、わたし、喉《のど》まで言葉が出ていたんです。会長先生にお話ししたかった。だけど、父が可哀想で、一生懸命思いとどまりました。これからもそうしようと思っていたんです。だのに、ほとんど初対面みたいな杉村さんに、なんでこんなふうに話してしまうんでしょう」

それは聡美が知っているからだ。私という迂回路ならば、はるかに抵抗が少ないことを。私は義父の付属品、いやそれでさえないぶら下がりの余計者だ。

もともと、聡美は話したがっている。隠し事は難しいのではない。辛いのだ。

聡美の形の良いくちびるから、言葉が溢れ出てきた。

「わたしは、父の危なっかしい過去が、完全に終わってはいなかったんじゃないかと思っているんです。昔の――転々として怪しげな仕事をしていたころにできた悪い縁が、切れてはいなかったんじゃないかと不安でたまらないんです」

子供はすべての暗闇にお化けの形を見出す。唐突に、私の頭にそんな言葉が浮かんだ。どこで読んだ一節だったろう？　育児書か。だから子供が何かを怖がったとき、親たるもの頭から笑い飛ばしてはいけない。

その教えに従うのならば、一人ぼっちで留守番をする子供のような目をしているこの女性を、笑ってはいけない。怯える者は藁《わら》をもつかむ。私は藁だ。

「その心配に、根拠はあるのですか」

私は穏やかに問い返した。聡美は光沢《こうたく》のあるテーブルの木目を見つめたまま、小さくうなずいて応じた。

「あります。父の……態度がおかしかった」

彼女の結婚が決まり、あれこれと準備が忙しくなり始めたころ、何かの拍子にふと、梶田氏がこう呟いたのだという。

「おまえが嫁ぐ前に、ちゃんとしておかないといけないことがあるからな、と。そう申しました。何をちゃんとするのと尋ねたら、あわてたみたいに言葉を濁してしまったけど」

ちゃんとしておかなくてはいけないこと。

「あなたの結婚資金の手配とか、あなたが家庭を持てば、梶田さんは妹さんと二人暮らしになるわけですから、そのための準備とか、そのようなことを指しておっしゃったのではありませんか」

「違います」聡美は頑《かたく》なにかぶりを振る。

「そんなことなら、とっくにちゃんとしてありました。結婚資金は、わたし自分で貯蓄していましたし――」

見るからに歯がゆそうだった。

「そんなことじゃありません。口調も表情も、全然違っていました。あのとき父の心にあったのが、そんな家庭的な事柄じゃなかったことは確かです」

彼女は身を乗り出し、私の顔を見た。

「もっとずっと重大なことだったに違いないんです。そして父は実際に、その何事かをちゃんとしようとしたんだわ。だからあんなことになったんじゃないかと――」

「あんなこと？」

自分でも思いがけないほど大きな声で、私は問い返していた。

聡美は答えた。言葉ではなく、もっとずっと重く持ちにくいものを私に手渡そうとしているかのように、慎重に間合いをはかって。

「あれは偶然に起こった轢き逃げなんかじゃなくて、父は狙われてた。そして殺されたんじゃないかと思うんです」

少しずつ間隔の広くなる飛び石を、私は上手に飛び移ってきた。しかしここへ来ていきなり、次の飛び石が十メートル先にあることに気がついた。そんな気分だった。

「それはまた……ずいぶんな飛躍ですね」

「そうでしょうか」

「ええ。だってそれは、街金の使い走り程度のこととは次元が違いますよ。だいいち、梶田さんの言葉だって、穏当な解釈が他にいくらでもある」

聡美は息を詰める。頰に強い線が浮かぶ。

「確かにそうかもしれません。でも、根拠はそれだけじゃないんです。実際にわたしたち、昔、犯罪に巻き込まれたことがあるんですもの。わたし、今でもよく覚えています。父だって、片時も忘れたことはなかったはずだと思います」

二十八年前のことだという。一九七五年、梶田聡美は四歳だった。

「わたし、誘拐されました。二晩閉じ込められて、家に帰してもらえなかった。わたしを誘拐した人は、父のせいだって言いました。父に恨みがあるから、わたしを殺してやるんだって、はっきりそう言ったんです。幸い、殺されずに済んだけれど、でも本当に危ないところでした。両親はわたしを連れて逃げ出しました。せっかく落ち着いたトモノ玩具を辞めなくてはならなくなったのも、また不安定な暮らしに戻ってしまったのも、全部そのせいだったんです」

4

タテカンの白い反射が眩《まぶ》しい。そこに書かれた文面も、暗記するほどよく読んでしまった。ハンカチを使いながら、私はくるりと振り向いて、再び、そびえ立つマンションを仰いだ。こちらも白壁で、どうやら大規模修繕により外壁を塗り替えて間もないらしく、照り返しの眩しさに変わりはなかった。

グレスデンハイツ石川《いしかわ》。それがここの正式名称だ。石川というのは地主の名前ではなく、あの魅惑的なアーチを描く橋の下を流れる運河の名称である。またここの町名でもある。

建物は道路に面して、ちょうど凹の形を逆さまにした格好になっている。真ん中の空いた部分は、青々とした芝生と花壇のある美しい庭で、道路に近いところが屋根つきの自転車置き場になっていた。敷地内の通路は、建物と庭に挟まれる形になっており、化粧ブロックできれいに舗装されている。

敷地内への出入口は二箇所、凹の字の左右それぞれの端の部分にある。同一直線上にあるが、建物が大きいので、二つの出入口はけっこう離れている。そこここに立ち木が配置され、ほどよくプライバシーを確保しながら、落ち着いた景観を作り出していた。

私とタテカンが立っているのは、凹の字の左側の端、方角では西側の出入口である。西棟は東棟より三分の一ほど短い。残りの部分が二段式のパーキング・エリアになっているのだ。東側出入口では歩道に面して車止めが設けられているのだが、西側では、同じ形の車止めが、パーキング・エリアの先、敷地内通路の中ほどに立てられているのもそのせいである。

管理室は東棟の一階にある。先ほど、マンションの落成期日と正式名称を記した御影《みかげ》石《いし》の碑を見に行ったとき、ちょっと首を伸ばしてのぞいてみた。ロビーの事務室の奥、小さな受付窓の向こうに、淡い灰色の制服を着た男性が座っていた。「外来者は受付にお申し出ください」という但《ただ》し書きが、目につくところに掲げられていた。

Yシャツの内側、背中に汗が流れ落ちるのを感じながら、私はまだそこに立っていた。タテカンは見た。次はどうするか。きちんと管理室を訪ねるか。

八月十五日のあの午後、梶田氏が正しい外来者として受付を訪ねたかどうかはわからない。が、訪ねても無駄だったことははっきりしている。管理会社も盆休み中だったからだ。窓口は閉まっていた。

不意に、私の肘《ひじ》のそばをかすめるようにして、自転車が一台通り過ぎた。白髪頭の小柄な老人が、くわえ煙草でのんびりとペダルを漕いでいる。

老人とすれ違いに、次の一台が近づいてくる。チャイルドシートに幼い子を乗せた女性だ。二人で何かさかんに言い合いながら通り過ぎて行く。私は半歩下がり、タテカンに背中をくっつけるようにして道を譲った。母子の口喧嘩を見送っていると、背中の側でリンリンとベルが鳴った。また自転車だ。私の注意を促している。

「すみません」

私をかわして通過しながら、エプロンをかけた若い女性がそう言った。歩道に突っ立っている邪魔者を追い越すと、ぐいとペダルを踏み込んでスピードをあげ、見る見る遠ざかってゆく。

まことにここは自転車銀座だ。

最寄りのＪＲの駅からここまで、私の足で十五分ほどかかった。駅前にはにぎやかなモールがある。途中にも大型スーパーがあった。バスに乗るには半端な距離だし、通勤に通学に買い物に、自転車はこのあたりの住人たちの大切な足なのだろう。

それは充分に理解できる。が、少々歩きにくいことも事実だ。

誰に聞かせるわけでもないため息をひとつついて、私はのろのろと歩き出した。地元の城東警察署を訪ねることにしよう。あてもなくグレスデンハイツ石川のなかをうろつきまわるよりは、効率的のような気がする。

梶田氏は、自転車に撥ねられたとき、なぜグレスデンハイツ石川の前に立っていたのか。

「あのマンションも石川町も、わたしたちにはまったく馴染みのないところです」

梶田聡美はそう言っていた。住んだこともないし、知人や親戚もいないという。

「父がお盆休みの真っ最中に、どうしてわざわざあんな場所に出かけて行ったのか、あそこで何をしていたのか、まともな理由が思いつきません」

だから彼女は推測するのだ。父親がグレスデンハイツ石川の西側出入口にいたことは、彼女が黒い疑いを抱く父親の過去――彼が自ら口にした「ちゃんとしておかないといけないこと」の裏側に隠されたものと関わりがあるに違いない、と。

昨日、私は午後の半分を梶田姉妹の話を聞くことに費やし、残りの半分を梶田姉の話を聞くことに使った。そして夕食後のくつろぎの時間を、二人から聞いた事柄を記録することに充《あ》てた。普段、グループ広報誌「あおぞら」の記者としての私に使われている自宅のパソコンは、昨夜はさぞかし面食らったことだろう。インタビュー原稿のリライトや、書き損じ原稿（これはもちろん自分のだ）の手入れのために酷使されているパソコン君は、クエスチョンマーク付とはいえ、突然、殺人や誘拐という単語の出てくる文章を紡《つむ》ぎ始めた私の正気を疑ったかもしれない。

城東警察署は四階建ての古い建物で、今風の洒落た仕様はどこにもなく、全体が、昔ながらの鉄筋コンクリートとガラス窓で構成されていた。これまた素っ気無い鉄製の門《もん》扉《び》を抜け、汗を拭き拭き、張り番の制服警官が立つ正面入口を目指して歩いてゆくとき、私はふと、野村芳太郎《のむらよしたろう》監督の撮った松本清張《まつもとせいちょう》原作の映画の一シーンに紛れ込んでしまったような気がした。建物の右手に広がる来訪者用駐車場の最前列に、誇らしげにエンブレムを光らせたブルーのＢＭＷがでんと停められているのを見るまでは、その錯覚は続いた。惜しい。これがカローラやブルーバードであったなら、もうしばらくその気でいられたろうに。

警察署のなかは、陽射しが遮られているおかげで、外よりは涼しかった。案外、大勢の人がいる。受付に歩み寄り、シャツタイプの制服を着て制帽をかぶった警官に、半月前に管轄内で起こった交通事故のことで少々お伺いしたいと申し出ると、

「事故の関係者の方ですか？」

「事故で亡くなった人の遺族に依頼されたのです」

広い意味では「関係者」ではなかろうか？　警官の眉毛がぴくりと動いて、私の汗に濡れたＹシャツを観察する。

「弁護士さん？」

「ではありません」

「この廊下の奥に」

警官はカウンターからちょっと乗り出し、人の行《ゆ》き交《か》うロビーの右手を指し示した。

「防犯相談室があります。まずそちらに行ってみてください」

「防犯相談ではないのですが」

「とにかく行ってみてください」

私の後ろから来た中年男が、私を押しのけるようにして受付の警官に何か問いかけた。○○さんいる？　というように聞こえた。警察署への来訪者にふさわしい第一声とは思えなかったが、受付の警官はきちんと応対しているようだ。

私はリノリウムの床を踏んで、防犯相談室へ向かった。床はきれいに掃除されている。すぐに、ゴシック体で「防犯相談室」と記された白いプレートを見つけた。そのプレートの下のドアはスプリング式――ノブや取っ手があるのではなく、押せば押した方に開くという、あの形式である。私がドアに近づくと、ジャストのタイミングでそれがばんと開き、なかから髪を真っ赤に染めた中年女性が出てきた。痩せて背が高く、化粧が濃い。外出する支度の途中で、うっかり外に出てしまったというようないでたちだ。つまり私の感覚では、そのファッションは下着のレベルだということだ。

彼女は私とぶつかりそうになると露骨に怒り顔になり、私を睨《にら》みつけてさっさと去っていった。彼女が通った後には、強い香水の匂いが残った。それを手がかりに、いや鼻がかりに、どこまでもどこまでも彼女を尾行することができそうなほどに濃厚な帯となって。

ぶらぶらスイングするドアを眺めて、梶田聡美から、事件を担当した刑事の名前を聞いてくるべきだったなと、三秒ほどのあいだ後悔を嚙み締めた。

それでも他にどうしようもなかったので、ドアを押した。スプリングがきいと軋《きし》む。

意外にも、広い部屋だった。役所によくある幅広のカウンターに、折りたたみ椅子が並んでいる。カウンターはオープンではなく、樹脂製の衝立《ついたて》で仕切られて、簡便なブースになっていた。ざっと見渡すと、五席あるブースのうち、四席には先客が座っている。幸い、空いているブースは私の目の前で、たぶん今の中年女性に応対していたのであろう若い婦警が、ボールペンで書類に何か書き込みながら顔を上げて私を見た。

番号札のようなものは見当たらなかったし、順番を待っている人もいないようなので、私は会釈して声をかけた。

「よろしいでしょうか」

「ちょっとお待ちください」

婦警はさらさらと書類を書くと、立ち上がってカウンターから離れ、それを背後のキャビネットの上に並べられた木箱のなかに入れた。奥の事務机にも制服警官が何人か座っており、私から見える距離にいる二人は、どちらも電話をかけていた。

戻ってきた若い婦警は、私に腰かけるよう勧めてくれた。

「どうぞ」

「わたしは城東警察署防犯相談室の樋口《ひぐち》巡査です」

彼女は、ライトブルーの制服の胸にとめつけた身分証をちょっとつまんで、私の方に向けた。名前、身分、顔写真。この婦警さんは写真うつりが良くないと、私は思った。

「ご相談の内容を伺う前に、こちらに住所と名前を記入してください」

カウンターの上に、一枚の用紙が置かれた。

防犯相談受付票という表題がついている。

樋口巡査は、実に聡明そうな目で私を見守っている。私は名前と住所を正直に書いた。

去年、会社の集団検診を受けたとき、私を含めたグループ広報室の数人が、胸部レントゲン写真を二度撮られそうになったということがある。要するに手違いなのだが、大病院のなかを順々に回ってゆくうちに、私も同僚たちも、次はどこへ行くべきで、どの検査が済んでおり、どの検査がまだなのか、わからなくなっていた。ただ、胸部レントゲン撮影は終わったはずだという認識はあり、これから撮影されるというのはやっぱり間違いなんじゃないかと思いつつ、忙しげに受診者をさばいていく係の人の前では、誰もそれを言い出すことができなかった。これに記入してと渡された問診票は、間違いなく小一時間前にも書いたことのあるものだったが、結局、私たちは黙々とそれを書いて出した。

今も、あのときと同じ気分だった。

書き終えた私がボールペンを置くと、樋口巡査は書類を自分の方に引き寄せてちらと目を落とし、軽い笑みを浮かべた。

「それでは、どのようなご相談でしょうか」

胸部レントゲン撮影は済んだのですと、私は言いそうになった。

「実は、防犯相談ではないのです」

私は梶田信夫氏の轢き逃げ事故のことを説明した。

「私は亡くなった梶田さんの知人です。彼にはお嬢さんが二人いまして、警察の捜査が進んでいるのかどうか、とても気にしています。一週間ほど前から、何も知らされていないそうなのです。それで私は頼まれまして」

城東警察署へ来たのは私の意志だし、頼まれたわけではないが、まあこれは嘘ではない。

樋口巡査はパチパチとまばたきをした。そんな表情をすると、うんと小娘に見えた。

「それでしたら交通課の担当ですね」

「と思うのですが、受付でお話ししたら、ここへ行くようにと言われました」

「担当者の名前はご存知ですか」

「それは」私は急に汗をかいた。「聞いたはずなのですが、失念してしまいました」

嘘です。梶田聡美さんから担当刑事の氏名など聞いていません。思いつきもしませんでした。なにしろ、誘拐だの殺人だの突飛な話ばかり並べられたので、それどころではなかったのです――と、私は心のなかで言い訳を並べた。

樋口巡査はまたまばたきをしたが、今度は可愛らしく見えなかった。明らかに、私の申し状を疑っているのだろう。

「事件の捜査状況に関して、軽率に部外者の方にお教えするわけにはいきません。梶田さんのご遺族にその旨をお話しして、担当刑事と連絡をとるように勧めていただくのがよろしいのではないかと思います」

樋口巡査はとても親切な公僕なのだ。この場では、これがいちばん穏当な対処だろう。

「おっしゃるとおりですね。まことに手際《てぎわ》が悪くて申し訳ありません」私は謝ったが、すぐ席を離れはしなかった。

「教えていただきたいのですが——」

私の記入した受付票を手に、今にも立ち上がろうとしていた樋口巡査は、小首をかしげた。

「自転車による死傷事故というのは、昨今珍しくないのですか？　テレビのニュース番組で特集されているのを見たことはありますが、それでも、自分の身近で自転車に轢かれて亡くなる人がいるとは思ってもいませんでしたから、今でも驚きが消えないのです」

軽くうなずくと、樋口巡査は私の顔を真っ直ぐに見た。「自転車同士の接触事故や、自転車が歩行者を撥ねたり、ぶつかって転倒させたりという事故は、確かに増加しているようです。ただ、自転車の事故の場合、一一〇番通報されないことも多いですから、警察としても、全体の発生件数を確実にとらえているわけではないんです」

ちょっとぶつかって、双方がちょっと痛い思いをして、自転車に傷がついた程度なら、わざわざ警察沙汰にはしないということだ。すみませんとお互いにあわてて謝ることもあれば、バカ野郎、どこ見てんだと、怒鳴りあっておしまいということもあるだろう。

「そうすると、梶田さんのようなケースは異例ですね。死亡事故で、轢き逃げだ」

「そうですね」

「この防犯相談室に、うちの近所を自転車がスピードを出して走り回っていて怖くてしょうがない、何とかしてくれという苦情や相談が持ち込まれることはありますか」

まあ、この程度なら答えてもいいだろうという判断がくだされたのか、樋口巡査は私の目を見据えたままうなずいた。

「以前に受け付けたことがあります。一般家庭ではなく、通学路のケースでしたが」

「そういう場合、何か対処するんですか」

「看板やポスターで注意を呼びかけます」

「それで状況が改善されますか」

樋口巡査は、それを確かめるのは自分の仕事ではないという顔になった。同時に、その顔は、それについて考えてみたことがなかったと正直に露呈していた。

「先ほど、梶田さんが事故に遭ったマンションの出入口へ行ってきました」と、私は言った。「自転車銀座でした。他にも、警察に報告されていない接触事故などが起こっていても不思議はないです」

「管理人に訊いてみるといいかもしれませんね」

適切なアドバイスだった。そうします、ありがとうと述べて、私は腰を上げた。

結局、何をしに来たのだろうと自問自答しながら外へ出た。

梶田氏の遭遇した事故に、怪しい節《ふし》があったかどうかが知りたかったのだ。事故ではなく、故意の殺人であったことを匂わせる、何らかの要素があったかどうかを知りたかった。

それには、受付なんかを通していては駄目だということがわかった。

テレビのサスペンスドラマに出てくる探偵役の男女は、もっと効率よく動いている。彼ら彼女らには、たいていの場合、懇意にしている警察官がいて、また上手い具合にその警察官が事件捜査の中核を担っていたりする。

他の道を探すと迷いそうなので、来たルートを引き返して駅へ戻ることにした。私を魅了するあの石川橋のアーチの上で、またしばし佇《たたず》んで川風を楽しんだ。

水深は浅い。目を凝らすと、ややもやしたヘドロの溜まった川底に、へこんだ灯油缶やら空き瓶やらが埋もれているのがよく見えた。橋の反対側に渡ってみると、欄干《らんかん》の真下に自転車が一台沈んでいることにも気がついた。最初に来たときは景色ばかり眺めていて、足元を見ていなかったのだ。

私がそんなことをしているあいだにも、何台かの自転車が橋を渡って行き交った。若者もいれば主婦もいる。老人もいれば子供もいる。皆、さほど苦労することもなしにこのアーチを登りきり、風を切って走り降りてゆく。

私が自転車を足代わりに乗り回していたのは、大学生のころまでである。就職すると同時に下宿を引き払い、移ったアパートはボロ家だったが、駅や商店街に近接していて、自転車の必要を感じなかった。結婚してからは、なおさらだ。通勤にはきわめて便利なところに住んでいるし、自分で買い物に行くことなどないし、妻と外出するときにはタクシーを呼ぶ。そういう生活に、すっかり馴染んでしまっている。

私が乗り回していたころの自転車は、急な坂道や橋には弱かった。この石川橋のようなアーチを上るときには、みんなペダルの上に立ち、サドルから腰を浮かせてえっちらおっちらと漕いだものである。こうして観察していると、今は誰もそんなことなどしない。ギアを切り替えればどんな道でも楽勝だ。電動式の自転車だってある時代なのだ。

だからこそ、衝突すれば、運悪く人を死なせることだってある。

しかし、誰かを殺したいと思うとき、自転車で撥ね飛ばそうと企《たくら》むのは、やっぱり迂遠なやり方だろう。たとえば自転車で音もなく近づき、何かで殴るとか、刃物で刺すとか、そっちの方が確実だ。そしてまた音もなく逃げる。自転車は凶器そのものではなく、あくまでも足だ。それが自然な発想だ。

川風を吸い込んでさっぱりすると、私は引き返す感じで橋を降りた。途中で立ち止まらずに、橋のアーチを上って降りてみたかったのだ。

そこでいきなり、角の家の窓から顔を出しているお婆さんと目と目があってしまった。あわてて会釈をすると、お婆さんも会釈をした。表情はやわらかい。

「どうも」と、私は挨拶した。それに応えて、お婆さんもういっぺん会釈をした。

橋のどちら側のたもとにも信号と横断歩道がある。石川運河の両岸に、それぞれ一方通行の川沿いの道があって、この道と交差しているからである。両岸の道はどちらも一車線の狭い道で、交通量はごく少ない。さっきも今も、ここを走り抜けてゆく車はごくごくわずかだ。だから自転車で橋越えする人たちは、両端のたもとの信号の赤や青に、ほとんど頓着《とんちゃく》していないように見えた。スピードを落とさずにすっ飛ばしていけるのも、その所以《ゆえん》である。

お婆さんが窓から顔をのぞかせている木造の二階家は、橋のこちら側のたもと――グレスデンハイツ石川から遠い側――の、信号を渡った角に建っていた。古びた瓦屋根が傾《かし》いで見える。羽目板が緩んでいる。でもまったく手入れされていないわけではない。窓枠や、お婆さんが寄りかかっている手すりは、比較的新しいもののようだ。

「まだまだ暑いですね」

お婆さんが話しかけてきた。いくつぐらいだろう。歯がまばらで、額も目元もしわが深い。頭髪は真っ白だ。丸首の綿のワンピース――とても庶民的で口語的な表現をするならば、「あっぱっぱ」だ――を着て、首に手ぬぐいをかけていた。

「まったくです」

「お彼岸《ひがん》までは暑いですよ」

のんびりとした口調で言って、お婆さんは手ぬぐいの端を持ち、ひらひらさせて顔を扇《あお》いだ。

「そうですね。失礼します」

私はその場で回れ右して、また橋を上り始めた。妙な人だと思われたかもしれない。が、お婆さんはにっこりした。

「ご苦労さまです」と、声が聞こえた。私は足を止めず、ちょっと肩越しに振り返ってぺこりとした。

さっき通ったときは、あの窓は閉まっていたはずだ。見ず知らずの男が、橋の近くでうろついているので、様子を見るためにのぞいたのかもしれない。それにしてはフレンドリーなお婆さんだった。成績のあがらないセールスマンと間違えられたのか。

石川橋を渡り終えたとき、腕にかけていた上着の内ポケットで、携帯電話が鳴り出した。液晶画面を見ると、着信しているのは登録してある番号だ。

「父」と表示されている。

「もしもし」

雑音混じりに、「三郎君か」と呼びかける声が聞こえた。

「はい、杉村です」

「今どこにいる？」

義父は移動中のようだ。通話状態があまりよくない。

「梶田さんが亡くなった現場のそばにいるのです」

一瞬、それをどう解釈したらいいのかという風情《ふぜい》で、間があいた。しかし義父は時間を無駄にしない人間だ。聞き取りにくい携帯電話でごちゃごちゃしゃべったりしない。

「梶田の娘たちに会ったそうだな。夜の会合まで時間がとれるから、ちょっと話さないか」

「はい、伺います」

どのみち、義父に報告しなくてはならないと思っていた。

「じゃ遊楽倶楽部《ゆうらくくらぶ》で」

「三十分ほどで行けると思います」

「こっちもそれぐらいだろう」

電話はそれで切れた。私はまず上着を着て、それから携帯電話を大事にしまいこんだ。腕時計が娘からの借り物なら、携帯電話は妻からの借り物である。やはり出がけに借りてきたのだ。

——あなたのケイタイは、修理に出すより機種変更しちゃった方が早いわ。壊れたきり、ほったらかしにしてあったでしょ？ 今日、ついでがあるから行ってきてあげる。だから、今夜家に帰れば新品のが来ているはずである。そうすると桃子にも腕時計を返せる。

妻の携帯電話なのに、義父は迷いもなく「三郎君か」と訊いた。私が梶田姉妹と会ったこともすでに知っていた。情報源は菜穂子しかいない。そして昼間、彼女は外出した。

きっと、また二人でランチをとったのだろう。

私にだって推理ぐらいできる。

5

「遊楽倶楽部」は戦前からの由緒《ゆいしょ》ある会員制クラブだ。会員の大半は財界人だが、会費と施設負担金さえきちんと納めることができるならば、経営している会社の規模は問われない。但し業種は問われる。製造業と運輸物流が圧倒的で、義父に聞いた話だと、終戦後間もないころに、商社の経営者や役員を会員として迎えるかどうかでひと悶着《もんちゃく》あったという。

「闇屋あがりの怪しい連中が多かったからだ」そうだ。

意固地《いこじ》でプライドの高いクラブの常で、会員数は少ない。そこが義父は気に入っているようだ。

有楽町の交通会館のそばにある小さなビルの最上階。エレベータを降りると、こぢんまりとした清潔なホールに出る。足元の絨毯は深く、左手の壁にはルノワールの小品がかかっている。右手の窓際スペースには必ず花が飾ってあるが、これがただの活花《いけばな》というよりはオブジェに近い。時には私の肩ぐらいまでの高さがある。今日は、見事なカサブランカが咲き誇っていた。花粉は丁寧に取り除かれている。

「いらっしゃいませ」

受付コーナーで、サーモンピンクのスーツを着た女性がすらりと立ち上がって微笑む。私の知っている限り、クラブが開いている時間に、彼女がここにいなかったことはない。受付嬢と呼んでは失礼だろう。彼女はここの看板だ。木内《きうち》さんという名字と、いつ見てもきっちりと仕立てのいいスーツを身につけていることと、ホール窓際の独創的な活花は彼女の手になるものであることを、私は知っている。が、それ以外のことは何も知らない。

「今多会長はいらしています。いつものお席でお待ちですわ」

「ありがとう」

初めてここに来たのは、菜穂子と結婚した直後のことだった。もちろん義父に連れてきてもらったのだが、当時と今と、木内さんの微笑みや立ち居振る舞いにはまったく変化がない。私の方は少し変わった。長いこと、彼女に案内をしてもらったり、メッセージを託したり託されたり、何かと手を煩わしたときに、「ありがとうございます」と言わずにはいられなかった。その「ございます」が、ある段階で外れたのである。

もちろん、それでも木内さんの反応は変わらない。彼女が内心で何を考えているのかわからないけれど、それで私が不安を感じることはない。そのへんが、義父の第一秘書である〝氷の女王〟と違うところだ。〝氷の女王〟は、私が何をどうしても、改めても変化させても、同じように不安を与えてくれる。おまえは場違いの人間だという無言のメッセージを発することで。

義父は窓際のソファにいて、背もたれに深く寄りかかり、半分だけ覆いを降ろした一枚ガラスの窓から、有楽町の町並みを見おろしていた。テーブルの上に置かれたコーヒーカップには、まだ手がついてないようだ。

「お待たせしてしまいました」

私はきちんと礼をしてから、手前の肘掛け椅子に腰をおろした。特に何も言わなければ、おっつけコーヒーが運ばれてくる。

「赤坂から来たんだ」と、義父は言った。「案外、道が空《す》いていた」

私は桃子の腕時計を見た。午後四時四十五分だ。

義父は少し眠そうだった。疲れているのかもしれない。遊楽倶楽部にいるときは、自宅にいるときよりも無防備に見えることがある。

「ここも貸切だな」

ラウンジはがらんとしている。飴《あめ》色に光る曲げ木の椅子のラインが、間接照明の下で女性的に浮きあがる。

「次のお約束は何時ですか」

「六時に出ればいい」

私のコーヒーが運ばれてきた。ここのボーイの制服のズボンの折り目は、いつ見ても剃刀《かみそり》のようにすっぱりとした直線だ。

コーヒーがテーブルに置かれると、また、「ありがとう」と私は言った。

義父は革張りのソファのなかで身を起こし、ちょっと目をしばたたいてから、私の顔を見た。

「昼間、菜穂子が来てね」

やっぱりな。

「梶田さんのお嬢さんたちには、昨日、社の方でお会いしました。ご報告が遅れてすみません」

大変申し訳ございませんでしたと言わない分、私も義父に慣れたのだ。

「そりゃいいんだ」

ブラックのコーヒーをひと口飲むと、義父は気楽な感じで問いかけた。

「それで、どうだね。本を出す見込みはあるか？」

義父は、ひょっとしたら、そんな機会に恵まれてもしも私が本気を出したなら、片手で襟首をつかんで床から持ち上げることができそうなほどの華奢な体格の老人だ。

それなのに、私は気圧《けお》される。たとえこの老人が私の舅ではなく、ただの財界有名人であって、たまたま私がその人の前に出たのであっても、やはり圧倒されるのだろう。

それは恥ずかしいことではない。たぶん。

「少々込み入ったお話になります」

私はそう切り出した。

「本を出すのが難しいということではありません。ただ、どうも聡美さんと梨子さんのあいだで、意見が統一されていないようです」

義父はコーヒーカップをソーサーに戻すと、両手を左右の膝の上に載せ、掌で膝頭を包み込んだ。二、三年ほど前から、膝の関節痛で医者にかかり始めた。それと前後して、座っているときこういう姿勢をとることが増えたようだ。

「膝掛けをもらいましょうか？」

「いや、大丈夫だよ」

軽く退けて、義父はちょっと眩しいような顔をした。

「あの娘《こ》たちは、歳も離れているし、気性も違うからな。昔からそうだったんだ」

梶田氏と十一年の付き合いがあるのだから、その娘たちの十一年間の成長過程についても、義父はなにがしか聞き知っているのだろう。

「聡美の方が何事にも慎重で、梨子は活発だ。この件で私のところに来たときも、梨子は意気込んでいたが、聡美はしきりに謝ってばかりいた」

義父は梶田姉妹を呼び捨てにしている。

「あの娘らの意見が食い違うのは珍しいことじゃないんだよ」

「聡美さんも梨子さんも、会長をとても尊敬している一方、身近に感じてもいるようでした。会長は、梶田さん一家には特別に親しんでおられたのですね」

「なに、それほどじゃあないが」

義父の目は優しかった。

私は心苦しくなってきた。聡美の言葉が思い出される。会長先生に打ち明けてしまおうかと、何度も喉元まで出かかった。でも父が可哀想で、一生懸命思いとどまりました。しかし今では、私に話してしまった以上、私を通して義父の耳に入ることも、彼女は覚悟しているだろう。私としては、梨子にはけっして話さないというルールを守ることしかできない。梶田姉妹にとっても私にとっても、今多嘉親は大勧進元《かんじんもと》だ。隠し事をするわけにはいかない。

「実は――」

昨夜書き留めることで頭を整理したので、かなり要領よく説明することができた。

私の報告が終わると、義父は手をあげてボーイを呼び、コーヒーのお代わりを頼んだ。

私が自分のカップに手をつけようとすると、

「そっちのも淹《い》れたてのに替えてもらいなさい」と言った。

新しいコーヒーが来てボーイが去ると、義父は少し痛そうに唸《うな》りながら足を組み、ソファに深く沈みこんだ。

「聡美は生真面目な娘でね」

天井の周《まわ》り縁《ぶち》の、凝った彫刻を見上げながら呟く。

「そのせいか、万事に悲観的というか気が小さいというか、物事の悪い面を強く意識するところがあるんだな」

「私の受けた印象も、そのような感じでした。もちろん、とてもきちんとした好《い》いお嬢さんですが」

「うん。結婚が遅れたのも、そういうところがあったからかもしらん。まあ、それは余計な話だが」

梶田の人生の陰の部分か――と、台詞《せりふ》のような口調で言った。そして私の顔を見た。

「その、聡美が四歳のときに誘拐されたという話だがな、さっぱり要領を得んね。もっと詳しく聞き出せなかったのか？」

実際、私も要領を得ない気分でいた。梶田聡美は、具体的な状況について質問しようとすると、ひどく嫌がったのだ。

――ごめんなさい。とにかくそういうことがあったというだけで勘弁してください。詳しく思い出したくないんです。でも、作り話なんかじゃありません。すべて本当に起こったことです。

義父の表情が険しくなり、鼻先がさらに尖った。

「それで犯人に身代金を要求されたとか、警察に報せたとか――」

「いえ、そういうことはなかったそうです」

いわゆる営利誘拐だったのかということは、私も押して聞き出した。聡美ははっきり、違うと答えた。

——お金が目的じゃなくて、父に恨みのある人が、父を苦しめるためにわたしをさらったんです。犯人がそう言ってるのを聞きましたから、間違いありません。

尖った顎《あご》の先を撫でて、義父はしばらく考え込んでいた。

「何ともなあ」

「何か起こったことは確かなのでしょうが」

「うむ。あの娘にとっては相当怖いことだったんだろうな。しかし誘拐と言い切るには、漠然とし過ぎとるような気がする。もう少し詳しいことがわからないと、判断のつけようがない」

私は恐縮した。おっしゃるとおりなのだが、昨日はどうやってもそれ以上突っ込むことができなかったのだ。あんまりしつこくすると、梶田聡美は泣き出してしまいそうだった。

「梶田からは、娘が昔、そんな事件に巻き込まれたことがあるなんて話を聞いたことはなかった。もっとも、もし本当にそんなことがあったとしても、私に言っちゃくれなかったろうがね。茶飲み話にできることじゃない」

義父はゆっくりとひと口コーヒーを飲んだ。

「四歳のときのことだというんだろう？」

「はい」

「その歳じゃなぁ。英国じゃ、〝馬でも一人前にならない歳だ〟というところだ」

義父は英国通を気取っているわけではないが、紳士服の仕立ては贔屓《ひいき》の仕立て屋で、生粋《きっすい》の英国調を守っている。表地も裏地も、ボタンや襟芯などまで彼《か》の地から取り寄せた本格派だ。こうした警句や金言は、三十年来懇意にしているその仕立て屋の主人がよく口にするものであるらしい。

「夢と現実、自分の身に起こったことと、映画やテレビで観たこととの区別もつかなかったんじゃないか」

確かにサスペンスドラマの一シーンであってもおかしくないような話だ。

「それより、問題なのは、聡美がその一件と梶田の死を結びつけて考えているということの方だ。いくら何でもそりゃ飛躍が過ぎる」

「会長もそう思われますか」

「誰だってそう思うだろうよ。仮に聡美の言うとおり、本当に梶田を深く恨んでいる人物がいたとしてもだ、では梶田を殺そうというときに、自転車で撥ねるかね？」

それもおっしゃるとおりでございます。

「あれはどこから見たって事故だろう。聡美は何をとりのぼせとるのかな」

考え過ぎにもほどがあると言って、義父はふと苦笑に頬をゆるめた。

「まあ、それがあの娘の気質《たち》なんだがね。心配性で、悪い方の想像力が強い。これは梶田から聞いた話だが、あれがタクシー運転手をしていたころ、都内でタクシー強盗が起こると、それから何日間か、きまって聡美が不安定になるんだそうだ」

「お父さんも強盗に遭うんじゃないかと心配のあまり」

「ああ。気持ちはわかるが、食欲もなくなるし夜も寝つきが悪くなるというんだから、少々神経過敏だろう」

当時、梶田氏はそれで、商売替えを考えたこともあったという。

「結局そうしなかったんだがね。仕事を替わったって同じだと、女房に言われたそうだ。梶田が工場で働けば、聡美はまた別の心配をする。お父さんが工場の機械で怪我をするんじゃないか。事務所で働く仕事をすれば、通勤のときにホームから落ちて電車に撥ねられるんじゃないか」

「それじゃ会長の運転手になったのは良かったですね」

「聡美はしょっちゅう事故の心配をしていたそうだよ」

「あ。それはそうですね。いちばん基本的な心配です」

本当に何をしても同じだ。梶田聡美に同情しつつも、私は思わず笑った。義父の笑みも広がった。

私はふと、菜穂子が父親のこんな顔を見たら、嫉妬《しっと》するのではないかと思った。言うまでもなく菜穂子は義父のたった一人の愛娘であり、義父は全身全霊で菜穂子を愛する父親だ。だがそれでも、自分の父親が自分の知らないところで、他人の娘に向けてこんな温かい笑い方をしていると知ったら、心が騒ぐだろう。

もしかしたら、私の浮気に対してよりも、ずっと強く嫉妬するのではないか。いや、私は浮気などしないけれど。神に誓って、他の女に心を移したりしないけれども。

義父は肩をゆすってため息を漏らした。

「まあ、梶田を撥ねた犯人が捕まれば、聡美も余計なことを考えずに済むんだ」

「私もそう思います」

「警察の捜査が進むのをじっと待っているのが辛いなら、梨子だけに任せずに、一緒に本を作ればいいんだ。何かしていれば気もまぎれる」

「ご自分の結婚が間近いんだという、幸せなことを思い出してくれるといいんですが」

「それだがね、あの娘は何か言ってなかったか？」

「ご結婚のことですか」

何も聞いていない。

「そうか。私には、挙式を延期するつもりだと言っていた。喪中だから当然だっていうんだな。生真面目だろう？　延期なんかしたら、かえって梶田はがっかりするよ。聡美の花嫁姿を楽しみにしていたんだから」

額のしわが深くなる。

「相手の方のお身内が、喪中であることを気にしているとか、そういう事情があるのかもしれません」

「うん……」

「梨子さんはどうなんでしょう」

「あの娘も延期に賛成していた。結婚式なんかより、轢き逃げ犯人を捕まえる方が先だと息巻いていたな」

そこにも、姉妹の個性の違いがよく表れている。聡美は世間体や常識に外れることを気にする。梨子は自分の気持ちにかなうことを優先する。

「こちらへ伺う前、梶田さんの亡くなった現場にいました」

義父はちょっと乗り出した。「そう言ってたな。わざわざ見に行ったのか」

「本当に自転車の行き来が激しくて、ぼやっと歩いていると危ないところです」

私は大まかながら現場の様子を説明した。

「そうするとやっぱり事故だなぁ」

「グレスデンハイツ石川というのは、築年数はかさんでますが、なかなか住み心地の良さそうなマンションです」

と言って、私はそれまで考えてもみなかったことを思いついた。義父と話していると、些細《ささい》なことでもこんなことがよくある。

「梶田さんが、引越しを考えているということはなかったでしょうか」

「家移《やうつ》りか」

古風な言い方である。

「会長に、何かそれらしいことを話していませんでしたか」

義父は少し考え込んだ。「さあ、どうだったかな……」

仕事中には、あまりしゃべらん男だったからねと、思い出したように付け加えた。

「聡美さんは、梶田さんがなぜ石川町にいたのか、それがそもそも怪しいと疑っているんです。引越し先を探して、好ましい物件を見に行っていたんだとしたら、その謎も解けると思うのですが」

「仮説としたら、そっちの方がよほど真っ当だしなぁ」

「いい町でした。私も住んでみたいと思いました」

この個人的感慨には、何のコメントも返ってこなかった。

「そのあと管轄の城東警察署へ行ってみたんですが」

義父はちょっと両の眉毛を持ち上げた。白髪混じりで、全体に薄くなってしまった眉だ。長い長いあいだ、部下たちの突飛な発想や意外な提案や、結果的に成功したが当初は破天荒にしか思えなかったアイデアを聞かされるたび、何度も額の上で上下しているうちに、擦り切れてしまった経営者《トップ》の眉だ。

「何だ、警察へ行ったのか」

「はい。よく考えたら、そんな必要はなかったんですが、そのときはそうするのが手順だという気がしまして」

我ながら弁解くさい。

「君が一人で行ったって、担当者にも会えなかったんじゃないか」

「防犯相談室に回されました」

義父は鉤型の鼻先を天井に向け、楽しそうに笑った。私はせいぜい恥ずかしそうに笑ってみせた。

「探偵のような気分になっていました。私も聡美さんに影響されたのでしょう」

「ナイーヴなことだ」

「まったくです。ただ、本を出すのなら、警察の捜査の進行状態について知っておくとは必要ですから、今度は梨子さんにでも一緒に行ってもらって、聞き出せるだけのことは聞いてこようと思います」

私は義父の顎のあたりに視線をあてながら、問いかけた。「会長のお耳には、梶田さんを撥ねたのはどうやら子供であるようだ――という情報は入っていますか。そのような目撃証言があるそうなのです」

「誰から聞いたね？」

「梨子さんです」

義父はうなずいた。「私もだ。赤いTシャツを着た少年だとか。それであたりなのじゃないかね。夜中のことで、酔っ払ってでもいたならまた話は別だろうが、真夏の昼日《ひるひ》中《なか》に自転車をすっ飛ばすなんて、大人のやることじゃないだろう」

「そうですね。であるからこそ、梨子さんの作ろうとしている本の効き目に期待することができます。梨子さんは会長からも、生前の梶田さんとの交流についてなど、いろいろ話を伺いたいので時間を頂戴したいと言っていますが、よろしいでしょうか」

「かまわんよ」

「出版元をどこにするか、腹案はおありでしょうか」

私の予想に反して、義父はあっさりとこう答えた。「東晋社向きの本じゃあないだろう。うちで出すわけにもいかんし。知人に頼もうかと思ってるのだがな」

義父のあげた出版社の名前を、私も知っていた。地味だが手堅いところだ。

「お知り合いですか」

「社長と付き合いがあるんだ。まだ話を持っていったわけじゃないんだが、まあ、引き受けてくれるだろう」

ただ、もともと儲けの出るような話ではないから、なるべく向こうに厄介《やっかい》をかけたくない、と続けた。

「だから君に、原稿の体裁を整えてやってほしいんだ。聡美が嫌がっていて、梨子一人でやるというならなおさらだ。意気込みだけじゃ、素人には本は書けんだろ。だいたいあの娘は緻密にものを考えることが苦手だし、これまで長い文章なんぞ書いたこともない」

わかりましたと、私はあらためて承諾した。

「グループ広報室の仕事に支障が出るようなら、形だけでも『あおぞら』の仕事にしてしまっていいぞ」

「いえ、大丈夫です」

支障が出るほど多忙なスケジュールで働いてはいないのだ。園田編集長に、ひと言断りを入れてさえおけば済むだろう。

「ひとつだけ、余計なことかもしれませんが、会長のお考えを伺いたいことがあります」

私は慎重に言葉を選び、少々まどろっこしいくらいに遠まわしに、犯人が少年である可能性が高い以上、会長はあまり前面に出て梶田姉妹を応援しない方がよろしいのではないかと愚考する——という意見を述べた。

義父は面白そうに目を輝かせた。

「それは君、君が自分で考えたのか？」

「はあ」

「遠山《とおやま》が同じことを言っていた」

遠山とは、他でもない第一秘書の〝氷の女王〟その人である。

「そうですか。会長ご自身は、そのあたりのことはお気になさっていなかったのですか」

義父はソファに沈み込んだ。極上の革が滑るようなかすかな音をたてる。

「考えてもみなかった」

版元についてのことに続き、私の推測は、また外れたわけだ。

「昨今、世間はどんどん子供に甘い気分になっとるから、用心するに越したことはないと、遠山は言っていた。言われてみればそうかもしらんが、あまり及び腰になるのもどうかと思うね」

「わかりました」

この件については、推測が外れて、私は少し嬉しかった。

「もうひとつ伺います」

義父の目には、まだ面白そうな色が浮かんでいる。

「会長は、ずっと梶田さんの運転する車に乗ってこられて――」

「週末だけだがな。それも用のあるときだけだ」

「はい。しかし十一年間ですから。そのあいだに、聡美さんが言っていたような事柄、つまりその、梶田さんの過去について、何かしらお感じになったことがおありですか」

「何かしらというのは、何だ」

ますます面白がっている。私は言いにくくて困った。

「後ろ暗いこと、というと大げさですが、言葉にすればそういう意味です」

義父はソファにすっぽりと埋まったまま腕組みをした。考え込んでいる。返事を待っているあいだに、地味な色目のそのスーツに、ごくごく目立たない細い織り糸で、深い朱色が混じっていることに、私は気づいた。

「これということはなかった」と、義父は答えた。そしてちらりと私の目を見た。依然、面白がっているような、ちょっと何か秘しているような目の色だ。だから、私はその返事の先に、「しかし、そういえばこんなことがあった云々《うんぬん》」という言葉が続くのではないかと期待した。

今多嘉親に、人を見る目がないわけがない。梶田氏のことだって、あるいは何かしら感じていたのではないか。

が、義父はちょっと間を置いて、こう続けたのだった。「身の上話も聞いたことはない。まあ、亡くなった奥さんの話はしてたかな。苦労ばっかりかけたという、愚痴《ぐち》というか、聞き様によっちゃ惚気《のろけ》だな。できた奥さんだったらしい。あとは、梶田が個人的にしゃべることといったら、もっぱら娘たちのことばかりだった」

ああ、だからと、今度は私にしっかりと目を向けて、

「聡美と梨子のあいだに、水子《みずこ》が一人いることは、私は聞いて知っていたよ」

義父はすっと身を起こし、もうほとんど残っていなかった二杯目のコーヒーを飲み干した。今、何かちらつかされただけで教えてもらえなかったぞ——という感覚を覚えながら、私は時計を見た。六時十分前だ。

「とりあえずこんなところだろう」

義父は席を立つ。私も立ち上がる。

「面倒だろうが、梨子の指導をよろしく頼む。それと、聡美があんまり思いつめるようだったら、私のところに寄越しなさい。挙式の延期のことも含めて、あの娘とよく話を

してみよう」

「わかりました。会長から言い聞かせていただければ、きっと聡美さんも落ち着くでしょう」

義父はきびきびした足取りでラウンジを出て行った。下まで送る必要はないと言われたので、私はエレベータのところで見送ることにした。

ボーイと一緒にエレベータの箱に乗り込む前に、義父はちょっと愚痴っぽくこぼした。

「菜穂子に聞いたかもしらんが、梶田に死なれてしまったんで、私の個人運転手制度は終了だ。今さら誰かに斡旋を頼むのも面倒だしな。車両部の連中の厄介になるしかない。しかし、みんな運転が下手で困る。梶田が懐かしいよ」

それは、梶田氏にとっては最高の弔辞《ちょうじ》だろう。私は思わず微笑んだ。ふと見ると、隣で一緒に見送っていた木内さんも微笑んでいる。

「木内さんは、梶田さんをご存知でしたか」と、私は尋ねた。遊楽倶楽部は土曜日は開いているはずなので、可能性はある。

「お会いしたことがございます」

義父は週末に所用で出かけた折、コーヒーを飲みに、ふらりとここへ立ち寄ることがあるのだという。

「雨の日で、わたくしが傘を持って車のところまでお送りしたときのことです。ご挨拶だけさせていただきました」

義父は梶田氏を指して、「この人が私の車屋さんだよ。ねえ、車屋さん」と紹介したそうだ。

「会長は、美空《みそら》ひばりがお好きなのをご存知ですか」と、今度は木内さんが私に尋ねた。

驚いた。美空ひばりは偉大な国民的歌手で、もうああいう歌い手は出てこないだろうと私も思うが、しかし義父とはにわかに結びつかない。もちろん、今まで聞いたこともない。

「まったく存じません。そうなんですか」

木内さんは(あら、内緒だったかしら)と、ちょっとお茶目な表情をした。

「梶田さんの車で移動されるときは、よく『美空ひばり全曲集』をお聴きになるのだそうです。それでそのときも、ほら、〝エェ、車屋さん〟というあの歌の、その部分を真似しておっしゃったんですよ」

それを再現する木内さんも、「車屋さん」という呼びかけの部分に、節をつけて歌った。

梶田氏は照れくさそうに笑っていたそうだ。

「いい話ですね」

梨子に聞かせたら、さっそく採用しそうだ。

「梶田さんのお嬢さんが、お父さんの思い出を綴った本を書こうとしているのです。もし良かったら、今の話を取り上げさせてください」

木内さんは、まあ、と目を瞠《みは》った。「そうなんですか。会長がよろしければ、わたくしはかまいません。きっと覚えていらっしゃるはずですし」

梶田さんという運転手さんは、自転車に撥ねられて亡くなったのですよねと、木内さんは尋ねた。

「そうなんです。まだ犯人は捕まっていないのですが」

「わたくしは新聞で読んだのです」

「記事が出てましたか？」

気づかなかった。

「地方面の、ベタ記事でした。全国紙の都区内版は、配布される区域によって、多少とも記事の内容が変わりますでしょう。わたくしの住まいは、梶田さんが事故に遭われたところ――確か石川町でしたね」

「ええ、そうです」

「その隣町なんです。ですから、小さくても記事になったんじゃないでしょうか」

なるほど。しかし隣町とは偶然だ。

「現場の石川橋のあたりを、通ることはおありですか」

木内さんは軽くかぶりを振った。ほのかな香水の香りがする。

「わたくしの使っている駅とは反対方向になりますので、ほとんど通りませんね。でも、あの一帯は全体に自転車の通行量が多いところですわ。わたくしも、買い物のときには愛用しています」

この人が自転車に乗ってスーパーに買出しに行く姿など、私には想像しにくかった。ところが木内さんは、さらに吃驚《びっくり》するようなことを言った。

「子供が幼稚園のときには、園への送り迎えも自転車でしておりました。でも一度、子供をチャイルドシートに乗せたまま転びかけまして、とても怖い思いをしましたし、母にもこっぴどく叱られまして、それで車の免許を取り直したのです。若いころに取ったきりのペーパードライバーで、とっくに失効していたものですから」

失礼は重々承知の上で——というか、それを意識する以前に反射的に、私は彼女の左手の薬指を見た。結婚指輪はなかった。木内さんはその視線に気づいたはずだが、にこやかな表情に変わりはなく、また何も説明を加えようとはしなかった。

「お子さんは——」

「女の子です。小学校の三年生です」

「お母さんに似て、美人になるでしょう」

木内さんは慎ましく口元に手をあてて、ありがとうございますと笑った。私も照れ隠しに一緒になって笑った。

社に戻ると、グループ広報室に残っているのは、園田編集長だけだった。ちょうどいい。私は簡単に、自分が会長から依頼された事柄を説明した。

「ふうん」

回転椅子にもたれ、組んだ足先をぶらぶらさせながら、編集長は言った。「面白そうな仕事じゃないの」

「万事が上手く運んで、本当に犯人を自首させることができたらいいんですがね」

「たとえそういう結果を出せなくても、本を作ったというだけで、残されたお嬢さんたちにとっては意味があるわよ」

「あおぞら」編集部内は禁煙のはずだが、編集長はぷかぷかと煙を吐いている。マイルドセブンだ。

「子供が親の人生をたどり直すなんて、めったにあることじゃありませんよね」

前髪を無造作にかき上げながら、編集長は遠い目をした。

「そうね。あたしなんか考えてもみなかったわ。父が死んだとき」

彼女の父親は、彼女が大学を出て今多コンツェルンに就職した年に亡くなったのだそうだ。

「あたしが一流企業に入ったって、とっても喜んでいてね。五十歳だったから、早死の方に入るんでしょうけど、嫁にも行かず、孫も見せてあげられないというあたしの親不孝な仕打ちを味わわないで済んだんだから、それはそれで幸せだったのかも」

なにしろ、あたし一人娘なのよと、急にくだけた感じになって笑った。

「親不孝なら私も負けないですよ」と返して、私は別の質問を思いついた。

「結婚の予定があって、挙式の日取りまで決まっているところに、親が急死してしまった——そんな場合、やはり延期するものでしょうか」

「喪中だから？」

「ええ。常識的な判断として」

「それはどうかなあ。絶対延期しなくちゃならないというものでもないでしょう。それも梶田さんの話？」

「そうです。お嬢さんが二人いて、長女の方なんですが」

「お母さんはどうおっしゃってるの？」

「梶田さんの奥さんは、もう亡くなっているんです」

編集長は煙草をねじ消すと、頭の後ろで手を組んだ。「そうすると、お相手のご家族との話し合いってことになるんじゃないかしら。挙式はいつの予定なの？」

「十月だそうです」

「何だ、来月じゃないの。延期するんだったら、悠長なことは言ってられないわよ」

でもね——と、椅子を鳴らして身体を乗り出した。「結婚式って、できる限り延期しない方がいいみたいよ」

「どうしてです？」

「結婚って、もちろん双方が嬉々としてゴールインするわけだけど、やっぱり勢いが要るものじゃない？　あたしは経験したことないから聞いた話だけどさ、そういうものだっていうじゃないの」

私は自分の場合を思い出してみた。「確かに勢いは要りますね」

「だから、よんどころない事情があったにしても、いっぺん延期しちゃうと、何か勢いが削《そ》がれちゃうことがあるらしいのよね。実際にあるもの。あたしの同期の子でさ」

挙式まで二週間というところで新郎となるべき人が交通事故に遭い、入院してしまったのでやむを得ず延期したのだが、結局、話自体がご破算になってしまったのだという。

「その交通事故で加害者側になったとか、後遺症が残ったとかの事情ではなく？」

「ええ。自分で側壁にぶつけちゃったんだもの。怪我も半月ぐらいでよくなったし」

でもなあ、あのケースは特別かなと、編集長は、自分で言い出したことに自分で疑いを挟む。

「もともと、危なっかしいところのあったカップルだったからね。彼氏、いろいろ噂が絶えなかったし。あ、あたしの同期の子ってのは、新婦の方ね」

「社内の話ですか」

「うん。だから破談になったところで、彼女、会社も辞めちゃった。女は損よ」

その彼氏の方の名前を教えてくれたが、私の知っている社員ではなかった。

「まあ、おめでたいことなんだからさ、披露宴を地味に身内だけでやるとか工夫をして、延期しない方がいいんじゃない。梶田さんだって、娘さんが予定どおりに嫁《とつ》いだ方が、きっと喜ぶはずよ」

聡美にもそう話してやろうと、私は思った。

帰宅すると、恭しい贈呈式があった。菜穂子が最新モデルの携帯電話を用意してくれていたのだ。取扱説明書が分厚くて、使いこなすまでは、なかなか骨が折れそうだった。売り場の係員に懇切丁寧な説明を聞いてきたという菜穂子に、私はレッスンを頼んだ。そして私も恭しく、桃子に腕時計を返却した。

家族三人で夕食をとり、その晩は桃子と二人で、『小さなスプーンおばさん』を一話読み通した。

「もうひとつお話を聞きたいけど……」

幼い娘は、いかにも残念そうに言った。

「お目目が眠たいって」

「本当だ。眠くて眠くて溶けそうになっている」

くすくすと忍び笑いをしていたが、すぐに寝付いてしまった。

リビングに戻ると、私は菜穂子に、他のどんな話より先に、お義父さんが美空ひばりが好きだということを知っていたかいと尋ねた。妻は大いに驚いた。

「全然知らなかったわ。お父さまと音楽の話なんてしたことないもの」

画廊の女性と親しくなったほどだから、絵には興味があるし知識もある。が、音楽にはまるで疎《うと》いはずだと、菜穂子は興奮した。

「美空ひばりって、どんな歌をうたってたの？　わたし、よく知らないわ」

なるほど、妻の人生には、たとえ不世出の大歌手の歌であっても、歌謡曲が入る隙間はなかっただろう。

「聴いてみたい？」

「ええ！」

「じゃ、開いている店を探してCDを買ってこよう」

昨夜はパソコン君にかかりきりで、妻をほったらかしにしていた。私はサービス心を出していた。

幸い、近頃のデパートやショッピングモールは宵っ張りになっているから、『美空ひばり全曲集』を手に入れるのは易しいことだった。ついでにアイスクリームショップに寄って、妻と娘の好きなフレーバーを買い込んで、大急ぎで戻った。

家で静かに過ごすことの多い妻のために、オーディオには凝っている。マンションの防音性は完璧だし、桃子の部屋はリビングから離れているので、ドアを閉めておけば起こしてしまう気遣いはない。妻はアイスクリームを食べながら、私は冷たいビールと、菜穂子がこしらえてくれたカナッペをつまみに、次から次へと美空ひばりの名曲をかけた。

菜穂子は曲名リストを見て、真っ先に「車屋さん」の歌を選んだ。

「これね。エェ、車屋さん」

調子のいい楽曲に合わせてリズムをとりながら、子供のように手放しで喜んだ。

「お父さまったら、粋なことをおっしゃったものねえ」

妻は「柔《やわら》」も「悲しい酒」も知らなかったが、「川の流れのように」は聴き覚えがあるという。

「そうか——これは美空ひばりの歌だったのね」

「誰か他の人が歌っているのを聴いたの？」

「芦屋《あしや》の叔母さま」

と言って、笑い崩れた。義父の妹で、今多の親戚筋のなかでは、外腹《そとばら》の娘である菜穂子をいちばん可愛がっている人だ。

「震災の後、おうちを補修するついでに増築したの。そのときカラオケ・ルームも造ったのよ。新築祝いに伺《よ》ったら、何曲も聴かされたわ」

でも、こんな佳い歌には聴こえなかったわねと、ちらりと舌を出して言った。

「美空ひばりって、凄い歌手だったのね。天からの授かりものね、この声」

私もそう思う。

「こんな素晴らしい才能の持ち主でも、寿命が尽きれば死ななくてはならない。神様は、そういう点でだけ厳密に公平なのね。そんなの、かえって残酷なような気がするわ」

彼女は「車屋さん」だけでなく、「お祭りマンボ」もいたく気に入った。覚えて歌いたいという。それじゃあ今度、カラオケに行こうか。

「あなたはカラオケ、行ったことがあるのよね？」

「あまり機会はないけど、いちばん近いところでは、広報室の連中と、忘年会の流れでカラオケボックスに行ったよ」

「そういうところには、桃子が歌えるような歌もある？」

「歌本に、〝みんなのうた〟や〝童謡〟というページがあった」

「じゃ、三人で行きましょう」

眠ってしまうのが惜しいほどに、他の心配事が――たとえそんなものがあったとしても――一切気にならなくなるほどに、楽しい夜だった。

6

朝いちばんで次号の企画会議をし、自分の机に戻って仕事に取りかかったところで電話が鳴った。梨子からだった。

「おはようございます」

潑剌《はつらつ》とした声である。

「父の古いアルバムを整理して、あと、年賀状や手紙をためこんだ箱を見つけたので、ざっと目を通して、わたしなりに今後の方針を立ててみたんです。ちょっと聞いてみてもらえませんか？」

喜んでと、私は答えた。聡美のいないところで、梨子に訊きたいこともある。午後一時に、また「睡蓮」で会うことにした。

午前中には、インタビューの仕事がひとつ入っていた。「縁の下の鉄人たち」という連載企画の取材である。今多コンツェルン傘下のグループ会社で、それぞれ総務・庶務を担当している社員たちの生の声を聞いていこうという企画だ。どんな特殊な営業内容で、専門職の社員の多い会社であっても、会社内における内政、主婦的な役割を担ってくれる総務や庶務が存在しなければやっていけないし、そこがしっかりしているかどうかで業績にさえも影響が出る。だから総務や庶務は縁の下の力持ちなのだという、園田編集長の発案で始まった企画だ。連載のタイトルとしては、〝力持ち〟ではあまりに平凡なので〝鉄人〟にした。私には、どっちだって同じようなものに見えるのだが。

インタビューの対象となるのは、たいていの場合総務課長である。総務と庶務が分離独立している会社では、庶務の方の責任者を優先して選ぶ。

今月は、「今多グリーンガーデン」という造園会社の番だった。グループ企業内の会社のビルやオフィスの造園と緑化、レンタル観葉植物の管理などを一手に引き受けている、今多コンツェルン直系の子会社である。

庶務課長は、三十代後半の女性だった。彼女より二、三歳若そうな男性社員が一緒で、

「私は庶務担当ではないのですが、せっかくの機会なのでぜひアピールしたいことがありまして」と、私に名刺を差し出した。

肩書きに、「屋上緑化プロジェクト〝ジェネシス・プラン〟特別研究員」と書いてある。

「今多グリーンガーデンでは、プロジェクト・チームを組んで、都市部のビルの屋上緑化について積極的に研究しているんです。いくつか進行している実験プロジェクトもあ

ります。大都市のヒートアイランド現象に対する抜本的な解決策であり、都市の居住環境を劇的に改善する可能性を秘めたビルの屋上緑化について、ぜひグループ企業の皆さんに理解を深めていただきたいんですよ」

私は彼が息継ぎ《ブレス》をするところまで口上を聞いてから、やんわりと遮った。大変興味深い、また今日的なビジネスチャンスについてのお話だと思うので、別の機会に特集を組んでみたい、それで如何《いかが》か。

彼はスパッと切り返してきた。

「いつ特集を組んでもらえます？」

「早急《さっきゅう》に企画会議を開いて、決めたらすぐお報せします」

実際、ネタとしては面白い。しかし、こいつ一人に長々と自己宣伝をさせることになってはいけない。

「柱を立てて、大きくやってくれるなら、それは大歓迎ですが……」

それでようやく、庶務課長のインタビューを始めることができた。〝ジェネシス・プラン〟の研究員は席を外さず、彼女の隣に居座ったままである。

どの会社でも、内政を切り盛りする社員たちの悩みや苦労話には共通点がある。日々の雑用は終わりのない仕事であること。同じ仕事の繰り返しが多いこと。煩雑で時間とエネルギーをとられる割に、達成感が薄いこと。社内の他の部署の者たちの理解や協力、評価が得られにくいこと。

「前々号だったでしょうか。今多ビル管理の総務次長さんが同じようなことをおっしゃっていたのが印象に残っているんですけど、あの方も女性でしたよね？」

やはり私がインタビューした人だ。

「ええ、そうです」

「女性社員の場合だと、庶務課長だの総務の次長だのになれたら、けっこうな出世だと思われるんです。でも男性社員の場合は、そんなポジション、出世コースから外れてるっていうふうに見られてしまう。つまり、総務や庶務は男子一生の仕事にあらずってわけですね。だから、女に任せてやってもまあいいか、という感覚です。そういう物の見方から変革していかないと、これからの会社はよくならないと思うんですが」

〝ジェネシス・プラン〟氏が何か言いたそうな顔をしたが、私は水を向けなかった。庶務課長の女性も、彼の方には見向きもしなかった。

「会社の内政は大切です。小規模な会社だったら、そこに力を入れて風通しをよくするだけで大幅な経費の節減につながり、やみくもなリストラよりも効果があがることだってあります」

私は熱心に聞いた。こういう記事を載せると、必ず共感や反響がある。それが、だだっぴろい今多グループのなかで業種にとらわれない横の連帯を作るきっかけとなれば、「あおぞら」の存在意義も大いに高まることになる。それに、彼女の話は具体性に富んでいて面白かった。

インタビューの終わりに、私は訊いた。今、あなたがいちばん望んでいることや、解決したいと思っている問題があったら教えてください。

女性庶務課長は、ほとんど迷うことなくすぐに答えた。「とても個人的な問題になってしまうのですが」

「かまいませんよ」

「やはり子供のことですね。上の子が幼稚園の年長で、下は保育園児です。わたしの場合、単に業務のためだけでなく、社の行事を仕切るためにも休日出勤が多くなりますから、土曜日や日曜日に安心して子供を預けることのできる場所がないことが悩みの種です。いつもいつも実家の両親をあてにすることはできませんし……」

「ご主人にみてててもらえばいいじゃないですか」と、〝ジェネシス・プラン〟氏が口を挟んだ。

「やっぱり、いつもいつもあてにできるわけじゃありません。夫も仕事に追われていますからね」

他にどうにもあてが見つからなくて、何度か、同じマンションに住む主婦に頼んだことがあったそうだ。気のいい人で子供好きで親切で、たいへん助かったのだけれど、

「去年の冬、上の子が手に火傷《やけど》をして帰ってきたんですね。たいした怪我じゃなかったんですが、ファンヒーターに触っちゃったっていうんです。その奥さんもすごく恐縮して、何度も何度も謝っていました。わたしとしてもショックだったんですけど、文句な

んて言えません。好意で預かってくださってるんですものね。でも、もしももっと大怪我になった場合にはどうしよう、それだってけっしてあり得ないことじゃないんだと思うと、胃が痛くなって……」

以来、その主婦には子供を預けにくくなってしまったのだそうだ。その結果、付き合いも少々ぎくしゃくしてきた。とても残念だと、彼女は暗い顔をした。

「しかしですね」と、〝ジェネシス・プラン〟氏がまた割り込んだ。「子供はずっと子供のままでいるわけじゃない。大きくなれば手が離れるんだ。つまり子育てには終わりがあるってことですよ。しかし企業活動には終わりなんてない。上に立つ人が、目先の問題ばかりにとらわれないでほしいなぁ」

場が白けた。インタビュー時間も過ぎていたので、私は彼女に篤《あつ》く礼を述べて録音テープを停めた。

〝ジェネシス・プラン〟氏が、必ず特集記事を頼みますよと何度も念を押して会議室を出てゆくと、女性庶務課長は苦笑しながら声を落として言った。

「彼、〝ジェネシス・プラン〟のことが会長のお耳に入るのを期待しているんです。なんといっても『あおぞら』は会長がじきじきに発行しておられる特別な社内報ですから、大チャンスだと思っているんですよ」

私も苦笑いを返した。「よくわかります。ただ、各会社で進行しているプロジェクトのことなら、『あおぞら』なんかに頼らなくても、会長はすべてご存知ですよ」

でも面白そうだから、それとは関係なしに特集はやりますと約束した。

午前中のインタビューの名残《なご》りだろう、「睡蓮」で梨子を待っているとき、私は仕事と家庭の両立とか、働く女性にとっての結婚と出産とか、仕事と子育ての兼ね合いとか、そんなふうなことを考えていた。そのせいか、彼女が向かいの席について落ち着くと、真っ先にこのことを思い出して、問いかけた。

「本題に入る前に訊きたいのだけれど、お姉さんは結婚式を延期しようとしているそうですね？」

梨子は文字通り目をパチクリした。今日は先日よりアイシャドーが濃いが、着ている服の色合いもドラマチックに派手なので、バランスがとれている。たいそう美しく見えた。

「姉がそう言ってました？」

「お二人で会長を訪ねたとき、そのお話が出たとか。会長から聞いたのです」

ああ、そういえばと梨子はうなずく。「ちゃんとご相談したという感じじゃないです。話の流れでちょっと口に出したっていうか」

「本気でそうなさるおつもりなのでしょうかね？」

「その方がいいと思いません？　まだ父を殺した犯人が見つかってないんですよ。浮かれてる場合じゃないもの」

口調に棘《とげ》があった。まだ姉妹の見解は統一されないまま、プチ喧嘩状態であるらしい。

「聡美さんの婚約者のご家族が、喪中の挙式を嫌っておられるということは？」

「さあ、そんなの気にしてないと思うけど。向こうの両親は、姉のこと気に入ってるみたいですし」

「それなら、延期しなくてもいいでしょう。轢き逃げ犯人が捕まるかどうかということと、聡美さんのおめでたい話は別ものだ。お姉さんだって、浮かれて結婚なさるわけじゃない。会長も、予定どおりに式を挙げた方が梶田さんも喜ぶだろうとおっしゃっていました」

梨子は何も言い返さなかったが、納得していないのは表情でわかった。私は、会長のその意向を聡美に伝えてくれるよう、彼女に頼むつもりだったのだが、自分で連絡をとった方がいいなと思った。

梨子はブランド品のショルダーバッグの他に、二泊旅行ぐらいに使えそうな大型のボストンバッグをさげてきた。今は彼女の隣の席に、でんと置いてある。

「あなたが整理したお父さんの資料はそのなかですか？」と、私は促した。

「ええ、とりあえず目ぼしいものはみんな突っ込んで持ってきたの」

騒がしい音をたててファスナーを開けると、ふくらんだ大判の封筒や、古い紙箱に輪ゴムをかけたものなどを取り出して、テーブルに並べた。さらに、ノートを一冊。

「わたしの立てた取材項目と、それの元になった写真や手紙に番号をふったものと、照らし合わせてわかるようにしてあります。見ていただけます？」

開いたページを目にしただけで、なかなか几帳面な仕事だとわかった。

「たった二日で、よく頑張りましたね」

梨子は嬉しそうに笑った。ぱっと座が明るくなるような笑顔だ。

「一生懸命やったんですよ、わたし。本気だもの」

封筒のなかの写真や書類、紙箱のなかの手紙類には付箋《ふせん》を貼り付けてあり、番号や端書《はしがき》が添えてある。ますます感心だ。拝見しますと私が言うと、梨子はちょっとしなだれるように首をかしげて、

「わたし、お昼がまだなんです。おなかペコペコ。ランチをいただいてもいいですか？」

「ああ、気づかなくてすみません。どうぞ」

「お薦《すす》めのメニューって、あります？」

「何でも旨いですよ。本日のランチは、地鶏のピカタだったかな」

梨子は楽しそうにメニューを選んで、マスターを呼んだ。私は彼女のノートを検分する作業にかかった。

調べるのはここ十年以内の事柄に絞れという私の助言を、梨子はちゃんと取り入れているようだった。タクシー会社時代に梶田氏と親しかったらしい人物二人が、「話の聞き取り」の筆頭にあがっている。この二人は、梶田氏の葬儀にも来てくれたらしい。ノ

ートに記された名前の下に、現住所と電話番号も書き添えてある。彼らとのあいだには年賀状も毎年やりとりされており、最新の今年のものに、付箋がついていた。

タクシー会社に在籍中、梶田氏は将棋愛好会に入っていたらしい。年に一度のトーナメント大会に出場したときの記念写真が、紙箱に入っている。梨子は、そのなかで年賀状や葬儀の記帳などから連絡先のわかった人物を拾い出し、愛好会の世話役が、当時の本社の無線係の寺井《てらい》という人であることを書き留めている。彼は現職で、今でもこのタクシー会社、「東京共同無線タクシー株式会社」に勤務しているらしい。蒲田営業所と、色違いのボールペンで追記してある。

「お父さんは将棋がお好きだったんですね」

ノートから目をあげて尋ねると、梨子はちょうど口いっぱいにサンドイッチをほおばったところだった。決まり悪がる様子もなく、そのままうんうんとうなずいてみせる。

「下手の横好きっていうんですか」

噛みながら言って、アイスコーヒーを飲む。

「大会じゃ一戦も勝てなかったんですって。そのことも、寺井さんて方に教えてもらったんですけど」

「その方と連絡がとれたんですね」

「ええ、今日の午前中に。父が死んだこと、全然知らなかったそうなんです。ビックリしてたみたい。昔の仲間が誰も教えてくれないなんて、水くさいって」

盆中の急死だったから、うまく連絡がつかなかったのではないか。

「父は愛好会には熱心に出てたそうですよ。だけどホラ、そういうヘボ将棋だから、家では口に出さなかったのね。姉もわたしも聞いたことありませんでした。大会に出るなんて、ちらっと匂わせたこともなかったわ。新聞の詰め将棋は、よく一人でやってましたけど、なかなか解けなくて苦労してたわ。結局下手くそだったんですね」

ヘボだ、下手くそだと言い切る口調には愛情がこもっていたが、言葉としては手厳しい。

悪気はないが、少々口が悪い。こういう人のことを、私の母は「口に毒がある」という。何のことはない、母本人がまわりの人にそう言われるのを、流用しているだけである。梨子の毒など可愛いものだ。私の母の口には蝮《まむし》の毒があり、私も何度もあたっている。

「話の聞き取り」リストのなかには、橋本夫人の名前もあった。梶田氏の先輩である橋本氏は、義父と梶田氏を直接つなぐ人物でもある。だが残念ながら当人はすでに鬼籍に入っている。

橋本夫人は名を敏子《としこ》という。現在八十歳で、埼玉県行田《ぎょうだ》市内の老人ホームに入っていると書いてある。

「橋本敏子さんのことは、子供さんにでも訊いたのですか?」

よほど空腹だったのか、それとも私の手前大急ぎに急いだのか、梨子は食事を終えて、細いメンソール煙草に火を点けていた。

「そうです。息子さんがお葬式に来てくれてたから、すぐ連絡がつきました」

「ホームに入っておられるというのは――健康状態はどうなんでしょうね」

「あんまりよくないみたい。老人性痴呆が進んでるんですって」

「そうすると、昔話を聞き出すのは難しいかもしれない」

梨子はふうっと可愛らしく煙を吐きながら、

「というか、無理ですよね。父が会長先生の個人運転手になった経緯と、なってからの生活については会長先生から伺えばいいんですもん、わざわざ老人ホームまで行くことありませんよね？」

私は同意したが、手元のメモには一応、橋本敏子のことを書き留めておいた。

梨子は本の構成――つまり梶田信夫の人生を、大きく三章に分けていた。第一章は子供時代。二章が成人してからタクシー運転手として働き始める以前の生活。そして第三章がそれ以降の人生で、これはさらに二つに分かれる。東京共同無線タクシー株式会社の社員時代と、今多嘉親の個人運転手になってから亡くなるまでの時代だ。

ただね、と梨子は煙草を消して、

「わたしは遅い子供なんです。父も母も四十三歳のときに生まれました」

梶田氏と亡妻は同い歳だった。

「父が共同無線タクシーに入ったのは四十歳のときだったそうですから、わたしはリアルタイムには、タクシー運転手としての父しか知らないんです。だからどうしてもそちらに比重がかかってしまうんですけど、それはいいんですよね。取材対象をここ十年ぐらいに絞るんだもの」

「いいと思いますよ。それ以前の事柄は、あなたが生前のご両親から聞いた思い出話に、若干の聞き書きを添える程度で充分でしょう。あなたのお父さんが、亡くなる直前まで生き生きと生きていた人だということが、本を読む人に伝わればいいんです」

梨子は、私が箱から取り出して並べた写真に目を落とし、そのなかからとりわけ古びた一枚をつまみ上げて、にっこりした。

「これ、父の赤ん坊のときの写真です」

セピア色に退色したモノクロ写真のなかで、頬のふっくらとした赤ん坊が、目を瞠ってカメラを見ている。一歳ぐらいか。誰か大人の腕に抱かれているのではなく、背もたれの高い豪奢な椅子に、一人で座っている。おそらく写真館で撮影したものだろう。

「この赤ちゃんの顔は、さっきあなたが目をパチクリさせたときの顔とそっくりですよ」

「そうかなぁ。あんまり似てるって言われたことないんだけど」

聡美は、妹は父親の過去を何も知らないように言っていたが、梨子は、梶田氏が若くして実家を飛び出し、実の親兄弟とはそれきり絶縁状態だったということを、ちゃんと承知していた。本人から聞いたのだという。

「父が持っている子供のころの写真は、これ一枚きりなんですって。それが面白いの。家出するとき、一枚は昔の写真を持っていた方がいいと思って、実家の壁に額に入れて飾ってあったのを、こっそりはずして持って出てきたんだっていうんですもの」

「思い出のために、ということでしょう」

「そうじゃないんです」梨子は楽しそうに手をひらひらさせた。「将来のために。いずれ出世して、何ていうの？　リッシ――ほら、よく言うじゃないですか」

「立志伝中の人物？」

「そうそう、それ！　そうなれば、新聞とか取材に来るでしょ？　財界誌とかもね。そのとき必要になるからって」

梨子は笑い、私も微笑んだ。若き日の梶田氏の強い気負いと、青雲の志と、それが遂げられずに迎えた人生の終盤に、愛娘に向かって笑顔でそれを語ることのできた彼の幸せを讃《たた》えて。

「父は、会長先生みたいになりたかったんですよ、きっと」

きれいに手入れして爪にエナメルを塗った指先で、愛しむように古い写真の赤子の頭を撫でながら、梨子は目を細める。

「俺は山っ気が強かったんだって、言ってました。だけど人生の成功も幸せも、山っ気でつかめるものじゃない。だからおまえも、結婚相手を選ぶときは、よくよくそのことを考えろって。山っ気とか野心とかは、薬味みたいなもんだから、あった方が人生が美《お》味《い》しくなる。だけど薬味だけじゃ一品の料理にはならないんだって」

「良い言葉だ。本のなかで使いましょう」

梨子は嬉しそうに、こっくりとうなずいた。

父親の過去をめぐる聡美の苦悩は、おそらく大部分が取り越し苦労であり、彼女の内向きな心が見せている幻影の黒雲なのだろう。だがそれでも、梨子が父親を愛し、今もそしてこれからも、ずっとその思い出に親しんでゆくのであろうことを正直に示しているこの笑顔を前にすると、そこに一片の瑕《きず》もつけたくないという聡美の願いは、私にもわかるような気がしてきた。

「この構成で結構だと思いますよ」

温かい気持ちになって、私は言った。

「お父さんの子供時代のことは、あなたが聞いた話から再構成するんですね？　それとも、お父さんのご実家を探して訪ねてみるおつもりですか？」

梨子はかぶりを振る。染めた髪が輝く。

「そこまではやりません。ただ、水津《みず》っていう土地を訪ねて、写真ぐらいは撮ってこようかと思ってます。父の死後、初めて娘が足を踏み入れる父の故郷《ふるさと》っていうの、ちょっとロマンティックじゃありません？」

冒頭をその場面にするのだ、という。書き起こしとしては、確かに絵になりそうだ。

「共同無線タクシー時代と、会長の個人運転手時代のことは、取材に不自由はしないと。

するのは問題は、それ以前の第二章部分ということになりますが――」

梨子の作ったリストには、「株式会社トモノ玩具」という記載があるのだ。聡美の言っていた会社だ。二十八年前、梶田夫妻が揃ってここで働いているときに、聡美の「誘拐」事件があった。それ故に、夫妻は逃げるようにそこを離れて、せっかく固まったそれまでの暮らしを放棄せざるを得なかったという、因縁《いんねん》の場所。

梨子がなぜこの会社に気づいたのか、答えは明白だった。写真が残っていたのだ。ちゃんと付箋がついている。

カラーの集合写真だ。老若男女《ろうにゃくなんにょ》取り混ぜて、ざっと三十人ばかりがにぎやかに集まっている。トタン葺《ぶ》きの簡素な作業場のような建物が背後に見える。そしてその壁に、「株式会社トモノ玩具」と、ペンキで大書《たいしょ》されているのだった。

会社の正門というほど大げさな構えではないが、ここが正面の出入口なのだろう。集まっている人びとの両脇に、なかなか立派な一対の門松《かどまつ》が立っている。正月なのだ。写真に写っている人たちは、男性は背広姿だし、女性は半数ほどが和服だ。社員一同が社長を囲んで新年会を開き、その際に記念撮影したものだろう。

どの顔も笑顔だ。一杯機嫌の人もいる。中央に座っている五十歳代前半の夫婦が、おそらく社長夫妻だろう。二人とも和装で、夫の方は膝の上に赤ん坊を載せている。

「そうそう、手がかりはこの写真なの」

梨子は写真の上に指を置いた。

「わかります？　これが父と母です」

梶田氏の顔は、私にもわかった。濃いグレイのスーツに、黒っぽいネクタイを締めている。髪はオールバックで、つやつやと黒い。梨子が示した女性は彼の左隣に立っていて、市松模様のアンサンブル仕立ての和服を着ていた。髪は短く、秀《ひい》でた額に眉がくっきりとしている。面差しが聡美に似ていた。

夫妻のあいだには、二、三歳くらいの女の子がカメラに向かって首をかしげ、ちょっとまぶしそうな顔で立っている。おかっぱ頭で、母親のと色違いの市松模様のアンサンブルを着ていた。着物の肩上げが愛らしい。

「これが聡美さんですね」

梨子はうなずいた。口元がへの字になる。

「姉ったら、この写真を使っちゃ駄目だっていうんですよ」

「もともとはアルバムに貼ってあったのでしょう？」

「ええ。それなのに、わたしの子供のころの写真なんだから、あんたが勝手に持ち出したり、本に載せる権利なんかないって言い張るの。なんであんなに意地悪なのかしら」

聡美にとっては怖い記憶を喚起させる写真であり、現実的な心配と直結している過去でもある。屁理屈をつけてでも、妹を遠ざけようとしたのだろう。

「このトモノ玩具という会社のことは、梨子さんは以前からご存知だったのですか？」

「両親からちらりと聞いたことはありました。タクシー運転手になる前は、父はいろんな仕事をしてたらしいんですよ。そのうちのひとつが玩具工場で、母も一緒に働いていたんだって」

それだけでなく、聡美の話では、梶田一家は社員寮に住んでいたのだ。

「お父さんお母さんは、この当時の思い出話をしたことがありましたか？」

「ほとんどないです」梨子は首を振り、新しい煙草を一本抜いて、指に挟んだ。「この会社、倒産しちゃったんですって。次の職を探すのが大変だったって言ってた。でも、仕事がきついしお給料は安いしで、どっちにしろ、長く勤められる会社じゃなかったんだって話してたかなぁ」

トモノ玩具のことを、梶田氏は梨子にはそんなふうに語っていたらしい。

「いずれにしろ、わたしの生まれる前のことですからね」

「アルバムのなかに、この会社で撮ったらしい写真が、ほかにありませんでしたか」

「ないです。お正月の写真で、母と姉が着物を着ているのが珍しいんで、これだけとってあったんじゃないかしら」

彼女がトモノ玩具のことを知ったのは、母親が亡くなった際、やはり古いアルバムを見ていてこの写真を見つけ、梶田氏に尋ねてみたからだという。氏は多くを語らなかったそうだ。

「お母さんが亡くなられたのは――」

「五年前です。子宮ガンでした。検診で見つかったときには、もう転移していて」

「ほかには、お父さんがタクシー会社に入る前に勤めていた仕事先の手がかりになるような写真は残っていませんか」

「スナップはありますけど、家族の写真が大半ですし、手がかりになるようなものは見当たりませんでした。だから、これだけが頼りだなと思って」

もともと、うちの両親は写真嫌いだったんですよと、梨子は言った。「昔の写真て、少ないんです」

嫌いだから撮らなかったのか。それとも、ある時期に処分してしまったのか。

過去を清算するために。私はそう考え、急いでその思考を脇に退けた。またぞろ、ドラマの探偵のような気分になってはいけない。

「それですと、確かにこれは貴重な手がかりですね。しかし、会社が倒産しているとなると――」

梶田氏のその言葉が真実であるかどうかはさておき、

「当時ここで働いていた人たちを探すのは、ひと仕事ですよ。どうでしょう、この部分の取材は私にやらせてもらえませんか。ここ以外のところの取材や聞き取りだけで、梨子さんは手一杯だと思いますしね」

梨子の顔がぱっと明るくなった。「いいですか？」

「ええ、あなたさえよければ」

「よかった。ホント言うと、ここはちょっと面倒そうだなぁって思ってたんです。お願いします」

　私はにっこり笑ってみせた。トモノ玩具を梨子の取材範囲から除いてしまえば、とりあえずは聡美の不安を鎮《しず》めることができる。

「お姉さんは、このころのことを覚えているようでしたか？」

「記憶にないって。この写真を撮ったことも、お正月に着物を着たことも、覚えがないって言ってます」

　梨子の顔がまた怒った。

「姉はホント、全然協力的じゃないんですよ。一昨日の夜なんか――杉村さんにお会いしたあとですけど――大喧嘩しちゃったの。姉は、わたしが会長先生や杉村さんの好意に甘えすぎてる、一人でできもしないことを、他人の力をあてにしてやろうとするなんて間違いだって、くどくどお説教するんです。わたし、悔しくって」

「お姉さんにはお姉さんのお考えがあるんですよ。うちの会長に迷惑がかかってはいけないという遠慮があるのはもちろん、ひょっとすると、こういう本を出すことで、轢き逃げ事件の捜査をしている警察の機嫌を損ねてしまうことを心配しておられるのかもしれません」

「そんなこと、あるかしら」

「なくはないと、私も思います。警察もお役所ですし、人間の集まりですからね」

「そんなのおかしいわよね？　警察が手間取ってるから、遺族が頑張ろうっていうのに」

「説教くさく聞こえるかもしれませんが——お姉さんとあなたはだいぶ歳が違うでしょう。社会経験に差がある。だから、心を痛める方向に、ちょっと違いが出てくるんですよ。その点は酌《く》んであげた方がいい」

梨子は吸っていた煙草をもみ消した。フィルターに噛んだ痕がある。

「ま、わたしはわたしで勝手にやります。もう姉に手伝ってもらおうとは思いません」

「現実問題としては、その方がいいかもしれませんね。あなたの取材が着々と進んで、目的にかなった本ができそうだということが見えてくれば、お姉さんの心配も和らぐかもしれない。会長も、あまりこちらに気を遣うことはないと、お姉さんに話してみると言っていました」

梨子に笑いかけて、言い足した。

「お姉さんには、ご自分の幸せのことの方で、忙しがってもらいましょう」

梨子は笑い返さなかった。真面目なまなざしで、一瞬ひたと私を見た。

私は訊いた。「あなたはやっぱり、挙式を延期した方がいいと思うんですか？」

「だって……」

梨子が口を尖らせて何か言いかけたとき、彼女がテーブルの隅に置いていた携帯電話が鳴り始めた。オルゴールのような、きれいな着信メロディだ。どこかで聴いた覚えのある曲だった。何という曲だったかな？

「ちょっとごめんなさい」

梨子は急いで携帯電話を取り上げると、耳にあてながら立ち上がった。急ぎ足で「睡蓮」の出入口の方へ移動しながら、

「もしもし？」

と、電話に応じるのが私の耳に入った。彼女が店を出てしまったので、そこから先のやりとりは聞こえなかった。

梨子が戻ってくるまでのあいだに、私はメモに要点を整理して書き、自分のやるべきことと、その手順を考えた。

五分ほどで、梨子は戻ってきた。さっきまでの不機嫌は直っていた。瞳に明るさが戻っている。

「ひとつ思いついたのですが」

彼女が席に戻ると、私は言った。

「お父さんとお母さんの馴《な》れ初《そ》めについて、何かご存知ですか？　そのあたりのエピソードが、第二章に少しばかりほしいですね」

「両親のこと？　そうね」

梨子はくるりと目玉を動かして天井を見た。「割と仲のいい夫婦だったんですよ。わたしが聞いて知ってる昔話でいいですか」

「もちろん。お二人の若いときの写真や、そうだ、結婚式の写真はないですか」

「両親は結婚式を挙げてないんです。あ、でも、母が亡くなるちょっと前、タクシー会社の後輩が結婚したときに、仲人《なこうど》をしました。そのときの写真ならあります」

「それはいい。そのカップルにもインタビューしてみたらいかがです？」

「そうね。そうします」

梨子もノートにメモをとった。

さりげなく聞こえるよう、私もメモを広げながら尋ねた。「お父さんが亡くなった場所は、大きなマンションの前でしたよね？　江東区の石川町」

「ええ、そうですよ。日ごろから自転車の行き来が多い道なんですって。管理人さんが言ってました」

「お話ししたんですか？」

「お葬式が済んだ後、挨拶に行ったんです。迷惑かけたから、姉がどうしても行くって。救急車を呼んでくれた人のところとかも、探して行ったんです。菓子折なんか持って。向こうは恐縮してましたよ」

聡美らしい気配りだ。

「梶田さんがどうしてそこにいらしたのか、何か心当たりはありますか？」

「さあ……」

梨子は髪をかきあげながら首を振った。

「でも父には、よくそういうことがあったんですよ。時間があると、昼でも夜でもふらりと出かけるの。もともと車を転がすことが好きだったから、特に行く先なんかなくても、あちこちドライブするんです」

「じゃ、亡くなった日も車で出かけてたんですか？」

「はい。タクシーに〝自家用〟の札を出して乗っていきました。現場のすぐそばに路上駐車してあったんですよ。後で引き取るのが、ちょっと面倒でした。手続きがあって」

八月十五日、梶田氏が出かけたのは午前十一時ごろだったという。姉妹は二人とも家にいて、父が出かけてゆくのを見送った。

──ちょっと出てくる。そんなに時間はかからないから、夕飯は家で食うよ。

「あなたも聡美さんも、行き先や用件は訊かなかった？」

「そんな必要ありませんもの。ゴールデンウィークとかお盆とかお正月とか、都内の道が空いてるでしょう。走りやすいから気分がいいんだって、そういう時にはホントよくドライブに出てましたから」

梨子は前日まで友人と沖縄に旅行していて、遊び疲れていたから、その日は一日家にいた。聡美は午後から外出した。だから、梶田氏の奇禍を知らせる城東警察署からの電話を最初に受けたのは梨子だったそうだ。

「警察にも訊かれませんでしたか。梶田さんはここに何しに来ていたのかって」

「訊かれましたよ。だから、あのへんまでドライブに行ったんだろうって答えましたけど、特に不審がられたわけでもないです」

梨子は小首をかしげて私を見た。

「そのことに、何か問題があるんですか？」

「いえ、そうじゃありません。ただ、伺っていなかったものだから」

「そうでしたっけ？　まあ、わたしたちにとっては、わざわざお話しするほどのことじゃなかったものですから」

この〝わたしたち〟は〝父とわたし〟の意味であり、〝姉とわたし〟の意味でもあるのだろう。梨子はごく自然に、「お父さんはいつものように好きなドライブに出かけていたんだ」と思っているので、これについて姉と意見を交換することなどなかったのだ。

もしもそれをしていたなら、けっして頭の回転の鈍い娘ではなさそうだから、姉が何かしら引っかかっていることに気づきそうなものである。

「なるほど。しかし散歩にしては遠出ですよね。二十三区の西から東だ」

「そんなことないですよ。車だもの。父はプロの運転手なんだし。もっと遠くまで日帰りで出かけたことだってありましたよ」

杉村さん、何か気になるんですかと、すくうように瞳を瞠った。

「いや、たいしたことじゃないです。ただ昨日、私も現場に行ってきたんですがね。あのマンション、いい物件ですよね。それでもしかしたら、梶田さん、引越しを考えておられたんじゃないかと思ったんです」

「引越し？」

「ええ。お姉さんが嫁いでしまったら、あなたと梶田さんの二人暮らしになるでしょう。部屋が空くと淋しいじゃないですか。だから、手ごろなところに引越しを」

梨子は素っ気無く肩をすくめた。「そんな話は全然ありませんでした。どっちかっていうと手狭で困ってましたから、姉が出たらスペースが空いて便利になるって感じで」

現実には、父がいなくなってぽっかり穴が空いちゃった——と、淋しそうに言い足した。

「そうですか。いや、これは失礼しました。辛いことを思い出させて」

失礼ついでに、昨日、徒手空拳で城東警察署を訪ねたことを彼女に打ち明けた。梨子はギャグを聞かされたみたいに声をたてて笑った。

「警察には、わたしが連絡します。やっぱり、捜査はどうなってるのって、遺族からガツンと言った方がまだよさそうですもんね」

「お願いします。それと、あとひとつだけ」

私はテーブルの上から、二枚の写真を選び出した。一枚はトモノ玩具の集合写真、もう一枚は、梶田氏の遺影に使われた写真だ。

「この二枚、お借りしてもいいでしょうか」

「どうぞ。父の写真の方は、ネガもありますよ」

「カラーコピーをとりますから、大丈夫です。きれいに扱うように注意します」

彼女が書類や写真をまとめて片付けるのを、私も手伝った。

「会長は、インタビューにはいつでも時間をとるから、連絡をくれるようにとのことです。あなたと聡美さんのことを、娘のように親《ちか》しく思っているようですよ」

梨子は笑った。「会長先生、うちに遊びにいらしたことがありますよ」

驚いた。

「お住まいの方に？」

「ええ。もちろん、ちょくちょくいらしたわけじゃないけど、二度か三度。最初にいらしたときは、わたしまだ中学生でした」

週末に梶田氏を呼んだ折に、車でそのまま寄ったのだという。

「父がお誘いしたのかもしれないけど……」

小一時間を梶田家で過ごして、お茶を飲んで帰った、という。

「二度目にいらしたときは、銀座の千疋屋《せんびきや》で山ほど果物を買ってきてくださいました」

個人運転手の質素ながら温かな住まいに、義父は義父なりに心を寄せるものがあったのかもしれない。

何の屈託もなく、ボストンバッグを閉めながら、梨子は言った。「会長先生にはお嬢さんがいらっしゃるけど、ほら、事情があってずっと一緒には暮らせなかったでしょ？だから年頃の娘のいる普通の家が珍しくて、楽しかったんじゃないかしら」

あっけらかんと言ってしまってから、目の前にいる私が、当の「事情のある娘」の夫であることを思い出したらしい。

「あ、ごめんなさい」

ペロリと舌先をのぞかせる。

「いいんですよ。会長のそういう気持ち、私にも何となくわかります」梨子はちょっと媚《こ》びるような目をして頬をゆるめた。「男の人ってみんなロマンティストですよね」

「そうかな」

「手に入れたものはみんな宝物だけど、手に入れられなかったものは、もっともっと宝物なんですよ」

私は私の手に入れた宝物のことを考えた。

手に入れられなかったもので、これ以上欲しいものなどないような気がした。

7

席に戻ると、梶田家に電話をかけた。聡美は在宅していて、すぐ電話に出た。一昨日はたいへん失礼しましたと、丁寧な挨拶をした。声が暗い。

手早く用件を話した。梨子の取材方針が固まったこと。その構成で本を作るなら、聡美が案じるような事態にはならないこと。トモノ玩具については、私が調べること。

「何かわかっても、梨子さんの耳には入れません。安心してください。それより——」

会長があなたに会いたがっている、結婚についても、会長は、できれば予定どおりに進めた方がいいと言っていると、私は話した。

「あの……」聡美は言いよどんだ。

私は先回りした。「申し訳ありません。私の判断で、あなたのお父さんに対するお気持ちや疑問について、会長に話しました。隠しておくとややこしくなりますからね」

「そうですか。いえ、梨子にさえ知られなければいいんです。杉村さんにお話しした時点で、杉村さんから会長先生に伝えてもらいたいという気持ちがありましたし」

「それを伺ってほっとしました。あなたは取り越し苦労をなすっていると、会長は言っていましたよ。いかにも繊細で生真面目なあなたらしい気苦労だと」

聡美はちょっと笑った。

「詳しいことは、会長から直にお聞きになった方がいい。昔起こった怖い出来事のことも、詳しくお話ししてみたらどうですか。あるいは別の解釈が生まれてくるかもしれません。会長はあなた方のことを、娘のように思っておられます。だから心配なんですよ」

「ありがとうございます」

顔は見えないが、彼女の張り詰めたような表情が、少しだけ緩んだ様子を想像した。電話を切るときには、私も気が楽になっていた。

さて、次はトモノ玩具だ。

場所は八王子だと、聡美は言っていた。三十二年前に、彼女はその社員寮で生まれた。二歳か三歳の正月には、社屋の前で晴れ着を着て写真を撮っている。この三十年間の日本経済の激しい浮き沈みは、果たして、トモノ玩具を今も同じ場所に残してくれているだろうか。私は受話器をあげて番号案内を呼び出した。

「八王子市内の――株式会社トモノ玩具ですね？」

案内嬢が麗《うるわ》しい声で問い返す。

「はい。玩具の製造会社です。トモノはカタカナです」

カタカタとキーを打つ音がする。

「その会社名では見当たりません。玩具の小売店で、トモノ玩具という登録はあります」

小売店？

「玩具屋さんですか」

「はい。製造会社ではありませんが、カタカナのトモノ玩具です」

「その番号で結構です。教えてください」

録音テープが流れる。私は〇四二六で始まるそれを書き取った。

写真で見る限り、トモノ玩具の社屋は、プレハブのような簡素な造りではあるが、それなりの規模の建物である。敷地も広そうだ。

創業者がある時点で製造業をやめ、工場を閉めて土地を売却。ただ、玩具業界にかかわる商売を完全にやめてしまうのが惜しくて、地元に玩具屋さんとして店を開いた。そんな筋書きはあるかも——しれない。

呼び出し音が一度鳴っただけで、応答があった。「はぁい、トモノ玩具店です」

元気のいい女性の声だ。

「失礼ですが、そちらは玩具屋さんですか？」

「は？　ええ、そうですよ」

「電話でいきなり申し訳ありません。私は、三十年ほど前に八王子市内にあった玩具製造会社のトモノ玩具の関係者の方を探しているのです。名前が似ているので、あるいはそちらのお店と何かしら関係があるのではないかと思いまして、お問い合わせしたのですが」

「あら」と、元気のいい女性は元気のいい声で驚いた。「それならうちのお祖父《じい》ちゃんの工場です」

ビンゴだ。

「それは有難い。あなたのお祖父さまですか。今もご健在なんですね？」

「ケンザイ？　ああ、ピンピンして生きてますよ。ここに住んでますもん」

「詳しいことはお目にかかって、ちゃんとご挨拶してからと思います。ご住所を教えていただけますか。あ、遅くなりましたが、私は今多コンツェルンのグループ広報室、杉村三郎と申します」

元気のいい女性は、私の名乗りを声に出して復唱しながら書き留めた。

「昔、そちらで働いていた人が、縁あって私どもにも奉職していたのですが、先ごろ亡くなりまして」

「あらお気の毒に」

「それで追悼《ついとう》の記事などを書くために、その人の昔話を聞き歩いているのです。梶田信夫という人物です」

漢字を説明すると、それも復唱しながら書き留めてくれた。

「梶田さんは夫婦で社員寮に住み込んでいたそうです。お祖父さまが覚えていてくださると嬉しいのですが」

「訊いてみますよ。昔のことはよく覚えてるみたいだから。あのぉ、それでこっちに来るんですか」

「お伺いしたいです。お祖父さまのご都合はいかがでしょうね？」

「どうかなぁ。今ちょっと出かけてるから、あとでこっちから連絡させましょうか」

私は丁寧に礼を述べ、グループ広報室の電話番号と、私の新品の携帯電話の番号を告げた。「どうぞよろしくお願いいたします」

「はいはい、どーも」

電話を切ると、斜向《はす む》かいの席にいる園田編集長と目があった。

「探偵の仕事というのは、存外易しいものですね」と、私は言った。編集長は老眼鏡を鼻先にずり落として、疑わしそうな視線を投げて寄越した。

三十年近く前の写真で五十歳代前半ということは、現在は八十を越えているということだ。だから当然予想するべきだった。

元気で長生きの老人は、往々にして耳が遠い。

トモノ玩具店の栄次郎《えいじろう》という老人から、私の携帯電話に連絡があったのは、その夜の八時過ぎのことだった。食事中だったので、私はダイニングを離れて電話に出たが、用件を済ませてテーブルに戻ると、妻と娘が笑っていた。

「すごく声の大きな人ね」

私の耳はわんわんしていた。

「でも、おかげで用件がひとつ片付きそうなんだ。日曜日、八王子まで行ってくるよ」

元気で長生きの老人は、往々にして話がくどい。栄次郎氏は、土曜日までは町会の会合や行事があって忙しいから駄目だということを、三回も繰り返して説明してくれたのだ。だから日曜日ということになった。

「けっこう手間がかかるかもしれないな」

「車で行くの？」

「いや、電車だよ」

「じゃ、帰りは連絡して。新宿駅まで迎えに行ってあげる。ドライブして、外で一緒に何か食べましょうよ。夜中になるわけじゃないなら、わたしたちもお夕食を少しずらせばいいんだもの。ね？」

妻と娘はにっこりし合う。私も賛成した。

「どこがいいかな。リストランテ岡崎はどうかしら。桃子の好きなチェリータルトのあるところよ」

まだ鼓膜が痺《しび》れているので、店の選択は彼女たちに任せて、私は食事に戻った。日曜日はなかなか大変な取材になりそうだ。

今夜もじっくり美空ひばりを聴こうというので、私が後片付けを引き受け——食器洗い機に入れるだけなら私にもできる——妻は風呂に入った。桃子はお気に入りのアニメ番組を見ていたが、それが終わらないうちにあくびを連発し始めた。夕食前に、幼稚園で描いたという絵を見せてもらったが、四歳にしては驚くほど色彩が豊かにバランスがとれていると思ってしまったのは、親バカなのだろう。母方に流れる絵心の血が、より濃い発現形になって桃子の上に表れかけているのだとしたら——と考えるのも親バカなのだろう。

今夜は、スプーンおばさんの冒険譚《たん》をひもとくまでもなかった。子供にけっして宵っ張りをさせないという我が家の教育方針は鉄壁である。

家の電話が鳴った。妻はまだ風呂だ。私は受話器をとった。

「そちらは杉村さんのお宅ですか」

ぶっきらぼうな問いかけは、私の母の声だった。

「母さん」と、私は言った。「今日、母さんのことを思い出していたところなんだよ」

「それでわかったよ。今日は妙に頭が痛くってさ。脳卒中の前触れじゃないかと思ってたんだけど、あんたのせいだったんだね」

悪気はないが、口に毒がある。蝮《まむし》である。

「梨《なし》を送ったんだよ。言っとかないと悪いと思ってね。そっちには管理人だのお手伝いさんだの、荷物を取り次いでくれる人がいるから、いつ生ものを送ったって大丈夫なんだって一男《かずお》は言うけどさ。やっぱり言っといた方がいいと思って」

一男というのは私の兄である。故郷の町役場で働く傍《かたわ》ら、小さな果樹園を営んでいる。結婚して二児を儲け、父母と同居し、気苦労を重ねている真面目なニッポンの男だ。

「いつもありがとう」

「あんたのとこは、梨なんかよりいいものがいっぱいあるんだろうけど、うちには梨しかないからさ」

母は毎年同じことを言う。

「菜穂子も桃子も喜んでる——」

「電話は代わらなくていいよ」矢のような速さで私を遮り、母は続けた。「喜代子《きよこ》がよろしく言ってた」

喜代子は姉である。私たち兄弟の母校でもある地元の小学校で教師をしている。夫はやはり私たちの母校でもある中学校の教師で、去年教頭になった。子供はいない。

「それじゃね」

「みんな変わりないね?」

「変わりようがないだろ。あんた元気なの?」

「こっちもみんな元気だよ」

ちょっと黙ってから、母は言った。「こないだ、テレビに出てたね」

義父のことだ。

「気づかなかったな」

「ＮＨＫだよ。教育テレビ。ちんぷんかんぷんの難しい話をしてたよ。あんたも大変だね」

私はうんというような声を出した。それじゃねともう一度きつく言って、母は電話を切った。逃げるようだった。たぶん本当に逃げているのだ。菜穂子お嬢さまとしゃべらなくてはならない機会から。

両親の強硬な反対を押し切って結婚して、両親が想像することもできないような贅沢な暮らしを与えられて、そのなかで死ぬほど気まずい思いをしているであろう次男坊の現実に直面することから。

私が結婚するとき、母は私に、もうあんたは死んだもんだと思うことにすると言った。だから私は、母が案ずるほどには、私の暮らしは贅沢でも気まずくもないと言ってやることができない。すでに亡き者になっているのだから。母は毎年この季節になると、死んだ息子に梨を送り、生ものだから行き違うといけないと、怒ったような声で電話をかけてくるのだ。

父は電話には出ないから、もう何年もまともに話していない。兄と姉とはもう少し頻繁に電話をかけ合うが、彼らはけっして自宅にはかけてこない。会社に電話してくる。あるいは、私が会社にいる時間帯に、携帯電話にかけてくる。

気が滅入ると、私はある格言を思い出す。誰の言葉かといえば、今多嘉親の言葉だ。

「どれほど祝福され成功した結婚でさえも、どこかに親不孝の要素を含んでいるものだ」

そこに皮肉を感じると、ちょっとだけ笑うことができるようになる。

義父は、梶田氏にもこの格言を教えたことがあったろうか。梶田氏は、彼自身の結婚について、夫人との馴れ初めについて、誰かに親しく打ち明けることがあったろうか。梨子が聞き出してくれるかもしれない。

8

八年前の春先の話だ。私と菜穂子は、映画館で知り合った。銀座のロードショウ館で、平日の二時過ぎからの上映だった。

そんな時間帯に、当時すでにサラリーマン編集者だった私が映画館にいたのは、文字通りの暇つぶしのためだった。仕事相手の都合で、一時間ほどぽっかりと空きができてしまったのだ。普段なら書店でもぶらつくところなのだが、その日はひどく疲れていて眠かったので、居眠りしようという不埒《ふらち》な理由で映画館を選んだ。

客席は半分ほど埋まっていた。当時のヒット作だったのだ。同じ列の中央あたりに、女性客が一人で座っているのは知っていた。実際、彼女に怪しまれないように、私は慎み深く距離をとって席を決めたのだから。

映画が始まり、ちょっとのあいだうとうとして目が覚めた。と、さっきの女性客がもぞもぞと動きながら、何か小声で話している。いつの間にか、彼女の隣に男が座っていた。その男に向かって言葉をかけているのだ。

なんだカップルだったのかと、また眠りかけたとき、彼女の言葉の断片が耳に入った。

「――やめてください」

それで目が覚めた。今や彼女は中腰になり、私のいる列の端の方に逃げてこようとしている。隣の男が彼女の手首をつかんでいるのが、スクリーンの光ではっきり見えた。彼女はそれを振り切ろうとしているが、力負けしてしまっている。

私は席を離れ、彼女のそばに行くと、どうしましたと声をかけた。映画館でよかったと、今でも思う。明るい場所で見たならば、私が頑強な男ではないことは一目瞭然《いちもくりょうぜん》だった。となれば、痴漢の態度もまったく違っていただろう。暗がりが私の味方をしてくれた。

「あんたご婦人に何をしてるんだ。やめなさい」

声を強めて咎めると、まわりの観客も気づいてちらちらと目を向けてきた。痴漢男はチッと舌打ちをして逃げ出した。背広姿の若い男だったことを覚えている。彼が乱暴にドアを開《あ》け閉《た》てしたので、ロビーから光が差しかけ、それで私は、狼藉《ろうぜき》を受けていた若い女性が震えながら泣いていることに気がついた。

私は彼女をロビーに連れ出した。手近の椅子に座らせ、係員を呼びに行こうとすると、彼女はそれを断った。小さなバッグからきれいなハンカチを取り出して涙を拭き、青ざめた顔のまま、丁寧に私に礼を言った。

「こんなことは初めてなので、動転してしまいました。ありがとうございました」

きちんとした服装をしていたし、身につけているものが高価そうなので、学生だとは思わなかった。だが、とても若く見えた。

黙っていると私に失礼だと思ったのか、しゃべっている方が落ち着くのか、彼女は、よく一人で映画を観に来るのだとか、銀座の一流館なのだし、今までは嫌な思いをしたことがないので気が緩んでいたとか、少し裏返ったような小声でしゃべり続けた。私は相槌をうち、彼女に落ち度はないということと、あんなふうに目立って乱暴なことをする痴漢は珍しい、ひどい目に遭いましたねというようなことを繰り返して言い聞かせた。

彼女が、まだ青ざめた頰のまま、今日はこれで帰りますと言ったので、外まで送っていこうかと、私は申し出た。とっさに、あの痴漢男がまだそのへんにいて、彼女にからむかもしれないと心配になったからだ。それに何よりも——正直に白状するけれど——彼女がとても可愛らしくて魅力的なので、少しばかりぼうっとしていたのだった。

彼女がひるんだので、私は「さっきのヤツがまだうろついているといけないし」と、あわてて説明した。そして、自分が怪しい者ではないことを示すために名刺を出した。彼女はそれを受け取って、涙の残る瞳でしげしげと見いった。

「あおぞら書房？」

「はい」

「わたし、『ジェレミーとフウ』のシリーズを読んでいます」

翻訳ものの絵本のシリーズだった。ジェレミーという少年と、満月の夜だけ翼が生えて、空を飛び回ることのできるフウという仔象が冒険する物語だった。あおぞら書房の手がけている出版物のなかでは、なかなか成功した作品だった。

「児童図書館の読み聞かせ会で、ボランティアをしているものですから」

文字通り、ジェレミーとフウの大冒険を、声に出して読んでいるのだった。

「子供たちにとっても人気があるものですから、わたしたちで、二人の活躍する別のお話を紙芝居に作ったりしてるんですよ」

言ってから、それって本当はいけませんよねと困った顔になった。私は笑った。

「著者は怒ったりしないと思いますよ」

ともあれ、彼女は我が社の本の愛読者なのだ。私は嬉しかった。

一緒に映画館を出て、最寄《もより》のタクシー乗り場まで送っていった。彼女は丁寧に礼を述べ、車に乗り込んで去っていった。

次の打ち合わせに、私は少し遅れた。どこかフワフワしていて、話にも身が入っていなかったろうと思う。

彼女は名乗らなかった。それを無礼だとは思わなかった。町を歩いていて、とてもきれいで儚《はかな》いものが道端に落ち、無神経な人間に踏まれそうになったのを、そっと拾いあげて守ったような、そんな気分が残っていた。しばらくのあいだ、それを大事に持っていたいと思っていた。

数日後、編集部気付で、私宛に手紙が来た。封書の裏には世田谷区松原の住所と、「今多菜穂子」という名前があった。

先日はありがとうございましたと、几帳面な優しい手跡《しゅせき》で書かれていた。『ジェレミーとフウ』シリーズについての感想も記されていた。

私はさっそく返事を書いた。淡く甘い気分の保存期間が少し延長されて、嬉しかった。

と、それからまたしばらくして手紙が来た。

私はまた返事を書いた。

それにまた返事が来た。

こうして、私たちの交際は、何ともクラシックなことに、手紙のやりとりで始まったのである。

現在なら即座にメールアドレスを教えあい、やりとりをするところだろう。軽快で楽しく、リアルタイムだから親密だ。だけれど私は、手紙という古風な通信手段が生きているころに、菜穂子と知り合うことができてよかった。

手紙では、もっぱら本と映画のことばかり書いて送り合った。彼女は、編集者という私の仕事にも興味を持っていた。一方で、すっかり映画館が怖くなってしまい、もっぱら自宅でビデオばかり観るようになっていた。しかしそれでは、最新のロードショウ作品から遠ざかってしまう。

「今度、今多さんが映画館で観たいと思う映画があったら、僕がボディガードとしてついていきましょうか」

　思い切ってそう切り出すまで、四ヵ月ぐらいかかったと思う。当時はまだ、彼女が今多コンツェルン会長の娘だということは知らなかったが、私には縁のなさそうな、相当な良家の子女であろうことは察しがついたので、言い出しかねたのだ。そう、私は臆病者なのだ。

　今でもときどき、菜穂子は微笑みながら、

「おかしな話だけど、あの痴漢がわたしたちの縁結びの神様だったのよね？」

と言うことがある。彼女がそれを楽しそうに口にしてくれることを、私は喜んでいる。交際を始めて、かなり後になって、あのとき痴漢男が彼女に何をし、何をさせようとし、どんな下卑《げび》た言葉を投げかけたのか、教えてもらった。菜穂子のように、いわば無菌状態で育った女性には、ひどいショックが残ってもおかしくない内容だった。

　あのとき、一瞬の義憤が私を動かし、素早い行動をとらせてくれたことを、私は深く感謝している。それが結果として私と菜穂子を結びつけてくれたからというだけではない。たとえそんなふうにならなかったとしても、あの痴漢を追い払うことができただけでもよかった。あいつの棘は確かに今多菜穂子の指を刺したけれど、そこから毒が回ってしまう前に手当てをすることができただけでもよかった。

　梨子から梶田氏の遺影となった写真を借りたのは、「あおぞら」で記事を書けないかると思いついたからだ。梶田氏は正社員ではなかったから、これまで、訃報《ふほう》が社内報に載ることはなかった。

遊楽倶楽部の木内さんとの話がヒントになった。今多グループ全体には、膨大な人数の社員がいる。なかには、木内さんと同じように、石川町の近くに住んでいたり、土地勘がある人もいるかもしれない。「あおぞら」という媒体を使えば、情報を募《つの》ることができるだろう。案外、灯台下暗《もと》しということだってある。

という話を編集長としていたら、アルバイト社員の椎名《しいな》嬢が割り込んできた。現役の女子大生で、小学生のときから地元のクラブでバレーボール選手をしており、身長がなんと百七十五センチある娘さんだ。

「どうせ記事にするなら、その文面を利用してついでにチラシも作って、現場でまいたらどうですか？」

「うちでやるの、それを」編集長は渋面《じゅうめん》をつくった。

「わたし手伝いますよ」

「紙だってコピーだって無料《ただ》じゃないのよ。それを言うならあなたの時給だって」

「駄目かなぁ。たいした手間じゃないのに」

シーナちゃんは私の顔を見た。私はのっぽの彼女の小さな顔を仰《あお》いだ。名案だと思った。良いことを言ってくれる。

「そんなの警察に任せておきなさい」編集長はにべもない。

「警察はチラシなんか作ってくれないですよ」

「そうだね。タテカンはあったけど」と、私は言った。

「ね？　ニュースとか見ててもそうじゃないですか。ほら、遺族の方が駅前で配ったりしてるの、あれみんな自前でしょ」

「実費は僕が負担しますよ」と、私は言った。「コピーはコンビニでとります。シーナちゃんには時間外で手伝ってもらえるかな。飯を奢《おご》るよ」

「いいですよ！　じゃそれで決まりだ」シーナちゃんはぽんと手を打つ。「あ、もうひとつ思いついちゃった。わたし今日は冴えてます？　杉村さん、現場のタテカンにも、梶田さんの顔写真のコピーを貼っちゃったらどうでしょう」

「それに何か意味ある？」と、編集長は引く。

「どういうことだい？」と、私は乗り出す。

「ああいうタテカンて、亡くなった方の情報は出さないでしょ？　うちの近所で、幼稚園の子が轢き逃げされたことがあるんだけど、そのときも〝幼稚園児〟っていうだけで、それ以上の詳しいことは書いてませんでした」

「被害者のプライバシーよ」

「ですよね。でも、そのせいで、タテカンを見る人には、イマイチ実感がわかないんですよ。それでも幼稚園児の場合は、〝ああ、こんな小さい子がかわいそうに〟って思うけど、梶田さんの場合はおじさんだし」

タテカンには、轢き逃げ死亡事故があったということしか書いてなかった。

「亡くなったのはこの方ですよって、写真を出しておけば、ぐっと現実味が出てきません？　他人事《ひとごと》じゃないですよって感じになるし、記憶だってたぐり易くなるかもしれない。杉村さんの見たタテカンは一枚だけ？」

「うん。他にはなかったな」

「だったら、ちょっと行って貼ってくるだけだもの。それで効き目があったら大正解じゃないですか」

「だけど被害者のプライバシーよ」編集長は粘る。「あたしはね、新聞やテレビで事件の被害者の名前や顔写真を出すことに反対なの。だっておかしいと思わない？」

「思いますけど、時と場合によりますよ。今回は、とにかく情報が欲しいんですから。公開捜査だと思えばいいじゃないですか」

話が大げさになってきた。そういえばシーナちゃんは大学で新聞学科を専攻しているのだと、私は思い出した。

「あおぞら」に梶田氏の記事を載せることにはＯＫをもらったものの、編集長は不機嫌だった。

「ただ本を出す手伝いをするだけじゃなかったの？　犯人探しまでするわけ？」

「ついでですよ。行きがかりですよ。チラシだけですってば」

私は午後いっぱい、塹壕《ざんごう》に潜《もぐ》る兵士のように縮まったまま、記事の下書きをした。

サラリーマンとしては上司の顔色を見なくてはならないので、その日は夕方まで机を離れることができなかった。仕事もそこそこ忙しかった。それでものんびりかまえていられたのは、グレスデンハイツ石川の管理室は、午後九時まで開いていると知っていたからだ。管理室の掲示にはそうあった。

会社を出るとき、菜穂子に電話して、今夜は定時に帰れないから、夕食を先に済ませてくれるように話した。妻は、スプーンおばさんを第何話まで読み進んだのか尋ねた。今夜はわたしが代打だもの。

昔のことをちょっと思い出していたので、私は妻に言った。

「スプーンおばさんのお話を、紙芝居にしてみたら面白いかもしれない」

「わたしが描くの？」

「昔とった杵柄《きねづか》というんだよ」

「むむむ」

妻は笑って電話を切った。

あれこれ手間取ったので、グレスデンハイツ石川に着いたときには、午後七時半を回っていた。管理室のあるホールには明るく蛍光灯がともり、集合郵便受けの列を照らし出している。小さな窓越しに、夏物の半袖の制服を着た管理人が座っているのが見えた。私と入れ違いに、重そうな書類鞄《かばん》をさげたサラリーマンが郵便受けをのぞき、管理室に挨拶してエレベータの方へと歩いていった。管理人は彼に、「お帰りなさい」と声をかけた。

ホールに入ってすぐ右手の壁には、マンションの形を摸した掲示板に、部屋番号と入居者の名字を書き並べたものが貼ってある。ところどころに、部屋番号だけで名字の抜けているところがあるのは、空き部屋なのか。それともこれもプライバシーか。

「こんばんは。ちょっと失礼します」

カウンターのような小机について、日報らしきものを書いていた管理人は目をあげて、私に会釈した。セールスと間違われないように、私はまず名刺を出し、それから用件を話した。

「梶田さんの事件を解決するために、社内報でも協力しようということになりまして、記事を書くために取材をしているんです。少々お時間をいただけますか」

私は、持参してきた今月号の「あおぞら」を差し出した。小太りで丸顔の管理人は、五十歳そこそこというところだろう。顔の輪郭にぴったり合った丸眼鏡をかけなおして、「あおぞら」をざっと見た。

「そんなら、まあどうぞなかに」

管理室に通じるドアを開けてくれた。部屋の半分を、監視モニターや種々の機材が占領している。館内放送用機器もあって、マイクがくいっと頭をもたげていた。

使い込まれているが、きれいに拭き清められた作業机に、回転椅子が何脚か寄せてある。私はその椅子を勧められた。

「えーと、私は管理室長の久保《くぼ》と申しますけども」

制服の胸をぱたぱたやって、それから背後の小引き出しを開け、名刺を取り出して私にくれた。

「ご丁寧にすみません」

「だけどあの事故のことだと、私らあまりよく知らんのですよ。ここは閉まってたからね。盆休みで」

「存じています」

私は、事故の以前にも、梶田氏がここを訪れたことがあるかどうかを知りたかったのだ。

梶田氏はここに何をしに来ていたのか。誰かに会いに来たのではなかったのか。やっぱり気になった。

梨子の言うとおり、ただの気まぐれなドライブだったのかもしれない。だが、何となく釈然としないような気が、私はした。それに、いきなりタテカンに写真を貼って帰ってくるだけでは、子供の使いのようだ。せっかくだから、管理人と話してみてもいいだろう。

「何ちゅうか、後生《ごしょう》が悪かったですよ。私らがいないときにああいうことが起こるとね」

「そういうものですか。マンション管理とは関係のないことのようですが」

「関係なくもないんです。前にもあったからね。事故が」

「自転車と歩行者の？」

「いえいえ、ここの入居者の車が、あの出入口のところで自転車に乗った子供を撥ねちゃったんですよ。出会い頭《がしら》でね」

また子供の自転車か。

「二年ぐらい前だったかな。それでミラーをひとつ増やしたんです」

そういえば、マンションの出入口には一対のカーヴミラーが設置してある。

「ちょっとした接触事故なら、もっとありますよ。そのたびに回覧まわして、注意してるんですけどね。効き目ないねえ」

「これだけの大所帯だと、いろいろな人が住んでるから」

「そうそう」久保管理室長は、理解《わか》ってくれると嬉しいというように、しみじみとうなずいた。「何を言っても聞いてくれない人もいますからね、ここだけの話」

私もしみじみとうなずき返した。

「この前の道は、自転車の通行量が多いですね。驚きました」

「ハンパじゃないですよ。またみんなスピード出すから」

管理人が道を掃いていて、自転車にぶつけられたこともあるそうだ。

「今度の轢き逃げ事件は、うちの入居者が関係してるわけじゃないけど、一応回覧をこしらえてね、全戸に配ったんです。出入りするときは気をつけてくださいって。警察からも指導されちゃったし」

私は梶田氏の写真のコピーを作業机に載せた。

「亡くなったのはこの人なんです」

久保管理室長は写真を手に取った。

「はあ、年配の人だとは聞いてましたが、案外お若いですね。もっとお年寄りかと思ってました」

「顔はご存知なかったですか」

「お名前も知らんですよ。梶田さんていうんですか」

「警察の方から、聞き合わせとかはなかったんですね？」

「ここの住人じゃなければ、来ないですよ。この人を撥ねた自転車も、前の道を通り過ぎただけで、ここから出てきた自転車じゃなかったわけだし」

それで助かったと、心底安堵している様子だった。

「ここの住人の自転車だとすると、面倒なことになりましたかね」

「そりゃあんた、なりましたよ。犯人探しするわけいかんもの」

子供だったらしいじゃないですかと、彼は声をひそめた。

「ああ、それはご存知でしたか」

「町会の集まりで聞いたんです。ここはマンション全体で石川一丁目の町会に入ってますんで、集まりには私が代表で出るんですわ。だいたいが、ゴミ集めとか掃除当番とか、あとはお祭りのときの寄付とかの相談だからね。理事長が行くこともあるけども、だいたいは私の仕事になる」

だから町内会の役員さんたちとは親しいですと、力を込めて言った。

「撥ねた自転車に子供が乗ってたって、見た人がいるって話でね。で町内会長さんが、このへんの中学と小学校に頼んで、学校用の回覧をまわしてもらおうとしたんですけど、駄目でした」

「学校に断られたんですか」

「確かな情報じゃないのに、学校で犯人探しするようなことはできんて、PTAの会長さんから叱られたんですと」

苦笑いをしている。

「自転車で走るときには注意しましょうねという回覧なら、よさそうなものですがね」

「そういう回覧なんですよ。だけど駄目だと。そのかわり、学校単位で自転車安全教室いうのをやってもらう約束はとりつけたんですけどね。警察から指導員を寄越してもらって」

「ああ、それはいいですね」

私は管理室を占める機材を見た。六つのモニターに、モノクロで、動きのない画面が映っている。エレベータ付近の映像のようだ。

「出入口のところには、この手の監視カメラは設置してないんですか？」

久保管理室長は、ぽっちゃりとした手を振った。

「ありません。何年か前、管理組合の理事会で、付けようという案が出たんですがね。総会で却下されちゃった」

プライバシーの侵害になるでしょと、そこだけ妙に角ばった口調で言った。

「誰が何時に出かけていって、何時に帰ってきたか。誰と帰ってきたかとか、ね。監視してるみたいになる」

「ははぁ」

監視カメラがあれば、そこには梶田氏が自転車に撥ねられた瞬間の映像が映ったかもしれず――管理室が閉まっていたらそれも無理か――私はほんの少し期待していたのだが、話はそう簡単には運ばない。それに、警察がとっくに確認済みだろう。

「ところでこの梶田さんですが、事故の以前にもこちらを訪ねてきたことはなかったでしょうか。ご記憶にありませんか」

久保管理室長は、眼鏡をずり上げながら写真を手に取った。

「私は見覚えがありませんなぁ」

「ここには何人も管理人さんがいらっしゃるんですね？」

「常勤は、私を含めて五人おります。みんな通いですが」

「この写真をお預けしますので、他の方にも訊いてみていただけますでしょうか」

あっさりと引き受けてくれたが、不思議そうだった。

「だけどそれと、事故のことと何か関係があるんですか」

さっきから私も久保管理室長も、事件と言ったり事故と言ったり、轢き逃げ事故と言ったり、まちまちな表現をしている。故意に撥ねたわけではないのだから事故なのだ。だが人が一人死に、撥ねた人間は逃げてしまったのだから事件なのだ。その曖昧《あいまい》さが、表現をどっちつかずのものにしているようだ。

「関係はないと思うんですよ。たぶん。ただ、梶田さんが何をしにこちらを訪ねていたのか、ちょっとはっきりしませんのでね。記事を書くには、そういう細かいことの確認が必要なので」

「はあ。大きな会社になると、社内報でも本格的なんですな」

管理室長は、丸っこい指先で鼻筋をかいた。

「この方のご家族に訊けばわかるんじゃないですかね？」

「ご遺族も知らないんです。故人はドライブが好きだったそうで、だからちょっと車を転がして通りかかっただけじゃないかと。警察もそれで納得してるようですね」

「だけど、あの出入口で車を降りていたわけでしょ？」

「そうですね。すぐそばに駐車して」

「だったらうちに用があったのかなぁ」

管理室の窓越しに、彼は出入口の方を見やるような目をした。

「だったとしても、私らにはわからないからね。一応、外来者は管理室にお申し出くださいってことになってるけど、あれは建前でしてね。現実問題としちゃ、入居者のところに来るお客さんに、いちいちそんな面倒なことをさせられないから」

「そうですね。実際はね」

「ねえ？　それこそプライバシーの問題になっちまうですよ。外来者用の駐車場を使うときぐらいかな、声をかけてもらうのは。それだって台数は限られてるし、前日からの予約制ですからね。外からちょっと来て、その日のうちに帰るようなお客さんは、たいてい前の道に駐《と》めるか、この先のコインパーキングを使ってるようですよ」

私はそのことを書き留めた。

「何にせよ、うちの連中には訊いときましょう。たいしたお役には立てんと思うけど」

「ありがとうございます」

あやうく忘れるところだった。私はタテカンに梶田さんの写真を貼りたいということを、あわてて申し出た。久保管理室長は、ちまちまと目をしばたたいた。

「いいんじゃないですか。もしそれで、何かわかればめっけもんだよね」

「そう願っているんです。で、近いうちに、タテカンの立っているあたりでチラシもまきたいと思うんですが……」

久保管理室長はちょっとひるんだ。

「それはどうかなぁ。警察にひと声かけといた方がいいかもしれないですよ」
「もちろん、ご迷惑にならないようにするつもりですが」
「うちじゃやめろとも言えないですけどね。ま、理事長の耳には入れときましょう。ホントにチラシまくんなら、事前に知らせてくださいよ」
「はい、必ずお知らせします」

用意してきたメンディング・テープで、私は丁寧に梶田氏の写真のコピーを貼り付けた。余白の部分に、「梶田信夫さん　六十五歳　職業：運転手」と書いてある。白地に黒と赤の文字のタテカンに、モノクロの写真がついただけで、趣きが変わった。シーナちゃんは正しい。顔も名前もなかった死者が、タテカンのなかで息づいたようだ。

作業を終えると、私はその場で手を合わせた。

願わくば――この改良版タテカンが、未発見の情報を集める契機になるばかりではなく、梶田さんを撥ねた問題の自転車の人物の心にも、なにがしかの新たな影響を及ぼしますように。

その人物が、事故の後もここを通っていればの話ではあるけれど。

まだ昼間の残暑は厳しいが、夜空には秋の気配がある。空気が澄んで、星が涼しげにまたたいている。私は空を仰ぎながら歩いて、石川橋の上までのぼった。

橋から宵の町を見おろすと、交差点の角のあの家の窓際に、またあのお婆さんが腰かけているのが見えた。鮮やかなプリントのあっぱっぱが目立つのだ。涼んでいるようだ。あんなふうにして、ぼんやりと窓から町を眺めるのも楽しいのだろうな――と、私は思った。一日中いろいろな人が行き来する。近所の人とは挨拶を交わすことができる。ちょっと立ち話をすることだってできる。

ひょっとして、梶田氏の事件のあったときにも、お婆さんは窓際にいたのだろうか？

橋を下り、信号を無視して短い横断歩道を渡った。お婆さんは私に背中を向けている。驚かせたくないので、少し離れたところから声をかけた。

「ごめんください。こんばんは。先日は失礼しました」

振り返り、お婆さんはちょっと訝《いぶか》しそうな顔をした。時刻が時刻だし、今度はセールスマンだと思われたままにしておきたくないので、私は名乗った。お婆さんは、やっぱり訝しそうな表情のまま、私を見守っている。

「三週間ほど前にあのマンションの前で、人が自転車に撥ねられて亡くなるという事故があったんですが」

「ああ、はいはい」

お婆さんは大きくうなずいた。開けたままの窓の奥に明かりがともっていて、小さくテレビの音が聞こえる。何か煮炊《にた》きしているのだろう、いい匂いが漂ってきた。

「亡くなったのは、私の知り合いなんです。まだ撥ねた人が見つからないので、手がかりを探したくて、頻繁にこちらをお訪ねしているのです」

事故の当時のことを何かご存知ですかと尋ねようとしたとき、奥で人影が動き、

「おばあちゃん、どなた？」と、女性の声が呼びかけてきた。

すぐに、エプロンをかけた四十歳ぐらいの女性が窓際にやってきた。私は頭をさげて、もう一度同じように名乗り、事情を話した。

「あらまあ、それは大変ですね」

片手を頬にあて、片手をお婆さんの肩にかけて、エプロンをかけた女性は、ざっと私を観察している。気取りのない視線の投げ方で、ひどく怪しまれている様子はないのでほっとした。

「だけどうちは橋のこっち側だし……。あそこで自転車に撥ねられて亡くなった方がいるってことは知ってますけど、それ以上のことはねえ」

エプロンさんはお婆さんに同意を求める。お婆さんは目をしばしばとまたたく。

「そうですよね。すみません」

「おばあちゃんはよくここに座ってますけど、ここからじゃマンションの方向は見えないから」

そのとき私は、出っ張った窓枠に座っているお婆さんのすぐ後ろに、車椅子が寄せてあることに気がついた。エプロンさんも、私が気づいたことに気づいた。

「足が悪いんですよ。だからここから外を眺めるのが気晴らしでね」

「いい眺めですよね。川風が涼しいし」

「蚊が多いのは困るんですけどねえ」

エプロンさんは笑った。私も笑った。お婆さんも、ひと呼吸遅れてにっこりした。私は二人に挨拶をして、ゆっくりと石川橋へ引き返した。

9

天気予報では、枯葉色の長袖シャツを着た予報官が、この残暑も今週いっぱいで終わると言っていた。秋は着実に近づいています、と。確かに朝晩は涼風が立つようになったし、すっきりと晴れた青空にかかる絹雲《けんうん》やうろこ雲も秋の景色だ。

が、今朝から気温はうなぎ上りだった。中央本線八王子駅に降り、陽盛りの町中を歩き出すとすぐに、電車内の冷房のおかげで冷え切っていた背中に汗が吹き出し、流れ落ちるのがわかるようになった。

幸い、私は方向感覚が悪い方ではないし、八王子市街の町筋はわかりやすいし、トモノ玩具店の所番地は、駅からさほど遠いところではなかった。それでも目的地に着いたときには、まずハンカチで顔をぬぐわねばならなかった。

こぢんまりした玩具屋は、九階建ての立派なマンションの一階にあった。外壁は煉瓦《れんが》色で、てっぺんは陸屋根《ろくやね》ではなく、クリスマスケーキの上に載せられたチョコレート製の小屋そっくりの三角屋根になっていた。

間口一間《けん》半の店舗の出入口の上に、ビニール製の赤い幌《ほろ》が張り出していて、そこには「おもちゃのトモノ」と書いてある。片開きの自動ドアのすぐ内側まで、商品の玩具がびっしりと並んでいる陳列棚が迫っていた。

私は自動ドアを通って店内に入った。直射日光からは逃れられたが、狭い通路のあいだは蒸し暑く、ビニールやプラスチックの独特な匂いが漂っていた。遊んでいる客はいない。右手の奥に、テレビゲームの試技台が一台据えられていた。遊んでいない。画面も消えていた。モニターの上に、ダンボール製の札が立てられている。丸っこい字で、「試技《しぎ》は一人《ひとり》一〇分《じっぷん》までです。順番《じゅんばん》を守《まも》り、ゆずりあって遊《あそ》びましょう」と書いてあった。小さな子供にも読めるよう、総ルビだ。

私はトモノ玩具店に好感を持った。

通路は二列あった。私の立っているのは左側の通路で、突き当たりにはプラモデルの箱が天井まで積まれている。右の通路に移ると、古い事務机とその上に鎮座した金銭出納《すいとう》機が見えた。机の向こう側に、椅子の背もたれものぞいている。ミニサイズの扇風機が、天井の一角でぶんぶんと回っていた。

通路を進みながら、ごめんくださいと呼びかけようとしたとき、事務机の奥にめぐらされたカーテンをめくって、

「はーい、はい、はい」と言いながら、若い女性が一人現れた。

どうしてわかったのかな——と思って、すぐ右手の天井と壁の境目から突き出ているカメラに気づいた。陳列棚の角には、直径二十センチほどのカーヴミラーも付けられている。

「はい、いらっしゃーい」

快活なこの声は、私の電話に出てくれた女性だ。これから会おうとしている栄次郎氏の孫娘である。

「先日お電話しました、今多コンツェルンの杉村と申します」

アラというように、若い女性は小首をかしげた。

「えーと、お祖父ちゃんに会いたいっていう方でしたっけ」

「はい、二時にお伺いする約束でした」

「それじゃ、すみませんけどいったん外に出て、この角をぐるっと回って、裏のエレベータで家の方にあがってください。最上階です。てっぺんにはうちしか住んでませんから、すぐわかります」

孫娘は大きく腕を振ってぐるりと半円を描き、私に通るべきルートを示してくれた。マンションの玄関は、ビルの裏手にあるらしい。

「でも、よろしいんですか。いきなりあがりこむようで恐縮ですが」

「だって取材でしょ？　かまいませんよ」

屈託も警戒心もない。私の用件が何であるかも忘れているようだ。しかし、取材というのはどういう意味だろう。

「お祖父ちゃんにはインターフォンで報せておきますからぁ」

明るい声に押されて、私は裏に回った。マンションのエントランスに入ると、こぎれいによく手入れしてはあるものの、タイルの目地《めじ》の汚れや、金属部分の曇り具合などからして、かなり築年数が経っているということがわかった。二十年以上いっているのではないか。だとすれば――

梶田聡美の言う「誘拐」事件があり、梶田夫妻が逃げるようにトモノ玩具を辞めたのは、二十八年前のことだ。その後十年と保《も》たずに、玩具製造会社としてのトモノ玩具は終わってしまったということになる。

私は少し、これからの会見の見通しに悲観的になった。工場の歴史が遠くなれば遠くなるほど、栄次郎氏の従業員たちに関する記憶と記録があてにできなくなるからだ。

最上階の九階まで昇り、エレベータのドアが開くと、目の前に老人が立っていた。藍《あい》染《ぞめ》のじんべえを着て、ゴムのサンダルをつっかけ、団扇《うちわ》を持っている。

「今多コンツェルンの杉村さん？」

老人は、私に先んじて、大声でそう尋ねた。待ち構えていてくれたらしい。

「はい、そうです。突然のお願いにもかかわらず、お時間を割いてくださって――」

私の挨拶を聞かずに、老人はとっとと先に立ち、「こっちこっち」と行ってしまった。私の鼻先でエレベータのドアが閉じた。まだ箱から出てもいなかったのだ。あわてて後を追いかけた。

玄関脇のドアに掲げられた表札を見て初めて、トモノは「友野」と書くのだとわかった。

ドアの内側では、きちんと化粧をし、涼しげな半袖のワンピースを着た女性が出迎えてくれた。歳は四十代半ばだろうか。

「今日はまた暑いでしょう。ご苦労様です」

と、こちらも警戒心ゼロでスリッパを勧めてくれた。栄次郎氏はサンダルを脱ぎ、廊下をどんどん進んでゆく。

「狭い家ですけど、まあ奥へどうぞ。お一人ですか。カメラの方とかは後からおいでですか」

「はあ？」

カメラってのは何でしょうと聞き返したつもりなのだが、女性はにこにこと会釈しながら、「あ、わたしは嫁の友野文子《ふみこ》です」と応じた。

「いつもでしたら、姑《はは》もおるんですけどね。あいにく婦人会の旅行に出てまして。けど、舅《ちち》は昔のことよく覚えてますから、充分に取材のお役に立てると思いますよ」

また取材だ。どうやら愉快な勘違いが起こっているらしい。

窓に面した広いリビングに通され、革のソファに腰を落ち着けると、私は名刺を出して、正式な挨拶と軌道修正に取りかかった。誤解というより、友野家の人びとの思い込みを解くのには十分ぐらいかかったろうか。その間、栄次郎氏は右耳につけた補聴器を何度も調整しなおし、文子さんはあらまあとかアラ嫌だとか、そうでしたのとか、せっかちに合いの手を入れていた。

「すみませんでしたねえ。わたしたち、てっきりまたテレビや雑誌の方だとばっかり思ってました」

「雑誌だろ」と、栄次郎氏は大声で言う。怒っているわけではなく、本当にかなり耳が遠いのだ。

「雑誌は雑誌でも社内報ですよ、お祖父ちゃん。うちで作っていた玩具のことを聞きにきたわけじゃないのよ」

嫁は栄次郎氏の隣に座り、慣れた様子で通訳を務めている。一語一語はっきりと発音し、ところどころでメリハリをつけるように舅の腕を軽く叩く。

「今多コンツェルンだろ。玩具会社も持ってるんじゃないのかね」

グループ企業のなかには、玩具会社はない。今のところはまだ。

それでも私は不愉快ではなかった。むしろ楽しい気分になっていた。リビングの壁の一面にしつらえてある大きな棚に〝展示〟されている懐かしい玩具が、微笑を誘う。この展示物は同時に、なぜ友野家の人びとが訪ね来る外来者に対してえらく寛容で、それをすぐに「取材」と受け取るのかという謎への回答にもなっていた。

真ん中の段の中央に飾られているのは、木製の「カタカタ」だ。伝い歩きのできるようになった幼児が押して歩く、小さい乳母車みたいな形の玩具である。名前どおりに、幼児の歩みにつれてカタカタと音がして、前部に取り付けられた型抜きの動物たちが動く。

その隣には、可愛いパステルピンクと、菜の花のような黄色の「起き上がりこぼし」が、並んでぱっちりと目を瞠っている。フードつきのロンパースを着た幼児を模したデザインで、額のところを覆うフードの縁から、栗色の巻き毛がくるりとのぞいている。

上の段に並んでいるのはブリキのロボットや郵便ポスト型の貯金箱だ。ガラガラもいくつかある。どれも、大型スーパーや量販店の玩具売り場などでは見かけなくなって久しい玩具たちである。

皇太子殿下と雅子妃殿下のあいだに誕生した内親王の愛子さまが、カタカタを押して歩く愛らしい姿を、私もニュースで何度も見た。愛子さまの玩具や着ているベビー服などに注目が集まり、同じものを我が子にも与えたいと願う全国の若い親たちから問い合わせが殺到し、話題になったことも記憶に新しい。

カタカタは、かつてのトモノ玩具の主要生産品目であったそうだ。だから、愛子さまブームの一環としてにわかに沸き起こったこの懐かしい玩具への需要に乗って、栄次郎氏のところにも、いろいろなマスコミ媒体から取材記者がやってきたのである。そもそもカタカタとはどんな玩具なのかというところから説き起こさないとわからない視聴者が、それだけ多くなっていたのだろう。

「もっとも、三ヵ月ばかり前から、ぱたりとおさまってたんですけどね。愛子さまももうカタカタはお使いになってませんから」

と、文子さんが説明してくれた。

「でもわたしたち、あれこれ訊かれることにすっかり慣れちまいましてね。お祖父ちゃんも昔のことを話すのは嬉しいし。だから、なんか淋しくなっちゃったね、また取材が来ないかねーなんて言ってたところなんで、勘違いしちゃったんですわ」

ホントにすみませんねえと笑い崩れる。笑顔は娘とよく似ている。

「懐かしいですね。もう目にすることはないかと思ってました」

リビングに展示されているカタカタは新品ではなく、動物の形のプレートの塗料が剝《は》げている。車輪も少し汚れている。

「それ、うちの娘が使ってたんですよ。お祖父ちゃんが、工場を閉めて在庫も全部他所《よそ》に売っちゃったあとも、孫のためにってとっておいてくれたんです」

「店番をしているお嬢さんですね」

「そうです。そもそもはあの子が、また取材だよって言ったんですよ。そそっかしいったらありゃしない」

私はお愛想ではなく笑った。確かにあわてものだが、あの元気な声はそのミスを相殺《そうさい》していると思う。

「私にも娘が一人いるんです」

「あら、おいくつ？」

「四歳です。女の子です」

桃子がつかまり立ちをするようになると、私はカタカタを探してあちこち歩いた。妻も私も、伝い歩きの幼児にはあの玩具が必需品だと思っていたのだ。とりわけ私にはこだわりがあった。自分もそうしてきたし、甥や姪たちもあの玩具に親しんできたからだ。が、見つけることはできなかった。あまりに残念だったので、長兄に電話して訊いてみると、

「うちの子たちが使っていたカタカタは、物置にしまってあったやつを引っ張り出したんだよ。新しく買ったわけじゃない。俺たちのお古だ。今はあんなもん、どこにも売ってないだろ」と言われてしまった。

文子さんは私の話にしみじみとうなずいた。

「国内じゃ、作ってるところはもう数少ないですよ。今度のブームで盛り返した工場もあるみたいだけど。でも、愛子さまがお使いになっていたのは、輸入品ですってね」

来客と嫁のやりとりを、ちょっと口をへの字に曲げて、目をぐりぐりさせて見守っていた栄次郎氏が突然言った。「写真は撮らんのか？」

文子さんがまた笑いながら、違うの違うのと説明を繰り返した。

「なぁんだ」栄次郎氏は納得すると、補聴器を引っ張って外してしまった。「つまらん」

「そんなこと言わないで。お祖父ちゃん、こちら様は昔の工場で働いていた人のことを

訊きにいらしたんですよ。お祖父ちゃん、よく覚えてるでしょ？」

　そして、アラおかまいもしなくて済みません、冷たいものをお出ししましょうと、席を立ってしまった。私は、期待ハズレでがっかりしている栄次郎氏と二人で残された。

　まあ、ちょうどいい。私は梶田梨子から借り受けた写真を取り出し、栄次郎氏に見せた。

「ああ？　こりゃまた」

　栄次郎氏は写真の端をつまむと、じんべえの襟元に引っ掛けていた老眼鏡をかけて、じっくりと見た。

「古い写真だなぁ」

「覚えておられますか」

「覚えとるよ。うちにもとってあるはずだ。こんな記念写真を撮ったのは、あのとき一回こっきりだったもの。これ、昭和四十九年。トモノ玩具の創立二十周年だったからな。正月の三日に、社員をね、来られるもんはみんな集めて新年会やった。そんで会社の前で記念写真を撮ったんだ。ちゃんと写真屋を呼んでさ」

　プロが撮った写真だったのだ。

　昭和四十九年——一九七四年だ。現在三十二歳の梶田聡美は一九七一年の生まれだから、このときは三歳ということになる。

　問題の「誘拐」事件の前年だ。

「このころで創立二十年というと、トモノ玩具はあなたが起こした会社なのですか」

私も文子さんに倣《なら》い、一語一語をゆっくりと発音するようにした。すると上手く通じた。栄次郎氏は大きくうなずいた。

「もともと、工場は親父がやっとってね。戦争中は飛行機や戦車の部品を作っとったの。八王子には飛行場があったからね。戦後も、親父は要領のいい男だったから、進駐軍に上手いこと渡りをつけてさ。とにかく目端が利く人でね。朝鮮特需のころなんか儲けた、儲けた。けどわたしゃさ、戦争の道具作るのはもう嫌だった。そんで玩具工場に商売替えしたの。親父は気に入らなかったみたいだけども、わたしが社長になってすぐ死んじまったから、文句言うも何もなかったなぁ」

やがて訪れた高度経済成長と、昭和四十年代のベビーブームにも乗って、結果としてその商売替えはたいそう成功したのだということを、栄次郎氏は語った。耳の遠い人によくある一本調子の大声だが、聞き慣れてしまえば苦労はなかった。

「慧眼《けいがん》だったんですね」

「あん？」

「先見の明をお持ちだった。大きな工場ですよね」

「土地を買い足してね、だんだんに広げていったんだ」

これなんかね——と、嬉しそうに言いながら展示棚の方に身体を伸ばし、手に取ったのは、桃色のまるまるとした起き上がりこぼしだった。

「これね、あんたさんの歳じゃ知らんかな。起き上がりこぼし」

カラリンコロリンと、明るい音がした。

「昔は、赤ん坊が生まれると、必ずこれを買ったもんなんだ。日本の赤ん坊は、みんなこれで遊んだんだ」

私の甥も姪も、この手の起き上がりこぼしを与えられてはいなかった。が、私の赤ん坊のころの写真に、これとそっくりの起き上がりこぼしと一緒に写っているものがある。私はそれを話したが、栄次郎氏は聞いているのかいないのか、しばらく起き上がりこぼしを撫で回してから、テーブルの上に置いた。

「懐かしいですね」

栄次郎氏はもう一度起き上がりこぼしを揺らした。

「触ってごらん。これ、セルロイドだよ。色が鮮やかでしょう。昭和三十年代の半ばぐらいまでは、うちでいちばんたくさん作っとった」

けども、セルロイドはよく燃えるんだ——と言って、栄次郎氏は起き上がりこぼしの揺れるのを止めた。

「だからプラスチックに切り替えていくしかなかった。当時、わたしはそれが嫌でね。こういうものは、子供が撫でるでしょう。舐《な》めたりもするわな。プラスチックは毒になるんじゃないかって、気持ち悪くてね」

カタカタだってそうだよ、他所《よそ》が合成樹脂に切り替えてからも、うちは長いこと木で作ってたんだと、胸を張って言った。

ぱっちりとした目の起き上がりこぼしや、木の香りのする出来立てのカタカタが、工場の製造ラインにずらりと並んでいる様を、私は思い浮かべた。

いい時代だったよと、栄次郎氏は呟いた。

「そうすると、かなり大きな会社だったんですね。社員寮もあったそうですが」

「あった、あった。すぐ近所のね、古いアパートを買い取ってさ、修繕したんだ。今もあるよ。アパートは建て替えたけども」

友野家は今でも資産家なのだ。

「それほど成功していた事業なのに、どうして工場をたたんでしまわれたんですか」

私の問いに、栄次郎氏はちょっと口をすぼめ、酸っぱいものを嚙んだような顔をした。

「火事を出したんだ」

「いつのことですか」

「昭和五十一年の十一月」

即答だった。一九七六年だから、二十七年前だ。このマンションに対する私の見立ては甘かった。築三十年近いのだ。逆に言えば、それだけ良く管理されている建物だということでもある。

栄次郎氏はつくづく無念だというように唸った。

「よくよく気をつけてたんだけどなぁ。工場をほら、拡張拡張で広げていったでしょう。

だから設備も継ぎ足し継ぎ足しでさ。それがまずかったんだね」

出火の原因は漏電《ろうでん》だったそうである。

「燃えた燃えた、いや凄かった。うちで作ってた玩具の材料は、ようけ燃えるもんばっかりだったからな。工場はおおかた燃えちまったし、近所にも迷惑をかけた。従業員も怪我してね。それでわたしゃ、いっぺんで気が萎《な》えちゃった。こりゃ仏さまが、もうこの商売はやめろっておっしゃってるんだと思ってね。あのころは、そろそろ労働安全基準てのがうるさくなってきたころでさ。セルロイドにこだわってたんで、わたしんところはもともと目ェつけられとった。工場を建て替えて同じ商売を続けようとすると、どえらい金がかかるってわかったし、このあたりも住宅が増えてきて、そらあんた、近所もいい顔しなかったしね」

ああ、なるほどと、私は合いの手を入れた。

「木型使ってカタカタだけ作るぐらいならできたんだけども、それじゃじり貧だもの。で、思い切って工場をたたむことにしたんだ。借金があったから、土地を半分売ってそれを返して、従業員たちの退職金もちゃんと出せたしな。で、残った土地を担保に金借りて、このマンション建てた」

この判断もまた慧眼だったと思う。

「倅《せがれ》は最初から後継ぐ気がなかったからね、サラリーマンやっとったんだけども、わたしがマンション建てるって言ったら、ホクホクして戻ってきてさ。これからは不動産持ってるもんの勝ちだっちゅうて。親父、多摩ニュータウンを見てみろよってね。東京のこっち方面には、これからどんどん人が移ってきて住み着くって、倅は自信満々だった。町も、もっともっとでっかくなるって」

タイミングも最適だったわけだ。

「だから張り切ってさ。けども、わたしゃもう降りちゃった気分で、銀行との交渉も、不動産屋との相談も、全部丸投げで任せとったの。でもしばらく様子見てたら、マンションの方も上手くいくし、アパートも建て替えて若い夫婦とか学生がわさわさ借りてくれてさ。土地買い足して物件増やすようなことにもなった。倅も成功したんだな」

噛み締めるような呟きだった。

「で、そんなの見ているうちに、わたしもちょっとやる気が出てね。今さら工場はやれんけども、だったら玩具屋やるって言ったんだ。倅も、わたしがやることなくてボケると困ると思ったんだろう、まあ道楽だなって店出させてくれてな。マンション建てたときから、一階は貸し店舗にしてたから、そこを改装してさ」

以来、一昨年に軽い脳梗塞《こうそく》で倒れて入院するまでは、自分で店を切り盛りしていたのだそうである。レトロな玩具の置いてある店として、雑誌で取り上げられたこともあったそうだ。

「今はもう駄目だね。孫に任せっぱなし。こんな爺《じじい》になっちゃ、いかんわな」

確かに頭髪はすっかり淋しくなっているし、顔やじんべえの袖から出ている腕にもしみが点々と浮いている。が、立ち居振る舞いは矍鑠《かくしゃく》としているし、頭の回転も速い。けっして老い込んではいないと私は思った。現に町内会では頼りにされているようではなかったか。

「玩具がお好きなんですね」

「わたし？」栄次郎氏は自分の鼻先を指差した。

「そうだね。戦争中には作りたくても作れないし、売りたくても売れないもんだったからね」

ちょっと遠い目になった。

「わたしはね、終戦のぎりぎり間際になって召集されたクチでさ。親父の工場が軍需工場の扱いを受けてたから、ずっと免れてたんだな。で、集められたはいいんだけども、昭和二十年の三月じゃさ、もう兵装もなけりゃ、そもそも兵隊乗せる輸送船がないんだな。だから何処《どこ》へも送られなかった。終戦まで九十九里《くじゅうくり》で穴っ掘りしてた。本土決戦に備えて、塹壕作る訓練だよ。そんでも空襲には何度も遭った。つくづく空しくてね。戦争終わったら、戦争とはぜんぜん関係のない商売をしようって思ったんだな」

他に目的がなければ、まだまだ聞いていたいような話だった。が、時間は限られている。

私は梶田氏の件を切り出した。

「ここに写っている人物なんですが」

栄次郎氏がテーブルに置いた写真に、指を載せた。

「梶田信夫という従業員のことを覚えておいででしょうか」

「カジタ？」と、栄次郎氏はオウム返しに言い、眼鏡をかけ直して写真にかがみこんだ。

「最初は時間給で入ったのを、社長さんに世話を焼いてもらって正社員になって、夫婦で社員寮に住まわせてもらっていたそうです。子供もそこで生まれて。ほら、一緒に写っているこの女の子です」

丸めた拳を口元にあて、栄次郎氏はうーんと言った。

「この写真の翌年、昭和五十年に、急に工場を辞めて、社員寮も出てしまいました。それきり音信をしていないと思うんですが、当時のことを何か覚えておられないでしょうか」

栄次郎氏は考え込んでいる。そこへ文子さんが重そうに盆を捧げて戻ってきた。けっこう時間がかかったのもうなずける。盆の上には、アイスコーヒーのグラスのほかに、山盛りの果物の鉢と、アイスクリームの器が載っていた。

「どうぞおかまいなく」と私は言ったが、文子さんはニコニコして盆をおろし、あれやこれやとテーブルに並べ始めた。

「こら、濡れる」と叱って、栄次郎氏はまた写真を指につまんだ。顔の間近にまでくっつけて見ている。

「わたしはね、火事があったころの従業員のことなら、一人残らず覚えてるんだよね」

顔を上げて、栄次郎氏は言った。

「要らん苦労をかけたからさ。けどその前のこととなると――この人がうちにいたのは、火事の前だよな？」

「そうです。前年です」

「何年ぐらい、うちにいたのかなぁ」

「本人が亡くなっているので、私も細かいことは知らないのですが、四、五年――あるいは五、六年ぐらいかもしれません。トモノ玩具のことを話してくれたのは、この写真に写っているお嬢さんなんですね」

「この子かい」驚いた様子で、栄次郎氏はあらためて写真に目を近づけた。「このとき、三歳ぐらいだろ」

「そうですね」

「よく覚えとるんだねえ」

「本人の記憶というよりは、大きくなってから両親に聞いた思い出話のようです」

盆を脇に置き、栄次郎氏の隣に腰かけた文子さんが、どれどれとのぞきこむ。栄次郎氏は邪険に肘で突いた。

「文子は知らんことだ。おまえが嫁に来たのはうちがマンション建ててからだろ」

「ええ、そうですけどね」文子さんは悪びれる様子もない。「でも昔の写真、わたしも見たいじゃないですか。工場のことはよく知らないもの」

あの孫娘の年齢からして、文子さんが友野家の嫁になったのは、せいぜい二十年前のことだろう。

「あんた、これはね」と、栄次郎氏は目を剝《む》いて私を見ながら、肘の先で文子さんをつっついた。「嫁に来てから、うちが昔は玩具工場やっとったって言ったら、何と言ったと思います？　ああよかった、その工場をまだやっとったら、無料《ただ》働きさせられてるところだったと、こうですよ」

文子さんはケラケラ笑いながら、それでも多少は弁解口調になって、私に言った。

「わたしの実家が、大森で町工場やってるんです。早く大人になってこんな苦労からは逃げ出したいって、それればっかり考えて育ちました」

「ああ」と、私は曖昧に応じた。どっちに肩入れするわけにもいかないが、面白い。

「楽して暮らすことばっかり考えとったんだ」と、栄次郎氏はまだとんがっている。

「そうですよ、お祖父ちゃん。でもおかげさまで、わたしは玉の輿に乗れました。この家に嫁に来れて幸せでございますよ」

軽くいなしているという感じである。いつものやりとりなのかもしれない。

「火事出す前は、工場も盛んにやってたからねえ」

従業員は、最盛期には事務所と工場と合わせて四十人以上いたそうである。それでも手が足りなくて、内職にも出していたという。

「梶田さんの奥さんも、子供が生まれてからは、内職の仕事をもらっていたそうです。

家のなかにきれいな玩具の部品がたくさんあったことを、お嬢さんが覚えていました。社長さんには両親がたいへんお世話になった、恩を受けたと言っています」

仕事は機械化されている部分もあったが、肝心なところは手仕事で、多少なりとも熟練を要するものだった。だから新米のうちは、会社としては、給料を払って仕事を教えるという格好になる。高い賃金は出せない。それを嫌って、勤めてもすぐ辞めてしまう者も多かったそうだ。現在と違って、日本経済は右肩上がりの成長期、経済の青春時代だったから、仕事はいくらでもあったのである。

だから人の出入りは多かったんだと、栄次郎氏は言った。

「梶田さんねえ。顔には見覚えがあるような気がするんだけども。その人がわたしに恩を受けたって、お嬢さんは言っとるの？」

「はい」

「律儀《りちぎ》だねえ。雇って給料払ったってだけのことなのに。そんなのは経営者としちゃ当たり前のことでしょう。働かせて給料払わなかったら、あんた、そりゃ詐欺《さぎ》だもの」

栄次郎氏は口元をしわしわさせて笑った。

腰の定まらない梶田氏を拾い上げ、社員寮を世話して定住させた。工場で仕事を教えた。それだけのことをしてやった相手でも、栄次郎氏の記憶はおぼろなのだ。それは反面、当時の栄次郎氏が、そういうことを頻繁にやっていた、梶田氏は特別な存在ではなかったという証拠だろう。

文子さんが言った。「お祖父ちゃん、昔から世話焼きなんですよ」

そうだろうと、私は微笑んでうなずいた。

「梶田さんが辞めたときの事情も覚えてはおられませんか。出し抜けだったとか、失礼な感じがしたとか。お嬢さんはそれも気にしておられました」

栄次郎氏は痩せた腕を組んだ。じんべえの襟元がだらりとたるむ。

「どうかなぁ。さっきも言ったけど、従業員が入ったり辞めたりするのは珍しいことじゃなかったから。理由もまちまちですよ。特にヘンに思ったというようなことはなかったと思うなぁ」

だいたい、ヘンなことってのはどんなことかねと、栄次郎氏は真顔になった。

正面切って訊かれると、私も困った。とっさに頭に浮かんだのは、やっぱり、

「そうですね、たとえば子供さんのこととか――」

「この小さい嬢ちゃんの」

栄次郎氏は写真のなかの、正月の晴れ着を着た梶田聡美を指した。

「梶田さん夫婦が、子供さんのことで困っていたとか、何かそのような」

私はもごもごと口を濁した。この雰囲気のなかでは、子供さんが誘拐されたという騒動があったらしいとは、さすがに言いにくい。

「さあてなぁ。子供さんが病気したとか、そういうことかな」

「はあ」

栄次郎氏は椅子の背もたれに寄りかかり、渋面になった。私は少し申し訳ないような気分になった。

「雲をつかむような話だよ、あんた」

「すみません」

「三十年も前のことですものねえ」と、文子さんがフォローしてくれた。

「あのころの帳簿とか出勤簿とかなんかも、もう何にも残っとらんからね。思い出すっちゅっても、手がかりもないよ。工場閉めてから、それでも何年かはとっておいたんだけど、何かそれも未練がましいからさ、十年経ったところで、業者に頼んで全部処分しちまったんだ」

すまないですなぁと謝られてしまった。いえ、もともと無理なお願いでしたと、私も頭を下げ返した。

「真面目ないい従業員ってのは、かえって印象に残らなかったりするんだね。だからその梶田さんも、ちゃんとした人だったんでしょう」

そう言って、栄次郎氏は出し抜けに席を立った。トイレに行くらしい。舅がリビングを出て、どこか廊下の先のドアがばたんと開け閉てされる音が聞こえると、文子さんが私の方に顔を向けた。

「すみませんね。ああしてるとまったく変わりなく見えますけど、舅《ちち》はやっぱり、物覚えの方がちょっとね」

小声で素早くささやいた。

「ああ、そうなんですか」私も声を落とした。「一昨年、軽い脳梗塞を起こされたと、さっき伺いましたが――」

「そうなんです。退院したばかりのころは、車椅子に乗ってましてね。ああいう頑固な人なんで、リハビリを一生懸命受けて、今じゃ、身体の方はほとんど元通りになりましたけど、頭の方はね。いえ、ボケてるわけじゃないんですよ。それは全然大丈夫」

「ええ、まったく感じません」

「ただ、記憶がまだらになってるっていうんですかしらね。倒れるまでは、昔のことなんか、もっともっと細かいことまでよく覚えていたんですよ。まわりがビックリするくらいでしたもの。自分が使ってた人のことだったら、みんな覚えていたんですよ。でも今はねえ」

気遣わしげにちょっと眉を寄せた。

「覚えていることは覚えているんですけど、入院する以前とは比べものにならないです。思い出話にもムラが出てきちゃって。本人も、自分でうすうすわかってはいるんだと思います。ゼッタイに認めませんけど」

カタカタのことで取材記者たちが来たときも、実はけっこう大変だったそうだ。栄次郎氏の記憶の濃淡が激しいので、話の前後が合わなくなってしまうことがあったからだ。

「でも、そうやって外から刺激を受けるのはいいことだと思うから、わたしらも喜んでお受けしてたんですけど」

　文子さんがしきりに「お祖父ちゃんは昔のことよく覚えてますもんねえ」と言っていたのには、励ましの意味もこめていたようである。

「そうでしたか。不躾《ぶしつけ》にいろいろお尋ねして、申し訳ありません」

「いえいえ、それはホントにかまわないんです」文子さんはにこやかに笑いながら、私の謝罪を押し返すように手を振った。「ただ、あんまりお役に立てなかったみたいだから、ちょっと言い訳しておこうと思いまして」

　栄次郎氏が、じんべえの襟元で手をぬぐいながら戻ってきた。文子さんは私に果物を取り分けて勧めてくれた。

「よいしょ」と、声をかけて栄次郎氏が座る。

「梶田さん、梶田さんねえ」

　思い出そうとしてくれている。

　私は、結局自分は何を聞きにきたのかなと思った。トモノ玩具時代の梶田夫妻の思い出話か。それとも、梶田聡美が、思い出すことも語ることも恐れている「誘拐事件」の影か。

　どちらにしろ、ここには何もなさそうだ。だが無駄足だったという気はしなかった。私は友野家の人たちを好きになり始めていた。

「梶田さん――運転手やっとった男かなぁ」

栄次郎氏は、文子さんに手渡された果物の皿を手にしながら呟いた。

「軽トラックを転がしとったかなぁ。その人は運転をするかね」

「します。亡くなったときは職業運転手でした」

「ああ、じゃあそうかなぁ」手を打って、栄次郎氏は乗り出した。「工場には仕事用の軽トラックを二台置いとったの。特に運転手ちゅうことで人を雇ってはいなかったけども、免許持ってる従業員に運転を任せてね。材料運ばせたりしとった」

そうそれでと、目を明るくして、

「若いのが一人、これは車の運転上手かったんだけどな。花見時に、酔っ払って無断で工場の車持ち出して、ぶつけよったの。友達を乗せて、千鳥ヶ淵《ちどりがふち》まで繰り出すつもりだったとかでさ。あれは火事の何年前だったかな。そのころで二十歳ちょっとの男だったから、梶田さんて人じゃないと思うけども」

さんざん叱りつけたが、クビにはしなかったそうだ。若いときの過《あやま》ちだから。

「けども、本人はよっぽど面目なかったんだろうね。半月ばかりして辞めちゃった。故郷に帰ったんだ。青森のリンゴ農家でね、しばらくは秋になるとリンゴ送ってきたなぁ。田中《たなか》とかいったかな、あの若いの」

思い出し笑いをしている。文子さんが私に視線を寄越して微笑んだので、私も笑みを返した。

「あいつが車ぶつけたときには、わたしも警察に呼ばれて叱られたんだ。あんたが会社の車の管理をちゃんとせんからだって。社内規律をしっかり決めろいうてね。うちの工場のことだ、お上《かみ》に鼻面つっこまれんでもきちんとやっとる、大きなお世話だって、わたしゃ怒鳴り返したの。だからあのあと、火事出したときには決まり悪かったなぁ。交番の前が通れんかった」

文子さんは相槌を打ちながら果物を食べている。私も有難く味わった。アイスコーヒーも濃くて旨かった。

なるほど失敗談というのは記憶に残りやすいもののようで、その他にもいくつか愉快な話が出てきた。起き上がりこぼしの彩色を真っ赤にしてみたら、ダルマみたいになってしまったとか、流行のキューピー人形を模した天使の人形を作ったら、どういうわけかえらく人相が悪くて悪評ふんぷんだったとか。栄次郎氏は大いに語り、私と文子さんは大いに楽しんだ。

「玩具作りも大変な仕事だったのね。ねえお祖父ちゃん、元の従業員さんたちで、今でも消息のわかってる人たちっていないんですか」と、文子さんが訊いた。話が脱線し続けているので、私に気を遣ってくれたのだ。

「ないなぁ。みんなちりぢりバラバラ、音信不通だ」

「でもホラ、関口《せきぐち》さんていったかしら。ずっとお祖父ちゃんの右腕だった人。あの人ならどう？　年賀状も来てるし、たまに電話なんかしてるじゃない」

「あいつか？　ああ、あれならな。この前、退院したって言ってたしな」

肝臓が悪いんだよと、顔をしかめて私に説明してくれた。

「若いときから大酒呑みでね。うん、関口なら、従業員のことなんか、わたしよりよく覚えとるかもしらん」

「それとお姑《かあ》さんね。旅行からは、明日帰ってくるんですよ。会社の事務の方、お姑さんも手伝っていたんでしょう？　お祖父ちゃんが知らないことでも知ってるかもしれないわよ。聞いてみたらどうですか」

「そうだな」

しかし、おまえもよく知っとるなと、栄次郎氏は嫁を見返った。

「お姑さんからも、昔話は聞いてますからね」

「油断ならんな。おまえらで、いつも何を話してるんだ？」

「心配しなくたって、お祖父ちゃんにとってまずいことなんか聞きやしませんよ」

舅と嫁の軽快な丁々発止《ちょうちょうはっし》を聞いていると、甘酸っぱいような気持ちになった。それはたぶん、羨ましいという感情なのだろう。いつか私も、こんな老人になれるだろうか。こんな老後を迎えられるだろうか。人生の最晩年に、こういう幸せをつかむためには、今のうちから何をしておけばいいのだろう。

「それじゃ結局、収穫はなかったのね」

ハンドルをとりながら、妻が言った。

「そうだね。まあ、梨子さんが本を書く上では、トモノ玩具時代のことは省いていいとわかったわけだけど」

都心部はいつもながらの夕刻の渋滞だ。新宿駅前のターミナルを抜け出るだけでもひと苦労だった。

自分で運転する機会が少ない割には、菜穂子は都内での運転にも渋滞にも慣れている。怖いから嫌だと首都高速には近づかない（私もその方が安心だ）が、その分、下の道筋には詳しい。

後部座席では、桃子が買ってもらったばかりの絵本に見入っている。私はあおぞら書房時代から、電車以外の乗り物のなかでは文字を読むのが苦手だった。必ず酔ってしまうのだ。だが桃子はケロリとしている。遺伝子の組み合わせは、親にはない強味を持つ次世代を作り出す。

「そのことだけでも、八王子まで足を運んでいった価値はあったのね。ご苦労さまでした」

「昔はトモノ玩具の社員寮だったというアパートも見せてもらってきたんだ。本当にすぐ近所だった」

「でも、建て替えられちゃってるんでしょ？」

「うん。だから本当に場所を見てきただけだ。古い方の建物の写真があるはずだって、お嫁さんがしばらく探してくれたんだけどね。見つからなかった。モルタル塗りの、けっこう造りのしっかりしたアパートだったらしい。お嫁さんが来た当時にはまだそのまま貸しに出していたんだそうだ」

突然小さな手が伸びてきて、私の頭の脇に絵本を突き出した。「お父さん、これなんて読むの？」

桃子が示している文字は「さばく」だった。開いているページには、ラクダに乗って月の砂漠を進んでゆく隊商の絵が描かれている。遠くにピラミッドのてっぺんが見える。

「さ、ば、く、だよ」

かなだけなら読めるはずだ。意味がわからないのでつかめないのだろう。

「砂がいっぱいあるところだ。雨が降らないので、草や木が生えないんだよ」

「どうして雨が降らないの？」

「それは——そういう気候なんだ」

「キコウってなぁに？」

「お天気のことだよ。お空が青かったり、雲がいっぱいあって雨が降ったりすることを、お天気っていうんだ」

ふうんと、幼い娘は言った。「そしたら、もし雨がふらなかったら、桃ちゃんちもさばくになっちゃうの？」

「ならないよ」

「どうして？」

「桃ちゃんの住んでるこの東京には、ちゃんと雨が降るからね」

「どうしてトウキョウには雨がふって、さばくにはふらないの？」

菜穂子が笑い出した。「昼間のわたしの苦労が偲《しの》ばれるでしょ？」

まったくだ。「幼稚園の先生は偉大だね」

「あなただって、昔は子供たち向けの本を作っていたじゃないの」

「作っていたのは作者だ。僕はそれを本にしていただけだ」

妻はちらりとルームミラーのなかで娘の顔を見て、にっこり笑い「桃ちゃん、続きはおうちに帰ってからね」と言った。

絵本は引っ込んだ。が、「ラクダってなに？」と、桃子は諦めない。そのページが気に入っているようだ。

「そういうどうぶつだよ。さばくにいる。でも動物園にもいるから、今度見に行こう」

「うん！」

桃子を連れて上野動物園に出かけたら、ここではラクダを見ることはできるけれど、背中に乗ることはできないと教えてやらねばなるまい。

「今日ね、午後から桃子と一緒にお教室の見学に行ってきたの」と、菜穂子が言い出した。

「お教室？　今度は何を習うんだい」

桃子は三歳で保育園にあがり、四歳から今の私立幼稚園に入った。それ以外に、幼児水泳教室と、読み書きを教えてくれる塾にも通っている。

「リトミック体操のスクールよ。お友達のお母さんに薦められたの。子供の身体感覚を高めるんですって。お受験では、そういう事柄もけっこう重要視されるらしいわ」

桃子が志望している──というよりは妻が桃子の入学を望んでいる小学校は、なかなかハードルの高い私立校なのだ。

桃子の〝お受験〟の問題は、昨日今日始まったことではない。彼女が幼稚園に入るとすぐに、私たちの生活のなかに入り込んできた。それまではおっとりしていた妻が、幼稚園で知り合いになったお母さんたちから豊富な情報をもらうことで、目覚めてしまったのだ。「ああした方がいい、こうした方がいい、こういう準備が必要だ」云々の「ご指南」は、こちらが望んでいる以上の濃度と頻度で攻め寄せてくる。そのすべてをまともに受け止めていたら身《も》が保たないほどなので、私は適宜《てきぎ》水をかけるようにしているつもりだが、菜穂子は真剣だ。

妻としても、桃子に過大な期待をかけたり、何がなんでも英才教育をと望んでいるわけではない。彼女自身も小学校から私立に通ったし、だから桃子も──と自然に考えていただけだろう。が、いろいろと耳に飛び込んでくる情報から推察するに、昨今のお受験競争は、自分のころとは比べようがないほどに熾烈《しれつ》であるらしいとわかってくると、それまでのんびりしていた分だけ不安が強くなってしまったようである。親がしてあげるべき当然の準備を怠ったが故に、桃子の進路が不本意なものになってはいけない。

「桃子はその教室に興味があるようなのかな」

私はちらりと後部座席を見た。当のご本人はまだ絵本に夢中だ。

「楽しそうなのよ。幼稚園のお友達が何人か通ってるし」

幼児水泳教室もそのパターンだった。お友達と一緒だから楽しいと思うのよ。

「本人が嫌がってないのならいいと思うけどね。場所はどのへんなの」

「今までより、ちょっと遠いの。青山一丁目だから」

私たちの家は麻布《あざぶ》にある。幼児水泳教室と読み書きの塾は、歩いていける距離だ。送り迎えは妻と私で、都合をつけながらやっている。通いの家政婦に頼むこともある。幼稚園には園のバスで通っている。

「車で送り迎えすることになるでしょ。それはゼンゼンかまわないのよ。でもホラ、わたしはあてにならない運転手だし——」

腕前ではなく、体調の方がだ。

「先々のことを考えたの。この際、誰かにちゃんとお願いした方がいいかしら」

桃子は、志望する小学校に合格したら、毎日護国寺《ごこくじ》まで通うことになる。地下鉄の駅をいくつ乗ることになるのかな——と、私が考えているうちに、妻が「どうかしら」と追っかけて問いかけてきた。

「運転手を雇うということか」

「孝之《たかゆき》兄さんに相談してみようと思っているんだけど。啓子《けいこ》ちゃんもノリ君も、小学校のときはずっと車で送り迎えしていたでしょ。あの家も義姉《ねえ》さんが忙しいから、そのために人を雇っていたはずよ」

孝之とは妻の次兄の名である。啓子とノリ君こと紀夫《のりお》はその長女と長男だ。

「いいんじゃないかな。誰か紹介してもらえれば安心だ」

あっさりと答えたが、私は非現実的な感じに襲われて、落ち着かなくなった。お受験はまだしも、子供の通学のためだけに運転手を雇うとなると、私を育《はぐく》んでくれた生活レベルと、そこにあった日常感覚からはかけ離れ過ぎている。

本来なら、ここで私は抵抗するべきなのだろう。確かに妻には財産がある。所有する株式の配当や、名目だけの役員となっている会社からの報酬で、裕福に暮らすことができる。

だが、それはすべて彼女の父の采配によるものだ。桃子は私と菜穂子の子だ。その子育ては、義父ではなく私の裁量でするべきだ。私の財布で賄《まかな》うべきだ。私立の小学校に入れるのはいい。そこまでなら私の給料でも何とかなる。だが、お抱え運転手に送り迎えしてもらって通学するなど贅沢すぎる。電車に乗せよう。その方が社会性もつく。そんなふうに主張するべきなのだろう。

しかし、二、三度まばたきするだけで、そんな主義主張や信念は吹き飛んでしまう。かわりに、「そんなことをして、もしも何かあったら」という黒い雲が目の前に垂れ込める。幼い桃子を一人で外界に出す？　とんでもない！

私と菜穂子の結婚には、解決や和解や調停が必要な、いくつかの問題がつきまとっていた。ただそのなかに、純粋に私たち二人だけで乗り越えなければならない問題は、ひとつしかなかった。子供のことである。

まだそれが現実的な事柄になる以前の十代のころには、菜穂子は頭から、自分の虚弱なこの身体では、子供を生むことはできないと思っていたそうだ。そも結婚することさえ諦めていたらしい。

だから、私と結婚すると決心したとき、彼女はあらためてその問題と直面することになったのだ。自分は子供を持てるか。子供を望んでもいいのか、と。

幸い、慎重な検査や親身な問診などの結果、菜穂子のかかりつけの医師からは、いい返事を聞くことができた。大丈夫、出産できます。ただし一人だけですよ。二度三度のお産は勧められない。それでも菜穂子は飛び上がらんばかりに喜んだ。そのとき、もしもやっぱり子供は無理だと言われたら、結婚も白紙に戻そうと思っていたと打ち明けてくれた。私に子供を持たせてあげられないのは、あまりに申し訳ないと思ったのだそうだ。

不安な要素は多々あったが、菜穂子はおおむね安定した妊娠期を過ごした。つわりも軽かった。念のため、出産予定日の半月前から設備の整った産婦人科に入院し、帝王切開で桃子を産み落とした。

桃子はあらゆる意味で、私たち夫婦の一人子《ひとりご》だ。ひとつぶだねだ。その身に万が一、不測の事態が起こったら――

菜穂子は生きていられまい。私だってそうだ。命は落とさずとも、残りの人生は死人として暮らすしかない。だが、私のことはこの際どうでもいいのだ。菜穂子と桃子のことだけ考えていればいい。

だから私は抵抗をしない。私の裁量とか、私の分相応とかいう言葉も概念も持ち出さない。非現実感に襲われて居心地の悪い思いをすることがあっても、それは私が自分の問題として処理すればいいのだから。

「あるいはね、学校が決まったら、思い切って近くへ引っ越すという手もあると思うのよ」

妻の言葉に、私の心はまた非現実感に揺れた。子供付きの運転手か、子供の通学に合わせた新居か。抵抗しない。反対しない。我々には――いや、妻にはそれができるだけの余裕があるのだから、いいじゃないか。

「引越しも楽しいかもしれない」と、私は言った。ぎくしゃくした口調になってないといいがと祈りつつ。

「とにかく、義兄《にい》さんと義姉《ねえ》さんに相談してみたらどうだろうね。経験者だからさ」

「うん、そうね」

渋滞列の隙間に器用にすべりこみながら、菜穂子は軽くうなずいた。顔は前を向いたままだ。

「桃子の通学のことが出たからというわけじゃないんだけど——聡美さんの話でね、わたし、ずっと気になってて」

話の流れと、妻の表情で察しはついたけれど、私は「どういうこと」と促した。

「最初に聞いたときから気になっていたんだけど、彼女が言ってる、その四歳のとき誰かに誘拐されたという体験ね」

「うん」

「どんな状況だったのかしら。幼稚園の帰り道で、誰かに無理やり車に乗せられたとか、縛られて閉じ込められたとか——」

そこまで言って、妻は桃子の耳を気にして、さっと声を小さくした。

「悪い想像ばっかりしちゃって。でも、誘拐ってそういうことでしょう」

「そうだね。ただ、お金を要求されたとかいうことはなかったようだよ」

「詳しいことは聞けなかったのよね？」

「本人が嫌がっていたからね」

本当にそういうことがあった、でも話したくないすみませんという言葉の繰り返しだった。

「そのままにしておくの？　何も聞かずに、触れずにおくの？」

「いや、様子を見ながら訊いてみようと思っているんだ。トモノ玩具に行ってきたのも、いいきっかけになるからね。それに、聡美さんには、会長に話してみたらいいんじゃないかとは言ってある」

「そう……それならいいけど」

妻は小娘のように口元をすぼめた。

「実際にはどういう出来事だったにしろ、その年頃の子供にとっては、知らない場所に連れていかれて、家に帰りたいのに帰してもらえないというだけで、とんでもない恐怖体験だったはずよ。そうでしょ？　桃子に置き換えて考えてみて」

私は思わず後部座席に目をやった。シートにもたれて、桃子は窓の外を興味深そうに眺めている。

「縁起でもないことを言うね」

「そうだけど、でもね、たとえ話としてわかりやすいから。ね？　どれだけ怖いことか身に染みて想像できるでしょ。でも、それほどのことなのに、あなたもお父さまも、あまり重要視してないみたいだったから」

軽んじているわけではないつもりだが、聡美の言葉どおりに受け取っていないことは確かだ。

「ご本人だって、そういう話を持ち出したということは、絶対に話したくないと思ってるわけじゃないと思うの。ただ、話しても信じてもらえないんじゃないかと不安なのじゃないかしら。それにその事件――事件と呼んでいいとわたしは思うけど――けっこう大事なことだという気もするの」

「梶田さんの知られざる過去という意味でかい？」

「うん。梨子さんに知られないようにさえ気をつければいいんでしょう？　聞いてあげてほしいわ。聡美さんはそのとき、きっとものすごく怖い思いをしたのよ。その記憶が、お父さんの過去を、もしかしたら実際以上に暗くみせているのかもしれない。聡美さんを誘拐した人は、たった四歳の彼女に、あんたのお父さんが悪いんだみたいなことを言ったんでしょう？」

私は聡美の言葉を思い出し、桃子の耳に入らないように小声で繰り返した。

「ひどい話よね。そんなふうに子供を脅しつけるなんて。許せないわ」

怒っている。

「本当に彼女の言葉どおりのことがあったのかどうかわからないんだよ」

四歳の子供の記憶だと、私は念を押した。

「お義父《とう》さんもそうおっしゃっていた。それに、聡美さんにはやや気の小さいところがあるんだそうだ。だから割と、何でも大げさに受け取る癖があるってね。だからって、けっして冷たくあしらったわけじゃないけれど」

「それはわかってる。お父さまもあなたも優しいし、常識人だもの。だいたい、本人が嫌がってるものを、強引に聞き出すわけにはいかないものね」

妻は私を見て、素早く正面に顔を戻した。

「でも、あなたには遠慮もあるんじゃない？　怖いような感じとか」

「僕が？　聡美さんに？」

「ええ。訊きにくいのかなって思って。もしかして、すごく辛い話が出てくるんじゃないかって」

「辛い話って――」

妻は横顔で、これ以上はホント桃子の前では言いたくないわというサインを示した。私は悟った。菜穂子は、聡美が幼女にいたずらする悪い奴に遭遇したのではないか、だからそのことをしゃべりたがらないのではないかと言いたいのだ。

ちょっと驚いた。

「どうだろうね。僕はそこまでは考えなかったな。お義父さんもそれは想像もしてないんじゃないかな」

「そう？　じゃ、それはわたしの穿《うが》ちすぎなのかな。でも、真っ先にそれを考えちゃったのよ。これは男と女の違いかしら」

私はそれについて考えてみた。さまざまな仮定を転がしているうちに、車はリストランテ岡崎に着いた。

夕食は豪華で楽しいものだった。ゆったりと配置されたテーブルで、周囲の目を気にすることなく、親子三人のひとときを、私は堪能《たんのう》した。

こうした高級レストランでは、子供づれの入店を断るところもある。リストランテ岡崎でも、我々が上得意客の今多家に連なる者でなかったならば、別の対応をするのだろう。

ただ、ひとつだけ自信を持って言えることがある。幼い子供に外食で贅沢をさせるのは如何なものかという議論はさておき、菜穂子は、外出したときのふるまいについて、非常に厳しく躾《しつ》けている。桃子が言うことを聞かず、騒いだりわがままを言ったりすれば、店員の前でも叱りつけるし、言い聞かせてわからなければ手もあげる。現に最近、外食に出て、桃子がしつこくぐずったので、オーダーをキャンセルして帰ってきてしまったということもあった。

だから、どんな店でも、我々が得意客だ今多一族だという下駄をはかせてもらっていなかったとしても、桃子はきわめて行儀のいい子供客として認めてもらえると思う。これは妻の手柄だ。こういう場では、まだまだおたおたとしてしまう私では、とてもじゃないがこんなふうに娘を躾け、手本を示すことはできそうにない。そんな思いをするくらいなら、ファミリーレストランに行く。

そして妻が手本としているのは、たぶん自分の子供時代ではなく、二人の兄の子供たちの受けてきた躾だろう。生まれながらに富を授かった者は、それを正しく、見苦しくないように消費するマナーを覚える義務を負っているという信念の下《もと》に。

かといって、妻が桃子に対し、今多一族の跡継ぎの一人として、従兄弟姉妹《いとこ》たちに伍して陽のあたるところに出てゆくよう期待しているわけではないと思う。ただ、どんな人生を歩もうと、たとえば桃子が私と同じようなサラリーマンの妻になるとしても、どう転んでも、今多一族の財と名前は一生ついて回るのだから、それを裏切ることのない人間になるよう教育しようと考えているのだろう。

桃子の好きなチェリータルトでコースをしめくくるころには、私は満腹で、少し眠気がさすほどだった。対照的に、外出で興奮しているのか、いつもならとっくにベッドに入っている時間なのに、桃子は目をキラキラさせていた。

帰り際になって、桃子がトイレに行きたいというので、私が連れて行った。外出用の靴をはき、私の目にはまだまだ「よちよち」に近く見える頼りない足取りで桃子がパウダールームのドアの向こうに消えると、出てくるまで心配で仕方がなかった。

「おてて、じょうずに洗えてる？」

通路に出てくると、桃子は小さな手をかざして私に尋ねた。指のあいだに水気が残っていたが、石鹼はきれいに落ちている。私はそれを褒めた上で、ハンカチを出して手を拭いてやった。

「ペーパータオルにとどかなかった」と、桃子は抗議するように説明した。

「ねえ、お父さん」

歩き出そうとすると、私の袖を引っ張った。

「これ、なぁに？」

桃子が指さしているのは、ブロンズ製の人型のオブジェだ。パウダールームの前は、椅子と小テーブルが配置されて、ちょっとした休憩室のようになっている。オブジェは、その一角に飾ってあった。

どっしりとした台座の上に、おおざっぱに言えば〝前かがみになった人間〟に見える形をしたものが据えられている。腕や足もあることはあるが、ぐねぐねと歪んでいる。首は長く、頭は人間というより蛇《へび》のそれのように先細りになっていて、のっぺりとして目鼻はまったくない。

台座には、このオブジェの作者の名前と製作年度、タイトルが「地の恩寵《おんちょう》」であることを記したプレートがついていた。

地の恩寵。人間が大地から生まれたことを象徴しているのかもしれない。だから、たった今地面から生え出てきたみたいな格好をしているのだろう。前かがみになっているのではなく、起き上がろうとしているところなのかもしれない。

「これ、こわいよね？」と、桃子が訊いた。切実に私の同意を求める目をしていた。

「桃ちゃん、これが怖いの」

「うん」

私のズボンに寄り添っている。

この店に来るのは初めてではない。パウダールームにも何度も行っている。そのたびに、桃子はこれを見て怖がっていたのだろうか。

「そうだね。へんてこな形をしてるもんな。でもこれは怖くないよ。大丈夫」

「ホント？」

「お父さんにはわかる。桃子も、もう少し大きくなればわかるようになる」

「どうしてお顔がないんだろ？」

桃子はオブジェに聞かれることを恐れているかのように、小さな小さな声で尋ねた。顔の部分に目鼻がないことが、恐怖の原因になっているらしい。

「これを作った人は、お顔がない方がいいと思ったんだよ」

「でも、ヘンだよね？　お顔がないの」

「そうだね。美術品というのはね、桃子。ヘンなものでも、素晴らしいということがあるんだよ。それも、もうちょっと大きくなるとよくわかるようになるよ。だから今は、これは怖く見えるけど怖くないんだってことだけ、覚えておこうね。このお店に来て、桃子がトイレに行きたいときは、いつもお父さんが一緒についてきてあげるからね」

はいと、我が子は健気《けなげ》にうなずいた。その手をとって歩き出したとき、私の心の内側で、お馴染みの小さな警句が点滅した。

子供はすべての暗闇にお化けの形を見出す。

私は振り返ってオブジェを見た。気がつくと、桃子もそうしていた。私が微笑むと、桃子も一拍遅れてにっこりした。オブジェは知らん顔をしていた。

10

月曜日、出勤してすぐ梶田家に電話すると、梨子が出た。私はトモノ玩具を訪ねてきたことを話したが、彼女に対しては、詳しいことは言わなかった。関係者の記憶に見るべきものはなく、そこには書くべきことはなさそうだという報告をするに留《とど》めた。

「わざわざ見つけて、行ってきてくれたんですか。すみません。でも、やっぱり昔のこと過ぎるみたいね」

「そうですね」

「いいわ。何かとんでもなく面白いエピソードが出てきたってわけじゃないなら、わたしの――わたしたちの編集方針に変更は加えなくていいってことですものね」

彼女は梶田氏の将棋部の写真を軸に、タクシー会社の当時の同僚を見つけて会ったり、手紙を出したりしているという。

「ところで、お姉さんは今おられますか」

「いますけど、姉に何か?」

打ち返すような短い反問に、「本はわたしが作るんだから、杉村さんはわたしの手伝いをしてくれればいいんだから、姉に用なんかないでしょ？」という意地っ張りな気持ちが現れていた。素直といえば素直、子供といえば子供だ。

「大したことではないんですが」

「じゃ、伝えときますよ。なぁに？」

妙に突っ張る。

「それじゃ、また杉村が連絡しますとだけお伝えください」

「えー、何の用事で？」

私は笑った。「本当に結婚式を日延べするかどうか、会長が心配しておられるんですよ。その件です」

ちょっと間を置いてから、梨子は言った。「じゃ、代わります」

お姉ちゃん電話と、大きな声で呼んでいるのが聞こえた。

「すみません、お待たせして」

聡美は恐縮している。私はトモノ玩具を訪ねてきたことを話した。

「梨子さんは未だ戦闘状態のようですね」

「ごめんなさい。あの子、意地になってるみたいです」

「さしでがましいようですが、あなたの不安に思っていることを、梨子さんに打ち明けるわけにはいきませんか」

「それは……」

「無理ですかね」

「ご迷惑をかけて申し訳ないです」

「迷惑なんかじゃありません。でも、お父さんの本を作ることをめぐって、妹さんとずっと喧嘩状態になっていては、あなたもお辛いでしょう」

聡美は黙ってしまった。ややあって、小さな声で言った。「昨日、会長先生からお電話をいただきました」

午後二時過ぎだったそうだ。私がトモノ玩具にいたころである。

「いろいろ心配してくださっていて。わたしと会いたいんだけど、なかなか暇がないって。本当に申し訳なくて」

「そこでまた謝ることはありませんよ。で、何と言っていましたか」

「結婚式のことで。会長先生としては日延べはどうかと思うけれど、こういうことは本人の気持ちが大事だから、相手方とよく相談して決めなさいって。ただ、どんなことでも、一人で抱え込んでクヨクヨ悩むのはよくないとお叱りを受けました。それがわたしの悪い癖だと。いえ、慰めてくださったんだと思います。お優しい声でしたから」

「私もそう思いますよ」

電話でのせわしない話では、誘拐云々《うんぬん》のことは話題には出なかったのだろう。

「お目にかかりたいのですが、難しいですか」

「あとで買い物に出ますので」と、聡美は声を落として言った。「お電話いたします」

わかりましたと言って、私は受話器を置いた。聡美が私と話しているところを、ちょっと離れて（怖い顔をして）聞き耳を立てている梨子の様子をちらりと想像した。お姉ちゃん、わたしのやることに反対してるくせして、わたしの担当編集者と何を話してるのよ？

「おっはようございまーす」

歌うように挨拶してシーナちゃんが来た。

「姉妹喧嘩というのは、こじれると始末が悪いものかな？」と、私は訊《き》いた。

「わたし弟しかいないからわかんないです」

「シーナちゃんは、弟と喧嘩したときはどう決着をつけてきたの」

彼女は拳を固め、バレーボールで鍛えた二の腕の筋肉を見せつけた。

「子供のころの話だろ」

「今でも。うちの弟、弱っちいんですよ」

恐れ入りました。

昼前には聡美と連絡がついたが、会うのは夕方になった。彼女の婚約者が、一度私に会って挨拶したがっているというのだ。彼の名は浜田《はまだ》利和《としかず》。聡美と同じ歳で、都内のコンピュータソフトウエア会社に勤めているという。

「浜田さんは、あなたの抱えている心配事をご存知なのですか」

「彼には全部話してあります」

「最初にお会いしたとき伺った――その、何ですね、あなたが四歳のとき、誘拐されて怖い思いをしたという事柄についてもですか？」

少しためらってから、聡美ははいと答えた。

「そうですか」

私は出方を考えた。

「昨日、トモノ玩具へ行ってあらためて感じたのですが……いえ、お話しになりたくないというものを、無理に聞き出すつもりはありません。でも、トモノ玩具の社長さんのお話では、あなたのお父さんお母さんは真面目な従業員で、会社を辞めたときの事情も、これと言って印象に残るものではなかったようなんです。ですから、あなたの経験した大変怖い事柄――そのためにあなたのお父さんお母さんが、あわててトモノ玩具を辞めて逃げ出さなくてはならなかったほどの出来事というのは、少なくとも外から察することができるようなものではなかったらしい。だからといってあなたの思い過ごしだとか勘違いだとか決め付けるつもりはありません。ただ、やっぱりもう少し詳しいことを伺わないと――いや、そもそも私が伺っていいことなのかどうかもよくわからないのですが」

しどろもどろになってしまった。菜穂子の意見に影響を受けてしまったのだ。幼い女の子にとって、思い出すのも忌まわしく恐ろしい出来事——

「すみません。おっしゃるとおりですよね」

聡美の声は沈んでいた。

「後でお話しいたします。わたしもあの後、あんな中途半端なことを言ってたら、はっきりするものもはっきりしないって反省したんです。隠し通すなら、とことん自分の胸に秘めておくべきだし、お話しするならきちんとお話しするのが筋でした」

この女性《ひと》は反省の仕方も律儀だ。

「ただ、あのときは本当にお目にかかったばかりでしたから、そこまで思い切ることはできなくて」

場所は今度も「睡蓮」だった。私が待ち合わせの五時半より十五分早く行くと、聡美はすでに待っていた。

「浜田は六時には来られると申しています。少々遅れますが、申し訳ありません」

すでにして浜田氏の妻であるような挨拶ぶりだった。

私はトモノ玩具でのやりとりを詳しく話した。栄次郎氏の言葉、氏の記憶の状態、

「あまり記憶に残っていないから、梶田さんというのはちゃんとした従業員だったんだろう」ということも、そのまま繰り返して伝えた。

「そうですか……」

聡美は少し淋《さび》しそうに呟《つぶや》いた。

「父も母も、トモノ玩具の社長さんにはとてもお世話になったと言ってましたのに。こういうことって、食い違うものですね」

「お父さんお母さんがトモノ玩具時代のことを話したのは、あなたがいくつぐらいのときでしたか。梨子さんは、あまり詳しいことを知らないようですよね」

「知らないはずですよ。そういう昔話が出たのは、わたしが中学校ぐらいまでのことでしたもの。わたしと梨子は十歳違うんですから、そのころの梨子は何もわかりません」

「それ以降は、ご両親は、トモノ玩具のことを含めて、昔話はなさらなくなった？」

「そうですね。タクシー業の方が上手くいっていましたから、過去のことより先のことをよく話すようになりました」

だから、姉妹の記憶には歴然とした差が生まれてしまったわけだ。

「わたし、ずっと思ってました」

目を伏せて、聡美は言った。

「両親にとって梨子は、人生をやり直すことの象徴的な意味を持った子供なんだって。梨子が生まれて、何不自由なくすくすく育つことが、そのまま両親の人生が立て直された証拠だっていうんでしょうか。わかっていただけますか」

私は彼女の顔を見てうなずいた。言わんとするところはよくわかる。それが正しい見解かどうかは別として。

「わたしは違います。両親にとってのわたしは、暗い過去を知っている子供、人生の良くない時期を共有している子供でした。だから父も母も、わたしには済まなく思っていたんじゃないかと思います。そういう言葉を口にしたこともありましたから」

「お父さんが」

「父も母も。二人して」

「どんなときです？」

「どんなって……」聡美は不安そうに私の目を覗《うかが》った。「折々です。梨子の買ってもらった玩具を、わたしは持ってなかったとか、そういうときに。それも、梨子が物心ついてからはなくなりましたけど」

思い切って、私は踏み込んだ。

「あなたは四歳のとき、誘拐されて怖い思いをしたことがある。あなたをさらって閉じ込めた人物は、あなたのお父さんが悪いんだというようなことを言った。それについて、ご両親と話したことはありますか」

目を閉じて、ちょっとこらえるような表情になり、聡美はかぶりを振った。

「ご両親に確認してはいないのですね」

「しませんでした」

「一度も？　たった一度もですか？」

私には、それは不自然に思えたのだ。四歳五歳ではもちろん無理だが、ある程度成長してからなら、それでもまだその怖い記憶が鮮やかに残っていたのなら、訊いてみたい、問いただしてみたいと思うのが人情ではないか。

そんなつもりはなかったが、私の念押しがしつこかったのだろう。私の疑問が、彼女の痛いところをついていたのだろう。

「だって、どうしてそんなことできます？」

急に声を裏返して、聡美は反問した。

「子供のときは、自分の身に起こったことを言葉にすることができませんでした。言いようがなかったんです」

「そうですね。でも物心つけば――」

「かえって言えません。どんどん言えなくなりました。わたしが覚えている怖いことは、両親が嫌がってる、遠ざけようとしている過去にあるんだってわかったから。それに両親は、わたしがそんなことを覚えているはずないって思い込んでるようでした」

「それも確かめてみたんですか」

「ずばりと訊いてみたことはありません。それができるぐらいなら――」

いかにも苛立たしげな目をしている。

「同じ屋根の下で、元気に育ってる妹がいるんです。両親は手放しで梨子を可愛がりました。どうして梨子がそんなに可愛いかっていったら、あの子が何も知らないからです。だからわたしも、何も知らないような、忘れているようなふりをするしかなかった。自分が見聞きしたことも忘れた、お父さんお母さんから聞いたことも忘れた。わたしも梨子と同じよっていうふうに。でも、けっしてそうはならなかったんですけどね」

言葉の最後に、自嘲的な笑みを浮かべた。聡美には似合わない笑みだった。

わたしは駄目よね。梨子と同じようには扱ってもらえないのよね。

「いったい、どんなことがあったのです」

できるだけ穏やかに、私は問いかけた。

ひとつ、ふたつ、深く息を吸い込んで吐き出し、聡美は顔を上げた。

「どこか知らない家に——連れていかれたんです。両親はいなくて、知らない女の人がいました。その人がわたしに、外に出ちゃいけないって言いました。わたしは家に帰りたいって泣きました。だけど帰してもらえなかった。窓も開かなかった。どうしても帰りたいって泣いて騒いだら、トイレに閉じ込められました。薄暗くて汚い家で、トイレなんか臭くて吐き気がするほどでした。

わたしは怖くて泣いて泣いて、泣き疲れて眠ってしまって、でも目が覚めてもまだ同じところに閉じ込められているんです。食べ物も、水さえもらえなくて」

引き攣《つ》るように目じりが動く。くちびるには血の気がない。あまりに強く手を握り締めているので、指の関節が飛び出して見える。「女の人は、部屋のなかをぐるぐる歩き回ってるみたいでした。落ち着かなくて、とにかくしょっちゅう動いてました。わたしが家に帰してというと、トイレのドア越しに、おとなしくしなさいとか、あんたのお父さんが悪いんだからとか、言うことをきかないと殺してしまうとか、叫び返してきました。そうでないときはケモノみたいに唸《うな》っていました。ときどき、誰かと電話で話してるようでしたけど、内容は聞き取れませんでした」

そこまで話して、震える手でグラスを持ち上げると、水をひと口飲んだ。溢《あふ》れた水が顎《あご》を伝った。目が底光りしている。恐怖と、おそらくは怒りで。

そっと撫でるように、私は訊いた。私自身、口にし慣れていない言葉だから言いにくかった。

「その女性に暴力をふるわれたということは？」

「ありません」

「殴られたり叩かれたり、縛られたりしたことはなかった？」

「ないです。でも」

怖かったと聡美は呟いた。当然ですと、私は言った。

「そうやって二晩経ったら、母が迎えにきてくれたんです。女の人は泣いたりわめいたりして抵抗しましたけど、母がわたしを連れ出してくれました。そしてやっと家に帰れたんです」

何かがカチカチ鳴っていた。聡美が左腕にはめたブレスレットタイプの腕時計が、テーブルにぶつかっているのだ。

それが「誘拐」の顚末《てんまつ》か。

「梶田さんは——お父さんはいなかったんですね？」

「家に帰るまでは、父に会いませんでした。母とわたしが先に家について——かなり経ってから帰ってきたような気がします」

聡美はこめかみに指をあてた。蒼白だ。

「大丈夫ですか」

「すみません」手で目元を覆《おお》ってじっとしている。

私は背もたれに寄りかかり、グラスのお冷を飲んだ。半分ほど飲んでしまった。

「怖い体験でしたね」

聡美は反応しなかった。

「このうえまだ伺うのは申し訳ないのですが、少しだけ訊かせてください。そういうことがあったとき、季節はいつでした？」

「季節——覚えてないです」

「当時、あなたは幼稚園には？」

「通ってました」

「でしたら、二晩閉じ込められていたのならば、休まなくてはならなかったですよね？」

聡美は目を上げて、まばたきをした。瞳の底光りは消えたが、焦点が揺れている。

「そうですね……どうしたんだろう。あるいは、幼稚園がお休みの時期だったのかしら。

わかりません。でも夏ではなかったと思うんです。いえ……夏だったかしら。とにかく部屋じゅう臭くて臭くて、ぷんぷん臭ってゴミ溜めみたいだったことを覚えてるんです。あれは夏休み中だったのかしら」

そういえば、汗びっしょりになったような覚えもあると、あやふやな口調で呟いた。

「あなたを連れ出すときには、お母さんが来てくれた」

「はい」

「では、あなたをその家に連れていったのはどなたです？　覚えていますか」

聡美はまた手で目を覆って考えた。待っているこちらも身体に力が入る。

「わからないわ。覚えていません」

「じゃ、車に押し込まれたとか、手を引っ張って連れていかれたということではなかったんですね」

「ええ。だけどわたしが自分からそんなところに行くわけないでしょう？　両親が連れていくわけもないです。だから——言いくるめられたかして連れていかれたんです。それ以外にありっこないです」

「ええ、そうですね」

こんな状況下で不謹慎ながらも、私は面白いことに気づいた。口を尖《とが》らせ声を強めて何かを言い張るときの聡美は、梨子によく似ている。

聡美はバッグから煙草を取り出し、火を点《つ》けた。私はメモを広げ、今聞いた事柄を書き留めた。聡美は煙を吐き出しながら、じっと私の手元を凝視している。私が間違いなく書き取るかどうか見張るように。

「あなたをさらって閉じ込めたのは、女性だったんですね」

それがいちばん意外なことだったので、私は確かめた。

「ええ、女の人です」

「いくつぐらいの女性でした？」

「わかりません。四歳の子供には、老人と子供の区別がつくだけですよ。あとはみんなひとくくりに〝大人〟でしょう」

「顔は覚えていますか？」

返事がないのでメモから顔を上げると、聡美は首を振っていた。

「覚えてないです」

「まったく記憶にありませんか」

「そうじゃないです。でも、これこれこんな顔とは言えないんです」

「さっきは〝知らない女の人〟だとおっしゃいましたが、それまで、本当にまったく一度も会ったことのない人だったんでしょうか」

聡美はくちびるを嚙《か》み締めるようにして、じっと考え込んだ。指に挟んだ煙草から紫煙がたちのぼる。それさえも気が散ってうるさいというように、ぐいぐいと灰皿に押しつけて消してしまった。

「わかりません」

ため息のような声を出した。もどかしげに指を握ったり開いたりしている。

「まるで知らない人ではないような気もするんです。顔形も浮かんできますし。でも、それをうまく説明することができないんです。焦点が合わないというか」

もしかしたら、具体的に思い出すのが怖いのかもしれませんと、硬い顔をして呟いた。

「だから記憶を封じてしまっているとか……。そういうこと、よくあるそうですよね？」

確かによく聞く話だ。ただ、フィクションのなかではという注釈が付いて。

「そうすると、その女性があなたのお父さんお母さんの知人であった可能性もなくはないですね」

「そう――なります、か」

聡美はそれを認めたくない様子だった。

私は四歳の梶田聡美を、今の桃子に置き換えて想像してみた。私や妻の友人知人――さして数は多くないが――それらの人びとを、桃子はどのように認識しているのだろう。二十八年後に、桃子は彼ら彼女らのことを覚えているだろうか。

よほど親しく、頻繁に行き来し、家族同然に付き合っていて、なおかつある程度の年月に亘ってその付き合いが継続していた人物でなければ、四歳の子供の記憶には残らないのではないか。たとえば梶田夫妻の同僚とか、近所に住んでいた人という程度では、聡美の記憶に具体性がなくても無理はないという気がしてくる。

その思いがあったから、私はぽろりと口に出した。

「これはなかなか難しい」

すると聡美はびくりと反応した。

「信じられないって意味ですか？」

また声が尖る。

「信じてくださらないんですね。あまりに脈絡がないから？」

私は何も言い返さず、梶田聡美を見つめた。私の顔に、彼女自身の表情が映っているだろう。それを気づかせたかった。

聡美は気づいた。急に恥じ入ったようになった。もともと聡明な人なのだ。

「すみません。取り乱して」

「いいんですよ」

私は微笑んだ。聡美は微笑む代わりにハンカチで目じりをぬぐった。マスカラがにじんでしまった。

「あなたが家に戻ったあと、ご両親はこのことで何かおっしゃいましたか」

「母はわたしに——一人にしてごめんねと言いました。父は何も申しませんでしたけど、二人ともげっそりと窶《やつ》れていました」

「じゃあ、ご両親はあなたに、何があったか事情を説明してはくれなかった」

「はい」

「そうすると、このときお金——つまり身代金のやりとりはなかったというのは、あなたの想像ですね？」

「はい。だって家にはそんなお金はありませんでしたし、わたしを閉じ込めているあいだ、あの女はお金のことはひと言も言いませんでした。ただわたしの父のせいだ、父が悪いんだ、と繰り返すばっかりで」

私はメモを取りながら考えた。やっと家に連れ帰った幼い娘に、梶田夫人は言った。

——一人にしてごめんね。

誘拐され、やっと助け出した娘に？

無事でよかったとか、怪我はないかとかではなく？

何かちぐはぐではないか？

その考えを口には出さなかった。聡美には落ち着きを取り戻してもらいたい。

「そのことがあった後、どれぐらい経って、ご両親はトモノ玩具を辞めたんでしょうね」

「さあ……どれぐらいでしたか」

聡美はまた目を閉じると、指でこめかみを揉むようにしながら考え込んでしまった。

「半月か——ひと月ぐらいか。ううん、もっと早かったかもしれないです」

「社員寮を出て引越しするとき、ご両親は何かおっしゃいましたか」

「いいえ、何も。ただ他所《よそ》へ行くというだけでした」

八王子から移った先を、聡美は覚えていなかった。ただ、一時的に梶田氏と離れ、母親と二人で暮らしたという。

「幼稚園も途中で替わったわけですよね？」

「そうです。わたしが幼稚園に入りなおしたのは五歳になってからで、そのときは千葉にいました。市原のあたりです。当時住んでいたアパートの前で撮った写真も残っています」

やがて東京に戻り、東京共同無線タクシーに就職するまで、梶田氏は半端《はんぱ》仕事を転々とした。家計は苦しかったようだ。聡美はここで小学校にあがったから、

「給食費を滞納して、とても恥ずかしい思いをしたこともありました」

梶田夫人が、せっかく授かった第二子を中絶したのもこの時期だ。聡美が六歳のとき。仕事の定まらない状況に逆戻りしてしまい、二人目を育てる余裕はなかった――

「結局、両親もこのままではらちがあかないと思ったんでしょう、東京に戻って職を探すことにしたんです。市原にいたのは二年かそこらでした。わたしはまた小学校も替わることになって……」

でも、それでよかったという。市原のアパートも狭くて嫌だったので、引越しは嬉しかったのだそうだ。その話をすると、やっと瞳に灯《あか》りが戻った。

やがてタクシー運転手の仕事に馴染《なじ》み、生活が落ち着く。梶田夫人は妊娠する。それ

が梨子だ。今度の赤ん坊は諦めずに済む。生み育てることができる。

梶田家の暗く不安定な時代は、こうして終わった——

「お父さんが東京共同無線タクシーにいるころは、お住まいはどちらでした？」

「足立区《あだち》です。梅田《うめだ》っていうところで、タクシー会社の営業所のすぐ近くでした」

最初はアパートで、梨子が小学校にあがる年に、賃貸ながら一戸建てに移ったそうだ。同じ足立区内である。

「そうすると、今の高円寺南のマンションに移ったのは——」

「母が亡くなった後です」

マンションに住むのは梨子の希望で、高円寺南の物件を選んだのも彼女だったそうだ。

「お洒落《しやれ》な町に住みたいとかで、最初は自由が丘とか代官山だとか言ってました」

聡美は初めて、まともに妹を非難するような、揶揄《やゆ》するような口調になった。

「賃貸とはいえ、母の思い出の残る家でしたし、最初は、父は引越しに乗り気じゃありませんでした。ひょっとすると、高円寺に行くと八王子が近くなるから嫌なんじゃないかって、わたしは思ってました。口には出しませんでしたけど。結局、父も梨子のおねだりに折れてしまったし」

気は進まないが、可愛い梨子の希望を退けるほど強く避けたいわけではない——東京の西側の町への転居。確かに聡美の言うとおり、高円寺に行けば、足立区にいるよりは、八王子がずっと近くなる。

かつて逃げ出してきた町。しかし年月が経ち、記憶は薄れた。もうビクビクすることはない——と、私は考えてみた。梶田氏の身になったつもりで。

怯《おび》えるべき「過去」が、どうにもはっきり見えてこないので、その想像も焦点がぼけていた。

閉じ込められ、叱られ、食べ物ももらえず、知らない女のヒステリックな言動におびやかされる。四歳の子供には本当に怖い体験だったろう。しかし、聡美の話に深く同情は覚えても、それを梶田夫妻の人生のなかの出来事として配置することが、私にはまだできない。この奇妙な「誘拐」は、どこにどうおさまる断片なのだろう？

「——失礼します」

誰かに声をかけられて、私と聡美は同時に顔を上げた。髭《ひげ》の剃り跡の青々とした肩幅の広い男性が、我々のテーブルのすぐ脇に立っていた。

「遅れてごめん」

彼は聡美に謝った。そのひと言で、生気が失せていた聡美の頬に血色が戻ってきた。

健康な男だ。浜田利和に対する私の印象はそれに尽きた。彼と会う十人が十人そう感じるだろう。

日焼けしてたくましいとか、目元がきりりとしているとか、体格がいいとか、外見的なことばかりではない。声や話し方、視線の置き方、うなずいたりする小さな仕草、すべてがまっとうで、心地よい感じがした。

私たちは会社員らしく、まず名刺を交換した。彼の肩書きは「顧客担当サービス第二部門　主任」となっていた。

「今多グループさんでは、うちのシステムは使っていただけなかったんですよね。残念です」

いかにも無念そうな口調だが、表情は大らかに笑っている。挨拶が済むと、失礼します、今日は暑いですねと上着を脱いで背もたれにかけた。薄いブルーのピンストライプのYシャツが若々しい。彼は聡美と同い歳なのだから、私より三歳年下なだけだ。なのに、彼の身のこなしを見ていると、私は自分がひどく老けているように感じた。

「本社ビルのですか？」

「そうです。社内LANのシステム、新築のときの入札で、うちは次点でした。僅差《きんさ》で負けたらしいです」

「申し訳ない」私は一応、謝った。聡美は笑っている。手の震えも止まったようだ。

「もっと早く聡美さんと知り合ってれば、コネが効いたのにって思いましたよ」

「そんなの無理よ。うちの父はただの運転手だったんだから」

「冗談だよ、冗談」

顧客担当の第一部門は新設設置プランニングを扱い、第二部門はその後の維持管理やクレーム対応が仕事なのだという。

「要するに第一部門の尻ぬぐいです。貧乏クジです」と、闊達《かったつ》に言う。この滑らかで丁寧な口調とてきぱきした態度は、生来の気性に職場での訓練が積み上げられてできあがったものであるようだ。

二人が並んでいると、いかにもお似合いのカップルに見えた。二年前、友人の結婚披露宴で知り合ったのだそうだ。

「それがおかしいんですけどね、僕は新婦側の友人で、彼女は新郎側の友人だったんです。普通は逆じゃないですか。だから、最初は腹の探りあいですよ。お互い、新郎新婦に振られた同士じゃないのかって」

そんなことなかったわよと、笑いながらも聡美は真面目に反論した。

「ゼンゼン違うんですよ。もう、ふざけてばっかりいるんだから」

ご馳走さまと、私は言った。他に何が言えますか。浜田とじゃれている聡美は別人のように生き生きとしている。いつもこんなふうにしていればいいのに。

そのとき、あることに気づいた。私は聡美が指輪をはめているのを見たことがない。今も、すんなりと白い指に何も飾っていない。とっくに婚約指輪をもらっているだろうに。

自分のことが標準になるとは思わないが、私は婚約したとき、きっちり給料の三ヵ月分をはたいて菜穂子にダイヤの指輪を贈った。彼女はいつもそれを左手の薬指につけていた。少なくとも、私と会うときには必ず。

特に深い意味があるわけではないのだろう。二人はこんなに仲がいいのだ。生真面目な聡美のことだ、高価な婚約指輪を普段身につけて歩くなんて、もったいないということかもしれない。

「お時間をとっていただいているんだから、無駄話はいい加減にしなくちゃ」

幸せそうに顔を緩ませて、聡美は婚約者をたしなめた。

「かまいませんよ。でも、あてられますね」

「すみません」

ぺこりと頭を下げて、浜田は少し真顔になった。

「さっき僕が着いたとき、杉村さんがあんまり真剣な顔で聡美と話しておられたので、ちょっと声をかけにくくて、つい話を聞いてしまいました」

聡美の顔を見て、

「やっとお話ししたんだね」と訊いた。聡美はうなずく。

「どうですか。おかしな話でしょう」と、浜田は私に向かって器用に片眉を上げてみせた。

「あなたはご存知だったんですか？」

「聞いていました。もうずいぶん前です。一年ぐらい前になるかな？」

問われて、聡美ははにかんだようだった。

「それじゃ、梶田さんが亡くなる以前からご存知だったんですね」

「はい。子供のころのことなんか話してるときに、この人が言い出したんです。わたしには怖い思い出があるんだって」

そのころ二人の距離が縮まって、真剣な交際になったからこそ、自分のなかの傷《いた》んでいる部分について、聡美は打ち明けたのだろう。私は礼儀正しく、その場面を深く想像しないことにした。はにかんでいる聡美を見るのは初めてで、なかなか愛らしかった。

「そのころから、僕はこの人の考えすぎだって言ってたんですよ」

誘拐だなんてね——と言う。「大げさですよ」

「しかし、普通の出来事ではありませんよね」

「それはそうですが、でもなぁ」

Yシャツの腕を組む。これも顧客サービス係の身だしなみか、この夕刻でもシャツのカラーはぴんとしていた。

「おまけにこの人、梶田のお父さんが亡くなったら、あれは事故じゃなくて計画殺人だったんじゃないかなんて言い出すでしょう。僕はホントに腰を抜かしそうになりましたよ。そこまで考えつめてたのかって、仰天しました」

「だって……」

聡美は身を縮める。その姿勢のせいばかりではなく、浜田が隣に腰をおろしたら、彼女はひとまわり小さく見えるようになった。

「杉村さんはどうお思いになりますか」

私は慎重に考えた。浜田の軽い口調には、頭からそう思い込んでいるという以上に、敢《あ》えてそうしているという意図が感じられた。彼は彼なりに、聡美を心配しているのだ。

「少なくとも、梶田さんが亡くなった事故と、聡美さんが昔体験した怖い事件とは、切り離して考えた方がよさそうだと思います。人を殺そうというときに、自転車で撥ねるというのは、あまり確実性に富むやり方ではないですからね」

「ほらな、そうだろ？」浜田は勢いづく。「だいいち、仮に――仮にだよ、君が四歳のころのあの事件が、確かにお父さんが誰かの恨みをかったせいで起こったことであったにしても、お父さんが亡くなったのはそれから三十年も経ってからなんだぜ。三十年といったら、殺人事件だってまるまる二回分時効になってるよ。そんなに執念深く恨みを持っている奴なんか、いやしないよ」

「正確に言うと三十年じゃないわ。二十八年よ」聡美は小さく反論する。もちろん、怒っても尖ってもいない。

「また几帳面《きちょうめん》なんだから」浜田は吹き出した。「じゃ訂正するよ。二十八年もひとつのことを恨み続けてる人間なんていないよ。それほど強い恨みがあるなら、もっと早いとこ何かやってるよ」

言ってしまってから、さすがにこれは軽すぎると思ったのだろう、浜田はあわてたように目をぱちぱちさせて、

「ごめん」と言い添えた。「不謹慎だった」

「いいのよ」

私はまたご馳走さまと言おうかと思った。

「この際いちばんいいのは、二十八年前に聡美さんが体験した出来事の、事情がはっきりすることだと思いますね。あれがどういう事だったのかわかれば、聡美さんの不安も少しは解消するんじゃないですか」

お似合いのカップルは、揃って目を瞠《みは》って私を見た。

「そんなことできますかね？」と浜田は訊いた。「そんなこと」の部分は、聡美の声とデュエットになった。

「できるかどうかわかりません。ただ、調べてみることはできますよ。現に今やっているように」

「でも、トモノ玩具の社長さんは、両親のことを覚えてらっしゃらなかったわ」

「社長さんには奥さんがいますし、当時社長さんを手伝っていた関口さんという人にも訊いてもらっています。まだ完全に駄目と決まったわけじゃない。何かわかるかもしれませんよ」

私は小脇に抱えて出てきたファイルを開いた。あの正月の記念写真を取り出し、テーブルに載せた。

「これは梨子さんからお借りしたものです。社長さんにお見せしたら、よく覚えておいででした。昭和四十九年に撮ったものだそうです。聡美さんは三歳ですね」

浜田は興味深そうに写真を引き寄せ、晴れ着の幼女を見つけると、これが君だねと指差した。

「変わってないね。今と同じ顔だ。お父さんとお母さんと一緒に写ってるじゃないか」

聡美の方は、死体写真でも突きつけられたような表情である。真っ直ぐ目を向けようとしない。

「これ、何ですか」と私に訊いた。

やっぱりなと思った。

聡美は梨子に、この写真を持ち出すな、使うな、あなたにはそんな権利はないと言ったそうである。私が聞いてもいささか意地悪なやり方だ。

妹が父親のアルバムを引っ張り出して調べることなど予想できただろうから、そんな屁理屈を並べて邪魔をするよりは、先にアルバムをどこかに隠すか、この写真を抜き出してしまえばよかっただろうに、そうしていなかった。それは、聡美がこの写真の存在を知らず、梨子に見せられるまで見たことがなかったからなのだろう。彼女は自分の怖い思い出から逃げるために、両親の過去からも目を逸《そ》らし続けていた。だったら、アルバムなど開いて見たことがあろうはずもない。

「当時のトモノ玩具の社員さんたちが集まって撮った記念写真です。社長さんのお話だと、創立二十周年の祝いを兼ねて、新年会を開いたのだそうですよ。だから、出席できる社員はみんな出た。だとすると、このなかに、あなたを閉じ込めたという女性が写っているかもしれません」

聡美は頑固に写真から視線を外《はず》して首を振る。「——わたし、あの女の顔を覚えていないんです」

「どんな顔だったと説明できなくても、記憶はあるんですよね？　だったら、見れば思い出すかもしれないですよ」

「うん、そうだね」と、浜田も同調する。

「あの女がトモノ玩具の社員だったとは限りません。ただ近所の人だったのかもしれないでしょ？」

「それでも、可能性はあるでしょう」

「見るだけ見てごらんよ。大丈夫だよ」浜田は彼女の肩を軽く抱いて促した。「もし誰だかわかれば、解決につながるんだから」

油断すると写真のなかから手が延びてきて喉《のど》を締めあげられると恐れてでもいるかのように、聡美はおそるおそる首を伸ばし、写真をのぞきこんだ。隣で、浜田も同じような格好をしている。

何秒間か、私は待った。

ほっとしたような顔で、聡美はもう一度かぶりを振った。「わかりません。ここに写っている女の人たちには見覚えがないです」

私と聡美のあいだを取り持つように、二人の顔を交互に見ながら浜田が言った。「女の人たちは晴れ着を着てますよね。日本髪を結《ゆ》ってるおばさんもいる。これだと違う顔に見えるんじゃないのかなぁ」

それは彼の言うとおりだ。私は数えてみたが、記念写真に写っている女性は十二人で、そのうち十人までが着物を着ている。日本髪は一人だけだが、この当時は、正月の盛装で着物を着ると、女性はたいていそのために髪をセットしたものだ。だから残りの九人も、おそらく普段とは髪型が違っているのだろう。

「そうね。だからわからないのかも」

婚約者の助け船に、聡美は救われたような顔をした。

「それじゃ、あなたを怖がらせた女性じゃなくても、記憶に残る人はいませんか。当時は社員寮に住んでいたんですから、お父さんお母さんの同僚は、そのままあなたにとって近所のおじさんおばさんだったわけです。誰かの顔に見覚えはないですか」

聡美はしばらく考えた。呼吸の音がする。

「このおばさん――」と、前列二人目の中年女性を指差す。

「この人は隣にいたんじゃないかしら。でもわからないわ。はっきりしません」

またぞろとりなすように、浜田が私に言った。「考えてみたら、僕も四歳のころに近所に住んでた人のことなんか、覚えてないですよ」

私だってそうだ。少しでも手がかりはないものかと思っただけなのだが、困惑顔をされると、若い二人を苛《いじ》めているみたいな気分になってしまう。

「君のほかに子供は写ってないね。ここに写ってる人の年齢からして、もっと子供がいてもよさそうだけど」

さすがに如才なく、浜田は話の方向を変えた。

「そうね。わたしだけね」

「社員寮で誰かと一緒に遊んだ覚えはないの？」

「仲良しの子はいたわ。幼稚園に。でも寮の子じゃなかった」

わたし、あんまり友達がいなかったの、引っ込み思案だったからと、聡美は言った。

「寮にも子供たちがいたけど、仲間に入れてもらえなかったわ」

しんみりしてしまった。

「この写真を撮ったときのことは覚えてる？」と、浜田が訊いた。

「何となく、ね」

私は想像した。家族もみんな呼ばれる新年会といっても、大人の集まりなど子供には面白いものではない。宴席の途中で、子供たちは集《つど》って外に遊びに行く。正月だ。やりたいことは山ほどある。大人たちがいざ記念撮影をしようというときになっても、みんなして夢中になり、どこで遊んでいるのか、呼んでも集まらない。仕方がない、いつまでも写真屋を待たせているわけにもいかないから撮ってしまおうか。

そして集合写真には、子供たちの群れに入れてもらえず、両親のそばにひっそりと居残っていた梶田聡美だけが、大人たちに囲まれて淋しそうに写っている――

わかりました、気にしないでくださいねと、私は写真をしまいこんだ。聡美はすみませんと謝った。私はますます意地悪な上司のような気分になってしまった。

「グレスデンハイツ石川の方も、本腰入れて調べてみようと思うんですよ」

とにかく雰囲気を変えようと、私はせいぜい明るく、頼もしく聞こえるように言った。

「ああ、現場の」と、浜田が反応した。

「そうです。梶田さんが何の用事であのマンションを訪ねていたのか、それも謎でしたよね。用件がわかれば、そっち側からも聡美さんの不安を減らすことができそうだ」

梶田氏は聡美に、彼女の結婚の前に、

――ちゃんとしておかないといけないことがある。

そう言ったという。聡美はそれを、父親がグレスデンハイツ石川を訪ねたことと結び付けている。

「梨子ちゃんは、ただのドライブだって言ってたよね。別に疑問に思ってるような様子はなかったよな」

浜田が聡美に問いかけた。彼は婚約者の妹を「梨子ちゃん」と呼んでいるのだ。

「わたしもそれは――よくわからなくなってきてるんですけど」

聡美はあやふやなことを言った。私は彼女に笑いかけた。

「ま、調べるだけ調べてみましょう」

では具体的にどうするのかと問われたら、答えようがなかった。四百戸近いドアを、ひとつひとつノックして聞きまわるのか。こちらに梶田信夫さんという人が訪ねてきませんでしたか？　それが本腰入れるということか。

私もわからなくなってきそうだった。だから何も訊いてくださるな、とにかく今は。ファイルを片付けながら、また話題を変えた。

「それで、お式や新生活の準備は進んでおられるんですか？」

浜田と聡美は顔を見合わせた。浜田は照れたような笑顔になり、聡美はちょっとうなだれた。

「式を延期したいって、この人が」

「ええ、伺いました。梨子さんも、お父さんを撥ねた犯人を捕まえる方が先だといきまいていましたね」

「そんなこと言ってるんですか。犯人を捕まえるのは警察の仕事なのにな。しょうがないヤツだ。まったく子供なんだから」

嬉しそうに兄さんぶっている。

「喪中だからというお気持ちはわかります」

「そうじゃないんですよ。この人は——まあ、そういう常識的なこともあるけど、本音は別なんです」

私は聡美の顔を見た。彼女は身を縮めた。

「式場の方でも、喪中なら喪中で披露宴の次第を変えるとか、いくらでも対処のしようはあるっていうんです。派手なキャンドルサービスみたいなものをやめるとかね。結婚式のキャンセルっていうのは、あんまり気持ちのいいものじゃないですから、うちの両親も、今さら延期しなくたっていいじゃないかって言ってるんです。何より、この人に、早く嫁に来てもらいたがっているんです。うちには娘がいないんで、両親は、この人を本当の娘みたいに思ってる」

姉さんは婚約者の両親に気に入られてると、梨子が言っていたことを思い出した。

「だけどこの人はね、梶田のお父さんの昔のことがモヤモヤしたまま結婚してしまうと、もしかして僕や、浜田の家にまで迷惑をかけることになるかもしれないって心配してるんです。まったく、取り越し苦労もいいところでしょう？」

私はちょっと意味をつかみかねた。

「それはつまり、梶田さんに恨みを抱いている人物が、あなた方の新所帯にも悪さを仕掛けてくるんじゃないかということですか？」

「そうです。二時間ドラマの筋書きみたいですよね」

私はまったく浜田に同感だった。そんな人物がいるかどうかさえ定かでないのに、なんという心配性だろう。義父が「聡美は気が小さいんだ」と言ったのは実に的確な評価だった。「だから、どうかすると小さなことが大騒ぎになる」

それでも同時に、私は、この小心な美女が愛《いと》おしくなった。放っておくと、一人で思いつめて、どんどん狭いところに入っていって、膝を抱えて座っているのだろう。こっちへおいでよ、一緒に遊ぼうよと呼びかけて、手を引っ張ってやりたくなる。世話をやきたくなってくる。

義父が聡美の心配性を笑いつつ、温かな目をしていたのも無理はない。浜田もきっと、聡美の外見にそぐわぬこの壊れ物みたいな繊細さに強く惹《ひ》かれているのだろう。こういう闊達な男というのは、案外そんなものだ。

結婚すれば、浜田という強いボートの漕《こ》ぎ手を得て、聡美の人生は明るくなることだろう。これまで乗り出さずにいたすべての海を渡り、すべての湾に錨《いかり》をおろし、見たこともなかった新しい景色に出会うことだろう。そうやって生活が変われば、父親の過去についてとらわれることも、もうなくなるかもしれない。

「それじゃ、そちらの方は予定どおりに進められるんですね」

「はい。昨夜もうちでよく話し合いました。な?」

浜田にうなずきかけられて、聡美もやっと笑顔を取り戻した。私はほっとした。この人ほど笑顔の似合う人で、この人ほど笑顔の在庫の少ない人も珍しい。お愛想や、悲しみを隠すための社会的笑顔ではなく、心から出た本物の笑顔の。

それからしばらく、私と浜田はサラリーマン同士らしい世間話をした。聡美は、時には浜田の話をまぜっかえすような茶目っ気をみせた。浜田はなかなか勉強家であり野心家でもあり、将来は独立を考えているということを話してくれた。

「心配性のこの人は、せっかくいい会社に入ったのにもったいないって、今から大反対なんですけどね」と、聡美をつついて笑う。私は、友野栄次郎氏が同じように肘《ひじ》の先で嫁の文子さんをつっついていたことを思い出した。

私もいつか、これから所帯を持とうという若いカップルの前で、菜穂子を肘でつつきながら、「これの若いときはね」などと言えるようになるだろうか。桃子と彼女の婚約者と夕食のテーブルを囲みながら、「私らの恋愛時代はねえ」と語れるようになるだろうか。

私と妻は仲のいい夫婦のはずなのに、どうして私は、何かというと、自分たちもゆくゆくこんなふうになれるだろうかと考えてしまうのだろう。私と菜穂子のあいだにある何が、私に疑問を抱かせるのだろう。

私も聡美と同じく小心なのだ。いつも後ろを振り返り、何かが追いかけてきはしないかと怯えているのだ。

それは何故だろう。

聡美は、過去が怖かったからだ。

私は、今の幸せが怖いからだ。

仲睦《むつ》まじい浜田と聡美を見ながらぼんやりとそんなことを思っていたら、浜田がテーブルの端に置いていた携帯電話が鳴り始めた。きれいな和音の着メロが流れる。

私はおやっと思った。どこかで聴いたことのあるメロディだ。そしてそういう自分の思考に、重ねておやおやっと思った。つい最近、これとよく似たことがあったような気がする。

誰かがこれと同じ着メロを使っていた——

浜田はあわてて携帯電話をつかむと、大急ぎで席を立った。あんまり急いだのでテーブルにぶつかり、グラスが揺れた。

「おっと、すみません」

謝りながら、浜田は走って店から出ていく。エッチングガラスのドア越しに、携帯電話を耳にあて、こちらに背を向けている彼の姿が見えた。

私は振り返り、聡美に微笑みかけた。「忙しそうですね」

聡美は私を見ていなかった。話しかけられたことにさえ気づいていないようだった。彼女は浜田を見つめていた。静止画のようだった。楽しい会話の名残りで口元は笑っていたが、それ以外は停まっていた。コンピュータにエラーが出たように。何かが、誰かが、彼女に対して間違った操作をしたかのように。

11

水曜日、私が出勤すると、シーナちゃんがもう来ていて、パソコンのモニターの前に座っていた。私の顔を見ると、嬉しそうに手招きした。

「見て見て見て」

梶田さんのチラシだった。シーナちゃんは私よりもはるかに有能なパソコン使いだ。見やすいレイアウトだ。事件のあらましと、情報を求める丁寧な呼びかけと、梶田さんの顔写真。連絡先には、タテカンにあった城東《じようとう》警察署の番号のほかに、私の携帯電話の番号も並べて記してある。

私が見入っていると、シーナちゃんは心配になったのか、

「見て見て見てる？」と訊いた。

「見て見て見てるよ。よくできてるね」私は心を込めて言った「ありがとう」

「今朝六時に来て仕上げたんですよ」

これで今度の土曜日に配ることができる。

グレスデンハイツ石川の管理室に電話して、許可をもらわなくてはならない。

その話をすると、シーナちゃんは手伝ってくれるという。

「そこまでやってもらっちゃ悪いよ」

私は梶田姉妹と三人で配ろうと思っていたのだ。彼女たちが無理なら、一人でもいい。言いだしっぺは私だし、配るだけなら大した手間ではないのだ。

「いいですよ。とうせヒマだもん。わたしチラシ配るの上手いですよ。バイトしてたことあるから。あれね、けっこうコツが要る。ご指南しますよ」

「それじゃお言葉に甘えて教えてもらおうかな」

「報酬は、ランチもう一回追加で手をうちます。じゃ、チラシの内容に、これで間違いはないですね？　コピー用に、一枚だけプリントアウトしておきますからね」

午前中は人と会ったり取材に出たりで、自分の椅子を暖めている間もなかった。一時ちょっと前に編集部に戻ってみると、シーナちゃんが他の同僚にチラシを見せていた。写真の位置をもう少し中央に寄せた方が目立つのではないかという話をしている。

「ちょっと、うるさい」

ダミ声がした。園田編集長である。姿が見えない。書籍と書類とゲラの山の向こうのどこかにいる。この編集部に存在する紙でできた物体すべての重量を合計すると、たぶん編集部員全員の体重の総計より重いのではないかと思う。

「すいません」

「何の話？」

「チラシです。ほら、杉村さんが頼まれてる件の。前にお話ししたでしょ」

作ってみたんです、ちゃんと勤務時間外にやりましたよと、シーナちゃんは抜かりなく断りを入れた。

園田編集長は、小型のテープレコーダーにくっつけたイアホンを耳からぶらさげて、憮然とした顔をのぞかせた。げっそりしている。

「何だって？　何のことよ」

「聞こえませんでした？」

「どうして編集長自らがテープ起こしなんかやらなくちゃならないのかって訊いてくれたの？」

「それはうちが手不足だからですよ。わたしを正社員にしてくださいません？」

「あたしに頼むのは筋違いよ。この人に頼みなさい」

編集長は手にした鉛筆の先で私を指した。「会長直属のお婿さんなんだから」

シーナちゃんは首を縮めると、私に囁《ささや》きかけた。「杉村さん、直属なんですか？」

「かつて、一瞬だけ」

「今は違うの？」

「〝氷の女王〟がハサミ持って飛んできたもんだから」

「ああ、遠山《とおやま》さん！　知ってます。怖いです。ミュール履いて出勤してきた秘書室の子に、会社で客引きする気かって言ったんですってよ。そんなもんはニューヨークじゃ売春婦の履物だって」

ミズ遠山なら不思議はない。

「言われた子はどうしたの？」

泣いて給湯室か洗面所に駆け込んだか。

「言い返したんですよ。あら遠山さん、その情報は古いですね。あのテロ以来、ニューヨークの女性たちはみんな安全靴を履いてますよって」

「そういうトピックこそ、我が『あおぞら』に載せるべきだな」

「わたし正社員になりたいから、遠慮しときます。ハサミ怖いし」

「だから何しゃべってるの？」

編集長はとことん不機嫌だ。私はシーナちゃんが梶田さんのチラシを作ってくれたことを説明した。

「シーナちゃんは、ちゃんと時間外にやったと言ったんです。コピーはコンビニでとってきます」

「だけど電気代はかかってるわ。備品も減価償却してるわけよ」

「なぜそんなにトゲトゲしてるんです？」

「その前に教えてくれない？　茨城《いばらき》弁て、なんでこんなにワケわかんないの？」

「誰のテープを起こしているんですか」

「佐藤《さとう》専務がこのあいだの商工会議所の記念式典でやった講演。広報が言ってきたの。有難いお説教だから、抄録を作って載せろって。二時間もしゃべってんのよ。冗談じゃないわよ」

ケッと言って、イアホンを引き抜くとテープを止め、煙草に火を点けた。

「佐藤専務は、興が乗るとお故郷《くに》なまりが出るんですよ。講演ではけっこうウケるんです。それに茨城弁じゃない。水戸弁です」

「知ってるの？」

「前にインタビューを採りました」

編集長は得たりと笑った。「じゃ、取引しようか。このテープ起こしをやってくれたら、そのチラシ、ここでコピーしていいわ。紙代もあたしが奢《おご》る」

「広報は、編集長じきじきにやれって言ってたんじゃないんですか」

「だからあたしがやったことにしときゃいいんでしょ？　黙ってりゃわかんないわよ」

会社生活を、いや人生を明るく乗り切るための金言である。梶田聡美に捧げたい。

私は取引を呑んだ。呑んでから締め切りを聞いて青くなった。金曜日の夕方までに、テープ起こし原稿と、そこからまとめた抄録の草稿を揃えて、佐藤専務に届けなくてはならないのだという。

「専務が週末にチェックするんだって。そこしか時間がとれないんだって」

それほどの急務だからこそ、編集長は昼飯抜きで頑張っていたわけだ。シーナちゃんが椅子から落ちそうになっている。「今日はもう水曜日ですよ。三日しかないよう。間に合わないですよ」

「間に合わせるのよ」

仕方がない。私は仕事に取りかかった。

「ああ嬉しい。あたしお昼を食べてくるからよろしくね〜」

園田編集長はインド綿のワンピースの裾をひるがえし、歌いながら出て行った。

その日は日付が変わるギリギリまで残業をした。帰り支度をして一階へ降りてゆくと、ちょうど店を閉めて帰ろうとしていた「睡蓮」のマスターとばったり会った。

「あれ、どうしたんですか」と驚かれた。「珍しいですね」

「珍しいんです」

「いつもは、杉村さんの出社と退社に合わせて時計を合わせられるくらいなのにね」

私は笑った。「今時の時計は、そんなにちょいちょい狂わないでしょうに」

「譬《たと》え話ですよ。昔はそういう人のこと、伝書鳩だってからかったもんだけど。まっしぐらに帰るってね。今の若い人には通じないやね。やんなっちゃうよ」

マスターのたたずまいはホテルマンの如く端正だが、しゃべると居酒屋の親父になる。

「今風に言うなら、電波時計ですかね。いつでも正確」

「ああ、そりゃいいね。遅刻しない、寄り道もしない。ぴったりですよ」

私たちは駅まで一緒に歩き、そこで別れた。マスターはどこかへ寄って行くつもりのようだった。私が伝書鳩男でなかったら、「ちょっと一杯やりませんか」と誘ってもらえたのかもしれない。

今多コンツェルンに来て以来、忘年会や歓送迎会などの行事のとき以外に、そんなふうに誰かに声をかけられることはなくなった。

グループ広報室を始めとする会社の同僚たちと、私はけっして疎遠なわけではない。仕事のことでは議論もするが、普段はいたって円滑に付き合っているつもりだ。

それでも、社が引けてから、一杯飲もうよと誘ってくれる仲間はいない。私の前では、誰も会社の愚痴を言えないからだ。それでは、サラリーマンが集って酒を飲む意味などないじゃないか。

グループ広報室はゲシュタポではないが、杉村三郎はゲシュタポだ。それは誤解ではあるけれど、不当な誤解ではない。

淋しいと思うときもある。自分で意識している以上に、私は孤独なのかもしれない。学生時代やあおぞら書房時代の友人たちとも、距離が遠くなる一方だ。

しかし、今夜のところはそれでよかった。疲れていた。

帰宅すると、菜穂子が夜食を用意して待っていてくれた。社員食堂で夕食をとっていたから空腹ではなかったけれど、やはり妻の手料理は嬉しい。伝書鳩にも電波時計にもなるだけの価値がある。

食事をつきながら、私は妻に聡美との話を報告した。

「聡美さんをさらったの、女の人だったの」

私と同じように、妻も驚いていた。

「それじゃわたしも取り越し苦労してたのね」

「ちょっとホッとしたかい」

「うん。でも聡美さんにとって怖い体験であったことは間違いないじゃない？　そんな女に閉じ込められて、脅されて」

「事情は依然としてはっきりしていないけどね。僕としては、それが現実に起こったことじゃなくて、子供のころの聡美さんが見た怖い夢だったという方が、まだ納得がいく気がするな」

「夢と現実をごっちゃにして記憶してるということ？　そんなのあり得るかしら」

妻はキッチンに立ち、ワインを持って戻ってきた。彼女がグラスを出しているあいだに、私が栓を抜いた。

「その女は、梶田さんにどんな恨みがあったのかしらね」

私に問いかけるというより、妻は自問自答しているようだ。

「そんなような小説を読んだことあるわ」

「ミステリーかな」

「ええ。不倫関係の男女の話なの。男の方は愛人に、必ず妻と別れて君と結婚するからって言ってる。でもなかなか踏み切らないの。愛人が焦《じ》れると、子供がいるからと言い訳するのよ」

「よくある話だ」

「そうらしいわね。幸い、わたしは経験したことないけど」

笑っている。けっこう怖い。

「僕は電波時計だから大丈夫だよ」

「それ何？」

「何でもない。で、それからどうなるの」

「結局、ゴタゴタ揉めた挙句《あげく》に、愛人は捨てられちゃうのね。それですっかり頭にきちゃって、男の子供を誘拐しちゃうの。一人でやるんじゃなくて、別のことで男に恨みを持ってる共犯者が手伝ってくれるんだけど」

その小説では子供は無事救出され、愛人と共犯者は逮捕される。子供の両親は夫婦の絆《きずな》を再確認する。

「ハッピーエンドだ」

「親がバカな真似をしたせいでひどい目に遭《あ》った子供にとってはね。でも、わたしその小説はあんまり好きじゃなかったわ。側杖《そばづえ》を食った子供はもちろんだけど、愛人も可哀想で。だって、ずっと口先だけで騙されて、いいようにされて、捨てられて、最後は犯罪者になってしまうわけでしょう」

私は考えていた。トモノ玩具には女性の従業員もいた。そのなかの誰かが梶田氏と親しくなり、梶田夫人にはわからないように関係を深めていたということはあり得るか。妻の言うその小説と同じように、二人の仲はこじれ、腹を立てたその女性が、仕返しに聡美をさらって閉じ込めてしまう――

娘の命の危機に、梶田氏は夫人にすべて打ち明ける。夫人は勇を鼓《こ》して単身女のところに乗り込み、囚《とら》われていた聡美を取り返す。

聡美をさらって閉じ込めた女は、ヒステリックな状態で、ときどき誰かと電話で話していたという。

聡美に向かって、あんたのお父さんが悪いんだと叫んだという。

聡美が家に帰り、ようやく再会することのできた父親は窶《やつ》れていたという。

そして梶田夫妻は、その後あわててトモノ玩具を離れた。

筋書きだけなら辻褄《つじつま》は合うようだ。

「もしもし?」

妻がテーブルに頬杖をつき、私の顔を見ていた。からかうような顔をしている。

「そんなに真剣に考え込まないで。今の話は小説のなかのことよ」

「うん。だけどあり得るかなと思った。勝手に想像するのは、梶田さんに申し訳ないけれどね」

「そうね。でも梶田さん、若いころにはモテたと思うわ。ハンサムだったもの」

私はそういうことを意識しなかった。これも男と女の差だろう。

「ああいう苦労人ぽい人って、若い女性には魅力のあるものだし――と、わかったようなことを言ってみました。わたしはゼンゼン存じませんのよ。耳学問です」

耳学問だけでいいと思う。

それからしばらく話しているうちに、桃子の〝どうして攻撃〟が、今夜はいよいよスプーンおばさんにまで及んだという話題になった。今夜はスプーンおばさんが子守を頼まれ、引き受けたとたんに小さくなってしまってさあ大変！ というお話を読んでやったのだそうだ。

「ねえお母さん、スプーンおばさんは、どうしていきなり小さくなっちゃうの、どうしてまた元通りになるのって訊くの」

「それは僕も訊かれた。最初に」

「何て答えたの？」

「〝どうしてもそうなっちゃうんだよ〟」

「桃子、それで納得した？」

「したよ」

「おかしいわ。わたしにはすっごく食い下がったのよ。そういうビョーキなの、桃ちゃんも小さくなったりするのって」

「それは語りの技術の差だな」

私が威張ってみせると、妻は本気で悔しがった。面白い。

「そういうものだって押し切るしかないよ。僕は『赤頭巾ちゃん』を読んでやったときにも経験済みだからね。お父さん、赤頭巾ちゃんはどうして一人で森へ行くの？　どうしてお父さんお母さんと一緒に行かないの？　桃ちゃんは一人でお出かけしちゃいけないでしょう。どうして赤頭巾ちゃんは一人でお出かけして叱られないの？」

そのときも私は、「どうしてか一人で出かけちゃうんだよね」と言い張ってごまかした。

「それでいいのかしら」

「いいのさ。だって正しい解答なんかないもの。どうしてかな、桃子はどうしてだと思うと訊き返すのもいいね」

「考えるきっかけになるから？　教育者っぽい発想ね」

「君だって本を読んでるときに、作者の設定に納得がいかなくて、どうしてどうしてと思うことはあるだろ？　そういうときどうする？」

妻はちょっと黙ってから、笑った。「この作者はいい加減なことを書いてるって思って、読むのをやめちゃう」

厳しい読書家だ。

食事のあと、ワインが残っている状態だったので、温《ぬる》い風呂に入った。半分眠りながら、『小さなスプーンおばさん』の作者アルフ・ブリョイセンは、幼い読者に「どうしてスプーンおばさんは小さくなったり大きくなったりするの」と尋ねられたとき、何と答えたのだろうと想像した。

そのうちにその問いかけが、梶田聡美の声になった。どうしてわたしは妹より十歳も年上なの？　どうしてわたしがお姉さんで、梨子が妹なの？　どうしてわたしは梨子みたいに可愛がってもらえないの？　どうして梨子はお父さんお母さんの〝いちばん星〟なのに、わたしはただの子供なの？

鼻先まで湯に浸《つ》かってしまい、あわてて目が覚めた。湯が冷めて、寒かった。

翌日も一日机にかじりついていたが、グレスデンハイツ石川の管理室長に電話することは忘れなかった。

今度の土曜日にチラシを配りたいということを話すと、久保管理室長は鼻声で応じた。

「管理組合の理事長には話しておきましたよ。そりゃ反対する理由はない、警察の捜査にも協力することになるんだからって」

「ありがとうございます。住人の方の出入りのお邪魔にならないように気をつけます」

管理人のなかに、梶田氏の顔に見覚えがあるという人がいたかどうか尋ねると、

「あー、それね。すみませんね。訊いてみたけど駄目だった。これだけの大所帯でしょ。私ら、住人の顔だって全部は知らないくらいだから、外から来たお客さんじゃね、よっ

ぽど印象に残らないと」

「そうですか……」

「この梶田さんて人が、うちの前で自転車に撥ねられて亡くなった人だってことさえ知らないのもいたからね。悪いですね。写真、返しましょうか」

「いえ、まだお持ちいただけますか。ひょっとしたらということもありますから、たとえば出入りの業者さんなんかにも、機会があったら見ていただけると有難いんです」

ああそうですかと応じる声は、少々あからさまに面倒くさそうだった。

シーナちゃんがコピーしてくれた二百枚のチラシは、ざっと梱包《こんぽう》して私の机の下に置いてある。当日、車で来て運び出すことにした。朝早くから騒いでは迷惑になるだろう。午後一時から始めることに決めた。

「敬老の日の祝日があるから、土曜日から三連休になるんですよ。杉村さん、初日をつぶしちゃうことになるけど、いいんですか」

「うちの奥さんは優しいから怒らない」

それどころか、菜穂子は、チラシ配りのことを聞くと、自分も手伝うと言ってくれた。

私はあわてて止めた。

「うわぁ、ホント優しい人なんですね、会長のお嬢さん。杉村さん、大事にしなくちゃ」

「してるしてる。日曜日と月曜日は、一泊で箱根に行く予定になってる」

「あーはいはい。ご馳走さまです。いいなあ、箱根温泉か。お金持ちはウラヤマシイです。貧乏学生は、東京で残暑とオトモダチしてますよ」

「シーナちゃんも玉の輿《こし》を目指せ」と、私は笑って言った。「お金持ち」とストレートに言われても、彼女の口調だと棘《とげ》や嫌味を感じない。

「難しいです。わたし逆三高だから」

「何だそりゃ」

「高身長、高学歴。どっちも男をビビらせます。特に王子様は寄ってきません。おまえなんか自力で人生渡れンだろ、頑張ってねーと言われておしまいです」

「昨今はそうでもないと思うけどね」

「いーえ、ニッポンの男はまだまだ保守的です。だからわたし、ホントの逆三高になりたいです。目指せ高所得。正社員の件、ヨロシクどうぞ」

梶田姉妹にも報《しら》せようと思っていると、タイミングよく梨子から電話がかかってきた。警察の捜査担当者と、ようやく連絡がとれたのだという。

「あんまり捕まらないんで、逃げてるのかと思ったって言ってやりました」

犯人ではない。担当刑事がだ。

「ぼそぼそ言い訳してたけど、要するにあんまり進展がないみたい。こういうことは慎重にやらないとならないんですよって、何を慎重にするんでしょうね。人殺しを捕まえるのに」

土曜日の計画を話すと、彼女はもちろん手伝うと気負いこんだ。

「チラシね。本を書くことで頭がいっぱいで、そういうことは考えてもみなかった。その手はありましたね。ありがとう！」

梨子がチラシを配っているところを写真に撮り、本に載せてはどうかと私は提案した。彼女はそれも喜んだ。

「カメラ持って行きます」

「お姉さんはどうでしょうね？　訊いてみていただけますか」

梨子は私が言い終えないうちに、言下に「ダメダメ」と遮《さえぎ》った。

「今度の土曜日は、式場の担当者と打ち合わせがあるって言ってましたから。遅れ遅れになってるんで、あわててるんです」

「ああ、ご結婚の方、予定通りに進めることになったんですね」

聡美と浜田に会ったことは梨子には内緒だ。初耳のようなふりをしなくてはならない。

「何かそうみたいですよ。わたしはよく知りません。向こうの親と相談してるみたい」

あなたのお姉さんのことなんだから、あんまり怒らないであげてくださいと言いかけて、やめた。今はただただ父親のために一生懸命やるんだという梨子の気持ちも汲《く》んでやらなくては不公平だろう。

「準備したきゃすりゃいいんですよ。どうなったって知らないから」

ずいぶん尖ったことを言う。私は宥《なだ》めた。

「まあまあ。でも我々がチラシを配るということだけはお報せしないとね」

「それじゃわたしから話しておきます。でも、無理に来なくていいって言います。式場の打ち合わせには、向こうのお母さんも一緒に来るんですって。まだ衣装も決めてないし、ついでに二次会に使うレストランも下見するとかって。前から予定してて、楽しみにしてるみたいだから」

「お願いします」

浜田は親しげに「梨子ちゃん」と呼んでいたのに、梨子の方は姉の婚約者を指して、しきりと「向こう」という呼び方をする。「お義兄《にい》さん」というのはまだ早いにしても、やや冷たい感じだ。浜田氏が早々と兄さん風を吹かすものだから、梨子としては煙たいのだろうか。

「ところで、原稿の進み具合はどうです？」

梨子の声がやわらいだ。「文章書くって、面白いですね」

「面白くなってきましたか。それはいい」

「書きながら、父のことも母のことも、いろいろ思い出します。楽しかったこと思い出すと、涙が出ちゃったりします。だから、一度にあんまりたくさん書けなくって」

上辺《うわべ》だけの言葉ではなかった。梨子は母を失い、父を失い、本当に淋しいのだ。まだまだお父さんお母さんの娘でいたかったのだ。

「仲良しのご家族だったんでしょう？　会長から少し聞きました」

「そんなの、何か恥ずかしいけど。わたし甘やかされてるって、友達にもよく言われたし。そんなに親にべたべたくっついてるのなんて、ヘンだって」

「あなたはお父さんとお母さんの〝いちばん星〟だったって、お姉さんが言っておられました」

「いちばん星？　姉がそんなこと言ったんですか」

聡美と二人で話したときに聞いたことだ。まずかったかな。が、梨子が気づいた様子はなかった。

「ふうん。お姉ちゃんがねえ。わたしはいつも、両親が姉ばっかり頼りにするんでひがんでたんだけど。わたしはいっつも子供扱いされて」

「それぞれ相手の方が良く見えたわけだ」

「そうなのかなぁ」

けっこう真剣にいぶかっている口調だった。

梨子は梶田氏の生まれ故郷、水津《みず》村について調べていて、面白いことを見つけたと教えてくれた。

「今は水津町になってるんですけどね。そこの町役場――昔の村役場の建物が、今では珍しい工法で建てられているんですって。金属を使ってないの。木材を組み合わせて、楔《くさび》と、木の釘でとめてあるんです」

すでに役場としては使われていないが、県の保護指定を受け、建物は残されていて、一般公開されているのだという。

「せっかくだから、そこへ行って写真撮ってこようと思ってるんです。父の出生届けが出された役場でしょ？」

役場のホームページもあるんだと、梨子がアドレスを教えてくれた。電話を切ってから調べてみると、確かにあった。建物の全景の写真が掲載され、その由来や建築方法について詳しく書いた文章が添えられている。内部は水津町の記念館になっているそうだ。

梶田氏の本ができあがったら、菜穂子と桃子と一緒に、ドライブがてらに見に行くのも悪くない。水津の名産物だという織物や草木染め、菓子などをチェックして、私はしばらく楽しんだ。それから鉢巻きを締め直して仕事に戻った。

12

土曜日は好天に恵まれた。抜けるような青空だった。真夏の暑さもまだ健在だったが、吹き抜ける風は乾いていて心地よい。汗を拭《ふ》き拭き、シーナちゃんが太陽を見上げて目を細める。

「まさしく、神様が真面目なチラシ配りビトのために用意してくださったようなお天気ですね！」

シーナちゃんと梨子は、年齢が近いこともあって、すぐ打ち解けたようだ。シーナちゃんは、私が最初に梨子に紹介したとき、姿勢を正して大人びた悔やみの言葉を述べた。それがあまりにもちゃんとしていたので、梨子の方は面食らったようだった。

そのあと、シーナちゃんが背中を向けている隙に、すっとわたしのそばに寄ってきて、「椎名さんて、杉村さんのガールフレンドですか」と、ニヤニヤしながら訊いた。

「とんでもない。職場の同僚だよ。というか部下だね」

「ふうん。そうなんだ」

シーナちゃんの指導よろしきを得て、私たちは、初めてにしてはきわめて手際よく、大勢の人たちにチラシを渡すことに成功した。グレスデンハイツ石川の住人だけではなく、前を通りかかる人たちも、足を止めてチラシを受け取ってくれる。あらためてタテカンを見てくれる人もいる。

一方、ごくごく少数だが、チラシを差し出す手を撥《は》ね除《の》けるようにして通り過ぎる人もいるし、こちらを見てさえくれない人もいる。

柄の悪い中年男にわざとらしく押しのけられて、梨子がムッとした顔をすると、「いちいち気にしちゃいけません」と、シーナちゃんは宥《なだ》めた。「いろんな人がいます」

管理組合の好意で、玄関ホールやエレベータホールにもチラシを貼ることができるようになったので、手渡しできなかった住人たちにも、そこで見てもらえるだろう。

聡美は結局来られなかった。それでなくても梶田氏の急死で準備が遅れているところだから——という。浜田氏の母親も、事情を知ればそちらを優先しなさいと言ってくれそうなものだが、そうなればなったで聡美はまた気を遣うことになる。

「すごく気にしてたから、そういうの悪い癖だって言っておきました。だからこのことは、もう知らん顔しといてあげてください。お姉ちゃんのことだから、杉村さんにもしつこく謝ろうとするかもしれないけど」

私が勝手に立てた計画なのだからまったくかまわないが、電話一本かけてこないのは聡美らしくない。

あるいは、梨子は姉さんに今日のことを伝えなかったのかもしれないと思った。聡美の方はそうでもないが、梨子の意固地《いこじ》さは募《つの》る一方のようだから、大いにあり得ることだ。忙しさにまぎれて、聡美に直接電話しなかったことを、私はちらりと後悔した。

チラシは予想以上のスピードではけていった。よろしくお願いしますと連呼し、頭をぺこぺこ下げているので、声も嗄《か》れるし汗もかく。

小一時間経ったころ、久保管理室長に声をかけられた。ゴルフウエアらしいポロシャツにスラックス姿の、小柄な中年男性が一緒にいた。

「管理組合理事長の工藤《くどう》さんです」

わざわざ様子を見に来てくれたのだ。しばしチラシ配りをシーナちゃんだけに任せて、梨子と私は理事長に挨拶し、歩道の端に寄って立ち話をした。

「これで成果があがるといいですね。警察も忙しいから――いや、そんなことじゃ困るんだけども、なかなかひとつの事件に専念してくれないでしょうからね」

短いあいだに、工藤理事長の額には汗が浮いてきた。短く刈り込んだ髪に混じる白髪が、陽光に光っている。

「久保さんに伺ったんですが、ここでは以前にも自転車と歩行者の接触事故があったそうですね」

「ええ、あのときも大変でした。いくらうちで注意を呼びかけても、住人だけの問題じゃありませんからね」

自転車の盗難も多くて困っているんだという。出入口と駐輪場に監視カメラをつけようという議題が、次の理事会でもう一度提議されるそうだ。

「なかなか意見の統一がむずかし――危ない！」

大声で叫び、工藤理事長が横っ飛びに飛んだ。私はとっさに振り向きかけた。次の瞬間、右の脇腹に衝撃を感じた。私はよじれるような姿勢で前方に転び、歩道から車道に飛び出した。

「杉村さん！」梨子が悲鳴をあげる。

反射的に両手をついたので、まともに道路に叩きつけられることはなかった。それでも膝を打ち、肩を打ち、顎と左頬がアスファルトにしたたか擦《こす》りつけられた。

何が起こったのかわからなかった。しゃにむに起き上がろうとして、脇腹から背中にかけて激痛が走った。途端に腕からも足からも力が抜けてしまった。声も出ず息もできない。

工藤理事長と久保管理室長が駆けつけてきて、私を引き起こし、車道から歩道に戻してくれた。すぐ目と鼻の先を車のバンパーが横切っていった。タイヤの匂いと油臭い風が頬を撫でた。

誰かが大声で叫んでいる。私は全身が内側からうわんうわんと唸っているような気がして、その声を聞き取れない。まだ息ができない。深呼吸をしようとすると背中が硬直する。

「すみません、すみません！　大丈夫ですか？」

私は歩道に座り込み、足を投げ出していた。視界の隅に自転車の車輪が見えた。大きな声もそちらから聞こえてくる。

「避《よ》けられると思ったんです」

若い男の声だった。動転してキーが外れている。

「人が立ってるところに突っ込んでくるなんて！」

怒鳴るような声は久保さんだ。

「だから通り抜けられると思ったんだけど」

どうやら後ろから自転車にぶつけられたらしい。私の斜め前に立っていた工藤理事長は、走ってくる自転車に気づいて、危ないと声をあげたのだ。

「杉村さん、動いちゃ駄目ですよ。大丈夫ですか、わたしの顔、見えますか」

シーナちゃんがそばにしゃがんでいた。梨子もいる。見開いた目が黒目ばっかりになっている。

「救急車呼ばなくちゃ！」

大丈夫、大丈夫、それほどのことはないと私は言った。言ったつもりだった。だが声になっていないらしい。シーナちゃんがウエストポーチから携帯電話を取り出し、かけている。私は手を動かし、そんなことはしなくていいと、動作で示そうとした。腕があがらない。頭が痛い。頭は打ってないのに。

「あのまま車に撥ねられていたら大変なことになってた」

「本当にすみません」

自転車の若い男性は平謝りに謝っている。私のすぐそばにいるのだが、顔がぼけてしまって表情がわからない。ただ真っ白な細長い風船みたいに見える。

私にぶつかった自転車は横倒しになっている。後部の荷台に、ダンボール箱がくくりつけられている。だんだんに瞳の焦点が合ってきて、箱の横っ腹に印刷されている文字が読めるようになってきた。天然水。ミネラルウォーターのペットボトルの箱詰めだ。自転車の重さと乗り手の体重と、この荷物。合計した重量が加速しながら私にぶつかったわけだ。

目が回る。

でも大丈夫だよ救急車は要らないよ——と言おうとして口をパクパクさせているうちに、ピーポピーポとサイレンが近づいてきてしまった。

幸い、大事《だいじ》にはいたらなかった。

骨折はなし。打ち身だけ。頭を打っていないので意識も正常。額と頬と顎の擦り傷は、黄色い消毒薬を塗ってもらっただけで済んでしまった。

グレスデンハイツ石川から救急車に乗って、五分も走らなかったと思う。大きな総合病院だ。設備も整っている。

「本当に入院しなくていいんですか?」

救急処置室の一角、私はストレッチャーに寝かされていた。その脇にスツールを並べ、シーナちゃんと梨子が座っている。シーナちゃんは変わりないが、梨子の顔色はまだ灰色だ。

「大丈夫だよ。医者にも帰っていいって言われた」

正確には、ベッドが空いていないので、入院するなら他の病院に照会をかけないとならないがどうするかと訊かれたのだ。私はそうした方がいいかと訊き返した。医師は、ほとんど心配ないと思うと答えた。その「ほとんど」のパーセンテージがどのくらいかはわからないが、私はそれでよしとした。病院は嫌いだ。

「家には報せてないよね?」と、私はシーナちゃんに訊いた。

「報せてません。ホントなら報せるべきなんだけど」

「うちの場合は例外なんだ」

「杉村さん、運ばれてるときからそればっかり言ってましたよ。こんなことで驚かせたら、奥さんの方がひっくり返っちゃうって」

そして梨子に、杉村さんの奥さん、心臓が弱いんですよと説明を足した。

「うん、知ってる」

まだ頬を強張《こわば》らせたまま、梨子がうなずいた。もう十年来の友達に対するような態度だ。そういえば、応急処置を終えた私のところへ来たとき、梨子はシーナちゃんの腕にすがりついていた。

「怖い思いをさせちゃってすみませんでした」私は梨子に謝った。「ビックリしたでしょう」

「そんなのいいんです。謝るのはわたしの方だもの。ごめんなさい」

「違いますよ。それは違います」

私のせいでもないが、梨子のせいでもない。「あの自転車の人は？」

「今、待合室でお巡りさんに事情を聞かれてますよ。めっちゃ叱られてます」

工藤理事長が立ち会ってくれているそうだ。

「お巡りさん、杉村さんにも、後で事情を聞きたいそうです」

「そうだろうね」

「これ、事件でしょ？　父のときと同じだもの」

怒りと不安をない交《ま》ぜに、梨子が呟く。

「あの自転車の人、逮捕されるんでしょ」

「どうかなぁ。杉村さん次第だと思うけど」

私は事を荒立てるつもりはなかった。幸い命に別状はない。怪我も軽かった。

それより、梨子の目の前で、梶田氏の死を思い起こさせるような羽目になってしまったことの方が申し訳ない。このうえ事をこじらせては、梨子が気の毒だ。

「チラシ、どうした？」

「管理室に預けてきました。もうあらかたまいてたし、残りは久保さんて室長さんがやってくれるって」

理事長にも久保管理室長にも世話になりっぱなしだ。それも面目ない。

痛み止めのせいか、私はぼうっとしたまま巡査の事情聴取を受けた。自転車はまともに私の背中に衝突したのではなく、相手も必死で避けようとしていたので、右側をかするようにして通り過ぎたらしい。おかげで打ち身はできたが、背骨もあばら骨も折れずに済んだわけである。私が車道に飛び出してしまったのも、撥ね飛ばされたのではなく、瞬間的に避けようとして避けきれず、バランスを崩したせいだったようだ。

自転車の男性は半ベソをかいていた。私は、これまでの人生で聞いた分を全部合わせたよりも多くの「すみません」と「ごめんなさい」を聞いた。確かに痛い思いはしたが軽傷で済んだし、警察の手を煩《わずら》わせるつもりはないと言うと、彼は半分を超えて八割ベソになった。今後のことはあらためて相談するということで彼が帰宅を許されると、私も安堵した。

「杉村さん、何かお人好しですね」

シーナちゃんは少し不服のようである。

「立ち話に夢中になってた方も悪いんだ」

「ンなことないわ。歩道にいたんだもん」

「自転車だって歩道を走っていいんだよ」

「もしかしたら、車に撥ねられていたかもしれないんですよ」

「撥ねられなかったからいいじゃないか」

「それは久保さんと工藤さんのおかげですよ。杉村さんが転がっているところに車が近づいてくるのは見えてたのに、わたし動けなかったんです。足が突っ張っちゃって」

シーナちゃんのバレーボールで鍛えた筋肉も硬直してしまったわけだ。

梨子はしょげ返っている。あの場所は呪われているんじゃないかしらなどと言い出した。私はシーナちゃんに、彼女を家まで送ってくれるように頼んだ。

「杉村さんはどうするんです？」

「タクシーで帰るよ。一人で大丈夫だから」

「車は？」

そうだった。グレスデンハイツ石川の近くの、コインパーキングに入れたままだ。

「明日にでも取りに来るよ。路上駐車じゃないから心配ない」

渋る二人を説得して、救急処置室から追い出した。入れ違いに工藤理事長が入ってきた。ずっといてくれたようだ。成り行きとはいえ、ここにも面倒見のいい人がいる。硬い表情だったが、さすがに世慣れていて、シーナちゃんや梨子よりはずっと落ち着いている。

「えらい目に遭いましたな」

「とんでもないことでお世話をおかけして申し訳ありません」

「まあ、大難が小難で済んだようでよかったけれど」

工藤理事長は医師からも話を聞いてくれたそうだ。痛みがとれるまでは安静にした方がいい、ちょっとでも変だと思ったらすぐ再検査を受けなさいと、生徒に説教する教師のような口調になって言った。

「打ち身といったって、後遺症が出るかもしれないから、油断できないよ。示談にするそうですけど、そのへんもしっかり押さえて念書とっておいた方がいいね」

ハプニングのせいか、私たちも急速に距離が縮まったような気がした。工藤理事長は、私が着替えるのを手伝ってくれた。

「梶田さんでしたっけ、あのお嬢さんは大丈夫かな。さっき廊下で会ったとき、目が真っ赤だった」

私の前ではこらえていたのだろう。

「お父さんのことを思い出させてしまいました」

「あなたの責任じゃない。しょうがないですよ。目の前で人が怪我するなんて、それだけでも恐ろしいことだし」

そういえば――と、理事長の目が焦点を結んだ。

「梶田さんが亡くなったときも、救急車の音を聞いて集まってきたうちの住人たちのなかに、気分が悪くなって倒れちゃった女の人がいたんだよ。救急車がもう一台要るかと思った」

「病院へ運んだんですか」

「いや、何とか立ち上がって家に帰っていったから。若い人じゃなかったけど、顔色なんか、血抜きしたみたいに真っ白になっちゃってたね」

気になる話だ。もしかして、梶田氏の知り合いだろうか。

「梶田さんのことを知っているようでしたか？」

「いいや、野次馬ですよ。でもあのときは、梶田さんはもう壊れた人形みたいに手足を投げ出して倒れてたしね、歩道に血も流れてたから、ショックだったんでしょう」

それだけのことか。私はもっと集中して考えてみようと試みたが、さすがに無理のようだった。頭が働かない。かろうじて尋ねた。

「工藤さんは、その女性をご存知ですか」

理事長はかぶりを振った。「いやいや。管理組合の理事なんかやってても、住人全員の顔を覚えてるわけじゃないですからね。名前さえ知らない人の方が圧倒的に多いですよ。ところで、靴はどこです？」

腰かけたまま誰かに靴を履かせてもらうなんて、幼稚園のころ以来の経験だった。

私は笑顔を見せた。ちゃんと自分の足で立っているところも見せた。タクシー料金だって、間違えずに払えたのだ。それでも、私が何があったか説明する前に、隠しようもなく怪我人然とした姿に、菜穂子は取り乱して泣き出した。泣きながら私の世話をしようとするので、私ももらい泣きしそうになった。両親が抱き合って泣いたり泣きそうになったりしてるので、事情がわからないままに、桃子も泣き出した。

桃子が泣きじゃくっているのを見ると、菜穂子はにわかにしゃんとした。てきぱきと私を寝かしつけ、病院でくれた薬を調べ、湿布《しっぷ》を替えてくれた。

「桃ちゃん、お父さんは大丈夫よ。だからもう泣かないでね」

怪我がよくなったら、一泊なんていわず一週間でも十日でも家族で旅行しようと、私は心に決めた。

その夜は、桃子も菜穂子のベッドに入り、親子三人で川の字になって寝た。私は上掛けの下で桃子と手をつないだ。おかげで夢も見ず、傷の痛みに起こされることもなく、ぐっすりと眠った。

13

　連休が明けて出社すると、私の顔を見た園田編集長が開口一番、

「親父狩りに遭ったの？」と訊いた。

　痛みはだいぶおさまり、腫れも引いてきた。ただ、擦り傷や打ち身は、治りかけてきたころの方が目立つようになる。特に顔には顕著に現れる。

　私は事情を説明した。編集長は笑わなかったが、笑いたそうな顔をした。

「呪われた場所ね」

「梶田さんのお嬢さんもそう言っていました」

「人間工学的に、何かしら問題のある設計になってるんじゃないの、そのマンションの出入口」

「かもしれません」

「痛い思いをしただけの収穫があるといいわね。梶田さんの娘さんたちも、気に病んで

るんじゃないの？」

お祭しのとおりで、祝日の昨日、梶田姉妹が連れ立って、私の自宅まで見舞いに来てくれた。聡美らしい気配りで事前に電話をくれたので、もう大丈夫だからわざわざ来ていただくには及ばないと言ったのだが、何と我が家の目の前から電話しているという。姉妹が揃っているところを見るのは、最初に「睡蓮」で会ったとき以来のことだ。そうして肩を並べていると、二人が仲たがいしているようには見えない。実際、梨子の姉に対するとげとげしい態度はだいぶ緩和されているようだった。元気も取り戻したようだ。

一方の聡美は、先日会ったときにはずいぶん気持ちが持ち直していたようなのに、また萎《しお》れてしまっていた。私が怪我をしたことが、自分の責任であるかのように謝る。

「本来ならわたしと梨子でやるべきことを代わりにやっていただいた上に、こんなことになってしまって……。奥様にも本当に申し訳ございません」

あなたのせいではないと、救急病院で梨子に言ったのと同じことを、私は繰り返すしかなかった。

菜穂子は機転をきかせ、桃子をリビングに連れてきた。はい桃ちゃん、お客様に上手にご挨拶できますか、こんにちは、まあ可愛い、何歳ですか——などとやっているうちに、ようやく話題が逸れた。

「いいタイミングだった」と、私はキッチンでこっそり妻を褒めた。

「子役は強いでしょ。特にうちの子の演技力は折り紙つきよ。ご褒美《ほうび》に、アイスクリームをあげてもいい？」

座がほぐれてくると、今度は梨子の独壇場となった。我が家の家具や調度を褒めちぎり、素敵なお家《うち》だと目を輝かせる。菜穂子はどんな大げさなことを言われても、おっとりと笑っている。あれは何、これはどこのと訊かれると、丁寧に答える。

「ところで、よくここがわかりましたね？」

と、私は訊いた。自宅の住所を教えた覚えがなかったからだ。

「父から聞いていましたから。会長先生を乗せて、こちらへお送りしたことがあったそうですよね？」

義父がここを訪ねるのは珍しいことではあるが、確かに何度かある。

「名称さえ知っていれば、場所なんて探すまでもない超有名なマンションですもの。いいなあ、ホント羨ましいです。わたしたち庶民には手の届かない場所だから、いっぺんでもなかに入ることができて感激です」

盛んにため息をついては感嘆していた。聡美も、そんな妹をうるさく注意することはなかった。ただ、二人が持ってきてくれた花束を菜穂子がクリスタルの花瓶に活けて飾ったのを見て、梨子が、

「あーあ、だから言ったじゃないお姉ちゃん。もっと立派な花束にすればよかった。こんな貧弱なのじゃ、花瓶に申し訳ないわ。これ、バカラですよね？」と言ったときには、

さすがにたしなめた。

「おやめなさい。さっきからもう、一人ではしゃいじゃって、子供みたいよ」

それでも梨子はおさまらず、やがて、リビングボードの上に飾ってある私たちの結婚写真に目をとめて、またひと騒ぎをした。

「杉村さん、緊張してカチンコチンになってるわ。奥様、素敵ですねえ。すごいウエディングドレス！」

それをしおに、どうしても黙りがちになる聡美の方へ話を向けようと、菜穂子が彼女の結婚のことを話題にした。上手い、上手い。

「婚約者の方に、先日紹介していただいた。お似合いのカップルなんだ。美男美女だよ」

私がわざとひやかすと、聡美は素直に頰を染めた。

「おめでとうございます。準備が大変だと思いますけど、でもやっぱり楽しいものですよね。わたしも、もう一度やりたいわ」

そんなことを考えていたのか。

「そうだわ、奥様、チャンスがないわけじゃありませんよねー」と、梨子が私をからかった。「結婚は人生に一度きりじゃないもの」

「おいおい」

「そうじゃないのよ。結婚式だけもう一度やりたいって意味」と、菜穂子は笑った。

「今度は打掛けも着てみたいわ。白無垢《しろむく》で、綿帽子をかぶるのもいいわ」

「奥様はウエディングドレスをお召しになったんですか」

「はい。文金高島田のかつらをつけるのが嫌だったんです。重くて頭が痛くなるという話を聞いていたものですから。でも、今となってみると、ちょっと残念」

聡美は神前結婚式なので和装を選び、披露宴でカクテルドレスを着ることにしたという。

「お仲人《なこうど》さんは」

「いないんです。式場の係の人の話でも、最近は、仲人を立てるカップルは、十組に一組いるかいないかという程度だそうです」

形式よさらば、というところだろう。

「そうなんですか……。ねえあなた、それじゃわたしたちも時代を先取りしていたのね」

我々にも仲人はいなかった。私の方は、両親でさえ出席するかどうか危ないところだった。それは時代の風潮を先読みしたわけではなく、あくまで個人の事情だが。

「これから忙しいでしょう。わたしなんかでも何かお役に立てることがあったら、遠慮なくおっしゃってくださいね。お手伝いします」

菜穂子の言葉に、聡美は身体全体で恐縮した。「と、とんでもない。お嬢様にそんな」

「梶田さんには、父が本当にお世話になったんですもの」

そのとき、我々のやりとりから離れ、窓から外を眺めたり、リビングのなかを見物したりしていた梨子の携帯電話が鳴り出した。ソファに置いた彼女のバッグのなかから、呼び出し音が聞こえる。

梨子は振り向いて、急ぐ様子もなく、ああすみませんと言った。呼び出し音は二度鳴っただけでやんだ。

「メールですから、放っておいても大丈夫なんです」

「わかるんですか？」

「わかりますよ。着信音で」

なるほど、今の着信音は、以前「睡蓮」で彼女の携帯が鳴ったときのメロディとは違っていた。プルプルという普通の電子音だ。

「着信音って、変えられるのかい？」

私が菜穂子に尋ねると、妻だけでなく、女性三人が顔を見合わせて笑い出した。

「変えられるわ」

「好きな音が選べるんですよ」

「杉村さん、知らなかったの？」

女性陣の攻勢に、私はあわてた。「知ってるよ。それぐらいは知ってる。だけど、メールと通話で着信音を分けられるなんてのは、聞いたこともなかった」

女性たちはまた笑う。

「というか、今出回ってる機種なら、通話相手ごとにひとつずつ別々の着信音を設定することができるのよ。あなたのケイタイだってそうよ。古い方のタイプだとできなかったけど、今度のは最新型だから。取扱説明書を読んでみた？」

面倒なのでざっと目を通しただけだった。

「登録すればいいんだから、簡単よ」

「それはつまり、たとえば僕の携帯で、家からかかってきたときには『そっくりハウス』が鳴るようにすることができるってことかい？」

谷山浩子《たにやまひろこ》の歌う「そっくりハウス」は、今テレビで放映されている「みんなの歌」のなかで、桃子がいちばん好きな曲だ。

「そうそう」

「だから着信音だけで、誰からかかってきた電話なのかわかるんですよ」聡美は言って、思い出し笑いをした。「浜田さんは、上司からかかってきたときには『スターウォーズ』の〝ダースベイダーのテーマ〟が鳴るようにしていたことがあります」

浜田さんは聡美さんの婚約者のことだよと、私は妻に説明した。

「うちの父も、秘書室の誰かにそういうことをされているかもしれないわね」

「案外、逆だったりしてな」私は、〝氷の女王〟の顔を思い浮かべた。義父がダースベイダーのテーマを聞き、あわてて電話に出る様も。

「梶田さんからかかってきた電話には、『車屋さん』が鳴るようにしてあったかも」

聡美はきょとんとしていた。梨子からそのエピソードを聞いていなかったらしい。私は遊楽倶楽部の木内さんから聞いたことを話して聞かせた。当の梨子の方は知らん顔で、また私と菜穂子の結婚写真を、今度は手に取って見入っていた。

「そんなことがあったんですか」

しみじみと噛み締めるように、聡美は喜んでいた。父は本当に幸せ者でした——

「ふうん。まあ良かったじゃないの」

朝のコーヒーを飲みながら、園田編集長はおおまかなリアクションを寄越した。まだ眠そうである。

「そうすると、結婚式も予定どおりなんだ」

「ええ、忙しく準備してるようですよ」

「幸せなら手を叩こう、だわね」

「世界は二人のために」と言いたかったのだろうと、私は推察した。

連休明けで、火曜、水曜と仕事がたてこんだ。打ち身の身には、少々こたえた。かえって心配をかけてもいけない、顔の痣《あざ》や傷がもうちょっと目立たなくなってからにしようという言い訳をし、木曜日の夕方になって、私はようやくグレスデンハイツ石川の管理室を訪ねた。梶田聡美に倣《なら》い、ちゃんと菓子折をさげて行った。

久保室長は、残ったチラシをさばくくらい何の手間でもなかった、それよりお宅さん

が大した怪我でなくてよかったと喜んでくれてから、

「湿布、匂いますよ」と、鼻にしわを寄せて教えてくれた。

「工藤理事長のところにもお礼に伺いたいんですが、何号室にお住まいなんでしょう」

「八一〇ですよ。奥さんがいると思うけど、本人はまだ帰ってないかもしれないな。工藤さんは税理士さんでね。事務所を他所《よそ》に持ってるんです」

「お忙しいんでしょうね」

「そりゃもうね。だけど理事長を、もう何期務めてるのかな。いい人ですよ。実務家だしまめだしね。ああいう人が一人でもいてくれると、管理組合がしっかりするから、ほかの入居者は楽だよね。ところで、チラシまいて何か反応がありましたか？」

今のところはまだ何もなかった。

「そう。うちでも心がけておきますよ」

エントランスホールの掲示板にも、エレベータホールの掲示板にも、シーナちゃん謹製のチラシが貼ってあった。

八一〇号室を訪ねると、久保室長の予想通り、工藤夫人が出てきた。夕食の支度をしているところだったらしくエプロンがけで、炒め物の匂いが玄関まで漂ってきた。私は丁寧にしかし手短に礼を述べ、菓子折を出して受け取ってもらった。

「早く犯人がつかまるといいですね」

工藤夫人に励まされて、グレスデンハイツ石川を出た。

根強い残暑もやわらいで、夕風は肌寒いほどだった。私はタテカンのそばにしばし佇《たたず》み、自分が自転車にぶつけられた場所にも立ってみて、それから何となく石川橋へと足を向けた。今日も角の家のお婆さんは、窓から外を眺めているだろうか。

橋の上までのぼると、いつものあの窓は閉まっていて、お婆さんの姿が見えないことに気がついた。その代わりエプロンさん――お婆さんの娘か嫁であろう角の家の主婦が、道路に面した二階の窓辺で洗濯物を取り込んでいるのが見えた。もう日は暮れている。忘れていたのだろう。あやうく夜干《よぼ》しになるところだ。

もともと目的があったわけではないから、お婆さんがいないならと、回れ右するのもおかしな感じだ。橋の上で景色を眺めていると、二階の窓辺にいるエプロンさんと目が合った。

距離があるが、私は会釈をした。エプロンさんも会釈を返してくれた。洗濯物を抱えて窓の内側に引っ込む。

そしてすぐに、角の家の玄関を開けて出てきた。明らかに私に用があるようだった。

私は急いで橋を下った。陽の落ちた町筋に、街灯の明かりの下で、エプロンさんの髪が茶色に浮き上がって見える。

「こんばんは」

エプロンさんはちらっと周囲を見ると――道の反対側を、背広姿の男性が、グレスデンハイツ石川の方に向って歩いてゆく他は、誰もいない――小走りに近づいてきた。

「このあいだ、あのマンションの前でチラシまいてたっていうのは、あなたですか。お盆に起きた事件のこと、調べてるって言ってましたもんね」

「はい、そうです」

「自転車に撥ねられたんですって？　救急車が来る騒ぎだったって」

私は苦笑いしながら事情を話した。エプロンさんは笑わない。

「うちの子の友達がチラシもらってましてね。今度は、目撃者探してチラシまいていた人が自転車に撥ねられたってことも聞いてきて」

エプロンさんの子供は中学一年生だという。

「学区が広いんで、このへんの子供らは、公立だったらみんな同じ中学通ってますから。三中ね。この道の先にあるんだけど」

と、後ろの方を大雑把《おおざっぱ》に指し示す。

「うちの子の友達には、あのマンションに住んでる子もいるんです」

だから情報がすぐ伝わったのだろう。

「あの……それでね」

エプロンさんは言いにくそうにもじもじした。今夜はエプロンをかけておらず、地味な色目のサマーセーターにジーンズだ。サンダルをつっかけた足先がそわそわする。

「なんだか三中で、噂になってるらしいんですよ」

「チラシのことがですか」

「そうだけど……というかねえ、その、八月の事件でね、男の人を撥ねちゃった生徒のことが」

私は目を瞠った。エプロンさんはうなずく。こんなことに関わっていいのかどうか迷ってしまうが、黙っているのも気持ちが悪い。複雑な感情が、落ち着きのないそぶりに現れている。

エプロンさんは「撥ねちゃった子供」ではなく、「撥ねちゃった生徒」と言った。

「その子は、三中の生徒なんですか」

「みたいなんですよ。いえ、事件が起こったばかりのころから、あれは夏休み中だったけど、子供らは塾とか行きますからね、部活もあるしね、だから、知ってる子は知ってたみたいなのね。わたしもうちの子から聞いただけだから、詳しいわけじゃないですけど」

噂は以前からあったのだという。

「こういう町じゃね。まだまだご近所付き合いもあるし、学校だってホラ、子供同士の付き合いがあるでしょう。ましてや人が死んでる事件ですしね、様子が変だったりすれば、隠しきれるもんじゃありませんよ」

早口に、それこそ告げ口を恥じているみたいに、追いかけてくるものから逃げるような勢いで、エプロンさんは一気に言った。

「だけど——やっぱり何ていうんですか、言いにくいっていうか。告げ口するみたいだしね。だから子供たちも黙ってたわけですよ。かばうっていうんじゃないけど。ねえ、わかるでしょう」

「ええ、よくわかります」

「それがまあ……このチラシ見てね。子供たちも子供たちなりにいろいろ考えるだろうし、遺族の方が熱心に犯人を捜してるってことになると、感じるところもあったんでしょうよ。それでまた噂がね、ヒソヒソとね」

エプロンさんは急に顔をしかめると、

「うちの子はそそっかしいから」と、怒ったように言った。私の顔ではなく、誰も通っていない道筋を睨《にら》みつけている。

「学校で言っちゃったっていうんですよ。うちのおばあちゃんのところにも、事件のことで聞き込みに来た人がいるよって。それがチラシまいてて自転車に撥ねられた人だってことまでは知りませんよ。知りませんけど、聞いた方はビックリですよ。それで今度は、チラシまいてた人を撥ねたのも、八月の事件の犯人なんじゃないかとかって噂になって。口封じとかいうんですか？　だったらやっぱり放っておいたらいけないとか騒いで。でもそれは何か、嫌な話じゃないですか。放っておかないならどうするんだって言ったら、同級生を警察に突き出すわけでしょ」

うっかり質問を挟むと、エプロンさんの気持ちを逸らしてしまいそうなので、私はひたすらうなずくだけで聞き入っていた。

「うちの子、友達にね、おまえんところにまたその人が聞き込みに来たら、しゃべるのかとか言われてね。そうすると責任重大でしょ。僕はそんなチクるようなことなんか絶対しないって、帰ってきてぷんぷん怒ってましたけどね」

エプロンさんはだいぶ混乱しているようだが、要するに、第一義的には、彼女の子供さんを巻き込まないためにも、私にこのあたりをウロウロしてほしくないということを言いたいらしい。

そういうことなら、近寄るまい。私はエプロンさんを安心させるために、ゆっくり、きっぱりと言った。「ご迷惑をかけたようですね。申し訳ありません」

エプロンさんはうろたえた。「いえいえ、そんな大げさなことじゃないんですけど」

「お子さんが嫌な思いをしないように、もうお伺いするのはやめにします。子供さんを巻き込んでいいことではありませんから」

エプロンさんは黙って足元を見ている。私には、彼女の心が揺れているのが見えるようだった。

「これきりにしますので、すみません、確認させてください。その噂というのは、梶田さんを撥ねた子供が、三中の生徒じゃないかということなんですね。子供たちのあいだでは、その子がだれだれ君だと特定されていると」

エプロンさんはうなずいて、顔を上げた。やっと私と視線が合った。念を押すように、急いで言う。

「うちの子はその子を知ってるわけじゃないんですよ。同学年というだけですから。ただ聞きかじってきただけでね」

「はい、わかっています」

「何かその子が——夏休み中に怪我したとかでね。それと、ぷっつり自転車に乗らなくなったとか」

梶田氏は自転車に撥ねられた傷で亡くなったわけではない。撥ねられて転倒し、運悪く頭を打ったのがいけなかったのだ。だが、大の大人をそれほど激しく転ばせるだけの衝突があったのだから、自転車に乗っていた子供も怪我をしてもおかしくはない。衝突の後、バランスを崩して自転車ごと転倒した可能性だって大いにある。

赤いTシャツを着た少年が、倒れて血を流す梶田氏のそばで、自転車を大慌てで引き起こし、走り去ってゆく光景が目に浮かんだ。その顔は恐怖に引き攣《つ》っている——

「自転車どうしたんだって友達が訊いたら、壊れたから捨てたって」

エプロンさんの声が、ますます小さくなる。

「ずっとふさぎがちで、学校にも来たり来なかったりだっていうんですよ」

その状態では目立つだろう。周囲が気づいて噂になるのも無理はない。中学一年生だって、AとBを足してCを導き出すことぐらいできる。

エプロンさんからこんなことを聞き出せるチャンスは、今この時限りだ。何から尋ねればいいのだろう。私の心は焦るばかりで空回りしている。

結局、事件について調べている関係者というよりは、こんな話を聞いた大人なら誰でも思いつくようなことを口にするしかなかった。

「その子の親御さんは、気がついているんでしょうか」

「どうかしら。わかりません」エプロンさんは切って捨てるように言った。「気づくならとっくに気づいてなきゃおかしいし。わかっててかばってるなら、それを通すでしょうしね。だけどもしそれが本当なら、可哀想なのはその子供ですよ」

私もそう思う。

「その子の名前は——ご存知ないですよね」

私の質問も、私自身の存在も振り払おうというように、エプロンさんはすごい勢いでかぶりを振った。

「知りません。うちの子も言いません」

エプロンさんの子供も苦しいだろう。それぞれに重苦しい板ばさみになっている同級生たちから、おまえチクる気かと責められて、辛い思いをしていることだろう。

「よくわかりました。ありがとうございました。このことはけっして口外しません。もうこちらをお訪ねすることもしません。お子さんにもそう話してあげてください」

それで解決になるとは思えないが、私にはそれしかできることがない。

私の言葉に、目を逸らしたままうなずいて、エプロンさんは急いで家に入ろうとした。

私は言い残したことを思い出して、半歩彼女を追いかけた。

「あ、それと、土曜日に私を撥ねそこなった自転車は、本当に買い物帰りの通りがかりの人です。梶田さんの件とはまったく関係ありません」

エプロンさんは「はい、はい」と返事をすると、ぴしゃりとドアを閉めてしまった。


帰宅して、菜穂子と話した。妻は、私が考えていたのと同じことを口にした。

「事件の後すぐからその子の様子がおかしくて――まあ、夏休み中は目立たなかったとしてもね、二学期が始まれば、子供たちは毎日学校に行くわけでしょう」

「うん。どうかすると親兄弟よりも長い時間を同級生と一緒に過ごすことになる」

「それで噂が立っていたのなら、そのこと、警察もつかんでいるのじゃないかしら。聞き込みだってしているんでしょうから」

そのとおりだ。私は、梨子がさんざん苦労して捕まえた担当刑事が、電話で彼女に言ったという言葉を思い出していた。

――こういうことは慎重にやらないとならない。

何が「こういうこと」だと梨子は怒っていたが、それはつまり、「相手が未成年者、しかも中学一年生だから」という意味だったのではないだろうか。梨子にそれを伝えないのは、彼女が遺族であるからこそ、彼女の怒りがおさまっていないからこその判断で――

梨子なら、もしもその子供の名前や住所を知れば、直接乗り込んで行きかねない。

「警察も、名乗り出てくれるのを待ってるのじゃないかしらね」

そうだ。警官が出張《でば》って行って捕まえるのではなく、本人が親と一緒に警察に出頭してくるのが望ましい。様子を見ながら、それを待ってやろう。そういう方針なのではないか。はっきりした目撃証言もなく、決め手の物証である自転車ももうない。壊れたから捨てた。だったら、それがいちばん穏当かつ妥当なやり方だ。

「そうなると、問題はその子の親よね」

呟いて、妻は不安そうに瞳を曇らせた。

「他人事《ひとごと》じゃないわ。その子だって、わざと梶田さんを死なせたわけじゃないんだもの。桃子だって——もしそんなことになったら、あなた、わたしたちどうするかしら」

エプロンさんが情報源だということを伏せたまま、さらに詳しいことを調べるにはどうしたらいいのだろう。三中（たぶん、正式には城東第三中学校とかいうのだろう）を直撃し、一年生を担当している先生に会ってみるか？　この情報を梶田姉妹に伝えるべきだろうか。もう少し煮詰まってからでなくては、かえって気を揉《も》ませてしまうだけなのでは？

それよりも、まず城東警察署へ行って、担当刑事に掛け合うのが先か。

思いがけない収穫に、喜ぶより狼狽《ろうばい》している。やはり素人だ。「自転車に撥ねられた甲斐があった」と言ったら、妻に、冗談でもそんなことを言うものではないと叱られてしまった。

私には、ぽんと一段階進んだこの事態は扱いかねた。頭を抱えてしまった。

ところが、金曜日にそうしてまる一日考えあぐねていたら、思いがけなくあっさりと解決した。当の担当刑事から、

「チラシを見てご連絡しているのですが」

私の携帯に電話がかかってきたのだ。

14

卯月《うづき》という、珍しい名字《みょうじ》の人だった。

五十歳になるかならないかというところだろう。顔も身体も、いかついのではなく四角い。なめし革のように艶々《つやつや》と日焼けしている。この年代の人にしては珍しく、白目がきれいに澄んでいるので、褐色の顔と対比が鮮やかだった。

リニューアルされた新型の警察手帳を確認させてもらった。肩書きは巡査長で、所属は捜査課だそうだ。刑事事件一般を扱う部署のはずである。

「少年課の方ではないんですね」

私はわざと、のっけからジャブを放った。卯月刑事はニコリともしなかった。

私は城東警察署に出向くと言ったのだけれど、彼はそれには及ばないと言い、結局また「睡蓮」のお世話になることになった。

その約束をして電話を切ってから、気がついた。卯月刑事は、私が本当に今多コンツェルンの人間であるかどうか、足を運んできて確かめたいのかもしれない、と。だったら、編集部の会議室に招いた方が良かった。片付いていないけれど。

そうして今、背広姿にノーネクタイの中年刑事と、レトロな内装のボックス席で向き合っている。私はまたぞろ錯覚を起こしかけている。これもまた松本清張原作、野村芳太郎監督の映画の一場面ではないのかな。

「いろいろご存知のようで」と、卯月刑事は私を正面から見据えて言った。「杉村さんとおっしゃいましたな。あなたはこの件の、どういう関係者なんですか」

スカスカのジャブに、重量級のパンチを返された気がした。私はとっととタオルを投げ、おとなしく白状した。頭からしっぽまで。

私が話し始めてから話し終えるまで、卯月刑事はまったく表情を動かさなかった。まばたきさえしない。あるいは、完全に私のまばたきに同期してまばたきしているので、わからないのかもしれない。

少々、怖かった。

グラスの水をひと口飲むと、卯月刑事は重々しく咳払いをした。私が千年生きても身につけられそうにない、威厳ある咳払いだった。

「事情はよくわかりました」

半熟タマゴの白身のようにきれいな白目のなかで、黒目がぐりりと動いて私を見据える。

「そうすると我々としては、今現在のあなたを、梶田さんのご遺族の代理人と考えてよろしいわけでしょうか」

情報提供を呼びかけるチラシに私の携帯電話番号を載せたのは、梨子のを載せたら、いたずら電話と迷惑メールの格好の標的になると思ったからで、それ以上の意図はない。が、今こうして正面切って尋ねられれば、私はまさに梶田姉妹の全権大使以外の何者でもない。

「おっしゃるとおりです」

「つまりあなたは、梶田さんのご遺族の信頼を受け、なおかつ相応の責任を負っておられるわけですね？」

「はい、そうです」

いくつか呼吸をするあいだ、卯月刑事は私を観察していた。〝X線の目を持つ男〟と、私は思った。あれはピーター・フルコスの通り名だったっけ。彼は実はサイコメトラーなんかじゃなかったそうだ。私の目の前にいるこの四角い顔のおっさんも、超能力者ではないはずだ。経験を積んでいるだけだ。人を見抜き、人の嘘を見抜き、人の本当を見抜く。

私は緊張し、息を止めた。

どういう結論が出たかわからないが、四角い顔の刑事は鼻から息を吐いた。

「あなたに電話する前、梶田さんのご遺族をお訪ねしてみました。チラシをまくことになった経緯《いきさつ》を伺いたかったのでね。聡美さんと梨子さんでしたかな」

卯月刑事は、メモも手控えも見ることなく、正確に梶田姉妹の名前を呼んだ。

「私がお会いしたのは梨子さんでしたが、彼女も土曜日にあなたと一緒にチラシをまいていたそうで。事情を詳しく話してくれました。あなたのことを、たいへん信頼しておられるようだった」

なんだ、ちゃんと先に裏を取っているんじゃないか。

「ですから――」

と、また私の顔を睨む。

「こちらも率直に申し上げましょう。お察しのとおり、我々はすでに、梶田さんを撥ねた自転車に乗っていた人物を特定しています。三中の生徒です。一年生の男子です」

私の膝が震え、下半身から力が抜けた。ぷしゅうという音が聞こえそうだった。

もうだいぶ前になるが、桃子と一緒に、博物館に展示されている恐竜の骨格標本が動き出し、見学に来ていた子供と愉快な冒険をするというお話を読んだことがある。桃子はすっかりその物語に魅せられて、骨というものに興味を抱いた。そして自分の身体の骨を触ってみて、膝の関節、いわゆる「膝のお皿」が、真ん丸であることを発見した。どうしてこの骨だけまあるいの、お父さん。

そのときどう答えたのか忘れてしまった。が、今ならちゃんと教えてやれる。それはね桃子、膝のお皿が蓋《ふた》になっているからだよ。人間は、そこから気力を出したり入れたりするんだ。

「本当ですか」

声が震えてしまった。

「本当です。九月に入って間もなく特定することができました」

「二学期が始まってすぐということですね」

卯月刑事はじろりと私を睨んだ。

「三中は二期制をとっていますので、夏休みは八月二十六日で終わりです。二十七日から新学期が始まっています」

どちらにしろ、夏休み中は当の子供の周辺だけでくすぶっていた噂が、学校が始まってすぐに広まったということだろう。

先週の土曜日に私がまいたチラシは、その火に油を注いだのだ——

「実は、城東警察署に、三中のスクールカウンセラーから連絡があったんですよ。通報ではなく、相談ですね」

八月十五日にグレスデンハイツ石川前で発生した自転車による死亡事故に関わったらしい生徒が、カウンセリングを受けに来た、と。

「本人が——その生徒が、カウンセラーに打ち明けたということでしょうか」

「はっきり言ったわけではなかったようです。ただ、話の内容から察することができたということですね」

「それで報せてくれたんですね」

「通報ではなく、あくまでも相談です」

きっちり訂正された。

「つまり、本人がそのことで非常に悩み、苦しんでいる様子なので、それを受け止めてやりながら、多少は時間がかかっても、本人が進んで警察に出頭できるように持っていってやりたいということです」

「それはわかりますが、それだけなら、わざわざ警察に報せなくても、カウンセラーの方がわかっていればいいんじゃないですかね」

卯月刑事は私の知性を危ぶむような目つきになった。

「本人が怖がっていたんですよ。誰かに通報されることを」

「通報？　ああ」

私もバカだ。そう、噂が立っていたからである。

「実際、その時点で我々は、すでにいくつかの情報提供を受けていました」

「三中の生徒や、その父兄からですね？」

刑事は私の質問を無視した。まあ、それで答えになっている。

「ですから、スクールカウンセラーとしては、我々が本人のところに行かないように、事前に手を打ったということです。時間をくださいと頼まれました」

それに対してどう思うという言葉はなかったが、私は卯月刑事が、そのスクールカウンセラーの判断を尊重しているのを感じた。

「その子の親御さんはどうしているんでしょうね」

「それについてはお話しできません」

ぱしんとはねつけられた。おそらく親も知っているのだ。あるいは、知っていて積極的にかばっているのかもしれない。

――黙ってりゃわかりゃしないわよ。

出し抜けに、私の脳裏に園田編集長の声が聞こえてきた。よもや子供の親がそんな言い方をしたわけはなかろうが、それでもその言葉は、あまりにもぴったりすぎた。黙っていればわからない。忘れなさい。悪意があったわけでもなく、わざとやったことでもない。梶田氏もその少年も、お互いに不運だった。

だが、引き起こされた結果はあまりにも重大だ。だからこそ親はかばう。だからこそ本人は煩悶《はんもん》する。

「私が子供のころには、スクールカウンセラーなんていませんでした」

何を言い出すのかと言いたげに、卯月刑事は軽く目を見開いた。

「このごろの学校にはいろいろ問題があって、そういう制度ができたということは、ニュースや新聞で知識として知りました。私の子供はまだ幼稚園児なので」

卯月刑事は黙って顎の先でうなずいた。

「正直、カウンセラーなんて役に立つのかなと思っていました。でも、どうやらあるべき制度のようですね」

初めて、卯月刑事の四角い顔に、やわらかい補助線が引かれたような気がした。それを手がかりに、おそらくはベテランであろうこの刑事の心の面積を計算できるほどの明確な補助線ではない。それでも、私は嬉しかった。

四角い顔の刑事の四角かった視線も、丸みを帯びたように感じられる。

「梶田さんのお嬢さんたちにはたいへん申し訳ないが、もうしばらく待っていただけるよう、杉村さんからお伝え願えませんか」

「刑事さんからは、梨子さんにはまだ何も？」

「お話ししていません。我々としても、ご遺族に直《じか》にこんなことを頼むのは、どうにも憚《はばか》られるところでした。梨子さんの真剣な顔を見てしまった後では、なおさらです。ご遺族としては、冗談じゃない、いくら相手が子供だからって、さっさと対処するのが筋だと思って当然ですから」

だからモゴモゴ言い訳していたんだろう。担当刑事は、本当に逃げていたのだ。

「もう、そう長いことお待ちいただかなくていいと思います。あと数日でしょう。スクールカウンセラーの先生は、子供が出頭するとき付き添うと言っています」

「わかりました。梶田聡美さんと梨子さんには、私からきっちりとお伝えします」

私の約束を聞いて、刑事はようやくアイスコーヒーに口をつけた。

「その子がもうじき出頭するだろうというのは、その、つまり」

言いにくい。私の方がモゴモゴの番だ。

「私の――チラシが、その子を追い詰めたことになってしまったのでしょうか」

「追い詰めたということではありません」

コーヒーに入れたミルクをストローでかき回しながら、刑事は言った。

「むしろ、ふんぎりになったのじゃないですか。本人にとっても、ああした形でご遺族の無念さを知ったことには意味があったでしょう。この事件は詳しい新聞報道もありませんでしたし、これまではそういう機会がありませんでしたからね」

私の胸がずきりとした。では、本人がじかにチラシを見たのだろうか。

チラシをまいているとき、中学生ぐらいの子供は何人も見かけた。「赤いTシャツの少年」という目撃証言のことが頭にあったから、グレスデンハイツ石川の前を通りかかる少年たちには、積極的にチラシを渡すようにしていた。

それらの少年たちのなかに、ひょっとしたら当人がいたのか。親がわざわざチラシを受け取り、彼に見せるわけもないのだから。

先月、自転車に撥ねられた人が死んだあのマンションの前で、チラシまいてるよ。誰かにそう教えられて、じっとしていられずに様子を見に来ていたとしたら。彼は誰からチラシを受け取ったのだろう。私か。シーナちゃんか。梨子か。

せめて梨子でないといいのだが。私かシーナちゃんだったならばいいのだが。いや逆なのか。梨子であった方がいいのか。

「本の方はどうなさいます」

気がつくと、卯月刑事が私を見ていた。私が何を考えているのか、お見通しだという目つきをしていた。

「そうですね。その子が出頭してくれたら、本を出す理由はなくなります」

刑事は二度三度とうなずいた。ほっとしているようだった。

「梶田さんのお嬢さんたちは、お父さんがあんな亡くなり方をしたことで、深く悲しんでいます。怒ってもいます。でも、二人とも気持ちの優しい女性なんですよ。けっして、必要もないのにその子を苦しめたいと思っているわけではありません。二人と相談してみます。よく話せば、きっと理解してくれるでしょう」

「よろしくお願いします。子供が出頭してきたら、私が責任を持って梶田さんのお嬢さんたちにご連絡しますとお伝えください」

卯月刑事は私に頭を下げた。てっぺんが、コンパスを使ったみたいにきれいに丸く薄くなっていた。私は笑いをこらえた。なんだか気が軽くなり、ちょっとしたことでも吹き出してしまいそうだった。

「怪我の方はいいんですか」

「は？」

「あなたも自転車とぶつかったんでしょう。梶田梨子さんはひどく済まながっていましたよ」

私はとっさに手で顔の半分を隠してしまった。今さら遅いが。

「大した傷じゃありません。大丈夫です。でも、あの道は本当に危ないですね。何か手を打つ必要があるんじゃないですか」

卯月刑事は真顔になり、背中を伸ばした。目元はほんのわずかだけれど緩んでいる。

「おっしゃるとおりですな。交通課の尻を叩いておきましょう」

我々の会見は、一時間足らずで終わった。


梶田姉妹とは、運良くすぐ連絡がついた。

今度は「睡蓮」を使わず、仕事が引けたらそのまま、私が姉妹のマンションを訪ねることにさせてもらった。

聞けば、納骨は明後日の日曜だという。今夜は、梶田氏の遺骨はまだ自宅にあるのだ。一度線香をあげに行きたいと思っていたし、卯月刑事から聞いた話を、梶田氏のいるところで姉妹に伝えたい。ギリギリ間に合ってよかった。

時間が時間なので、聡美は食事の心配などしていたようだが、私はそれを丁寧に辞退し、梶田氏の遺骨と位牌《いはい》に手を合わせると、すぐ本題に入った。

三ＬＤＫのマンションで、家具や備品が多く雑然とした感じではあるが、居心地のいい住まいだった。畳敷きの部屋に背丈の高い書棚がひとつあり、ぎっちりと書籍が詰まっていた。映画や芝居に関するものが大半のようだった。大判の写真集も目についた。

梶田氏が歌舞伎が好きだったということを、私は思い出した。

姉妹と私は、普段は食事に使われているのであろう四人がけのテーブルに向き合った。

中国だかヨーロッパだかの逸話で、悪い報せを運んできた使者の首を刎《は》ねさせた王様や皇帝がいるという。梶田姉妹にとって、卯月刑事のもたらしてくれた情報は、悪い報せなのか良い報せなのか。私は判断しかねていた。

話を聞くと、姉妹は久しぶりに――少なくとも私が見る限りでは――顔を見合わせた。

先に口を開いたのは聡美の方だった。

「良かったね、梨子ちゃん」

彼女が「梨子ちゃん」と呼びかけるのを、初めて耳にした。

「良かった――のよね」

姉の顔を見つめながらうなずいて、梨子は私に目を向けた。

「その子、ホントに出頭するんですよね？」

「あと数日だろうということです」

「しなかったらどうします？　いざとなったらくじけちゃうことだってあるでしょ？

その場合は、警察はどうする気なのかしら」

「あまりぐずぐず引き延ばされるようならば、動き出すのでしょうね」

「そんなことにならないといいわ。ううん、そんなことにはならないわよ」

そう呟いて、聡美は席を離れ、父親の遺骨の前に座って線香に火を点けた。頭を垂れ、かなり長いこと手を合わせていた。

私と梨子は、黙って彼女の背中を見つめていた。

「罪にはならないんですよね」

梨子がテーブルに目を落としてぽつりと言った。天板の目立つところに、湯飲みの糸じりだろう、丸い輪っかのしみがある。梶田氏が残したものかもしれない。彼女はそれを見ている。

「未成年じゃね。中学一年生じゃ」

もともと交通事故の場合は、結果的に人が死んだり怪我をしたりしても、傷害罪や殺人罪にはならない。業務上過失傷害または過失致死と認定される。昨今では、飲酒運転や信号無視など悪質な違反があって人を死なせた場合には、危険運転致死罪というものが適用されるようになってはいるが、その認定基準は相当厳しいものであるらしい。

いずれにしろ梨子の言うとおりで、事故を起こしたのが未成年者である今回の場合は、逮捕して罰するのではなく、少年を保護し、監督指導することになるのだろう。

「それでも、お父さんがどうして死んだのか、事故がどんなふうだったのか、わからないままでいるよりはずっといいけど。それは教えてもらえるんですよね？」

「担当の卯月刑事に聞きましょう。あの刑事さんなら、ちゃんと教えてくれると思いますよ」

梨子は深々とため息をつきながら、大きく肩をゆすった。襟ぐりの広いワンピースを着ているので、鎖骨がくっきりと浮き上がった。そういえば、初めて会ってからまだ半月しか経っていないが、彼女は少し痩せたようだ。もともと細身の女性だから目立たないが、顎もこけたように見える。

「待ってくださいって言われなくたって、わたしたちには待つしか手がないですよね。三中の生徒だってだけで、名前も住所もわからないんだもの」独り言のような梨子の呟きが、ちょっとかすれた。

聡美はテーブルの脇を通って三畳ほどのキッチンに入り、コーヒーを淹《い》れ始めた。下を向いて泣いている。涙が二、三粒、光りながらシンクのなかに落ちた。

「わたし明日、卯月刑事に電話します。わかりました、待ちます、だからしっかりお願いしますって言ってやるんだから」

「ありがとうございます」私は姉妹に向かって頭を垂れた。梶田氏を撥ねた子供に代わって？　その子の親に代わって？　卯月刑事に代わって？　そんな僭越《せんえつ》な気持ちではなく、人の子の親として。私の耳の奥には、もしも桃子がそんなことになったらどうしようと呟く、妻の声が聞こえていたから。

「お二人の気持ちは、きっとその子にも通じますよ」

「お礼を、申し上げるのは、わたしたちの、方です」聡美は涙をこぼし、つっかえつっかえそう言った。「本当にお世話になりました。杉村さんのおかげです」

「お姉ちゃんたら、まだ早いわよ。そういうお礼を言うのは、その子が出頭してからよ」

梨子は勝気に言い返し、ガタガタと椅子を鳴らして立ち上がった。ちょっとトイレと、短い廊下を小走りに、洗面所へ飛び込んで行った。

かすかだが、しゃくりあげるように泣き出す声が聞こえてきた。

コーヒーの香りの漂うなかで、私は聡美に呼びかけた。顔を上げて、キッチンのカウンター越しに、彼女は涙に濡れた目で私を見た。

梨子に聞こえないよう、私は穏やかな小声で言った。「お父さんの死は不幸な事故でした。誰かに恨まれ、狙われて殺されたわけではなかった。もう、あなたが怖がる必要はない。これですっきりしましたね？」

聡美は何か言おうとしたが、口元が震えるだけで声は出てこなかった。子供がベソをかいたときみたいな顔になっている。口をへの字に曲げて、大声で泣きたいのを懸命にこらえているこの人は凛々《りり》しかった。

「ただ、あなたが四歳のときに体験した怖い出来事の謎は、まだ解けていません。ですから、私はまだ調べてみるつもりです」

この雰囲気のなかにひたっていると、つられて泣いてしまいそうなので、私は敢えて笑顔を作った。

「調べるといったって、素人のやることですからね。今までだって、これという成果があがったわけじゃない。トモノ玩具へ行ってきただけです。でも、せっかくですからもうちょっとやらせてほしいんです。私も一応、取材記者ではありますし」

社内報だけれど。

「こういう調査事は、勉強にもなりますからね」

聡美は黙ったまま何度もうなずいて、そのままうずくまるように頭を下げた。

しばらくのあいだ、私は姉妹の悲しみを尊重し、静かに待った。

やがてトイレから出てきた梨子は、目を真っ赤に泣き腫らしていた。通りがけに、テーブルのそばのティッシュボックスからごっそりティッシュを抜き出すと、音をたてて鼻をかんだ。そのティッシュを丸め、部屋の隅のゴミ箱めがけて、えいとばかりに投げつけた。

ティッシュはゴミ箱の縁にぶつかり、軽くはねてその内側に落下した。

「エヘヘ」

梨子は私に笑いかけると、父親の遺骨と位牌に手を合わせ、鈴《りん》をチンチンと鳴らした。

聡美の淹れてくれたコーヒーをひと口味わうと、無性に煙草が欲しくなった。それぞれに紫煙をくゆらせている姉妹に、一本ねだって火を点けた。私たちは仲良く三本の煙突になった。

「梨子さん、本の方はどうします」

私の問いかけに、梨子は天井を見上げてちょっと考えた。

「そうね……もう出す必要はなくなったわけですもんね」

聡美が妹の横顔を見ている。

勢いをつけて身を起こすと、梨子は明るい目で私に訊いた。「杉村担当者さん、わたしの本のコンセプトを変えてもよろしいですか?」

「作者の考えをお聞かせください」

「父の思い出を綴った本にするの。純粋に、懐かしいお父さんの思い出話の。それだと、出してもらえませんか」

私はひとさし指を立てた。「条件がひとつあります」

「なぁに?」

「そのコンセプトでゆくならば、ますます、梶田さんが十一年間、今多嘉親の個人運転手だったということが重要になってきます。これまで以上にその部分に焦点をしぼって原稿を書くこと。それなら出せます」

聡美が感謝のまなざしで私を見ている。私は目配せを返した。ただ、彼女が知っていて、妹には知られたくないと願っている梶田氏の過去に踏み込まないための、方便で言っているわけではなかった。私は本気だった。

出せるだけではなく、その本なら売れるかもしれない。財界の有名人の個人運転手。その遺族が綴る思い出の記だ。

「やっぱり会長先生の存在が大きいわけね」

「そうです」

「でもそれだと、会長先生はご迷惑じゃないかしら。犯人を捕まえるために、犯人に呼びかけるために本を出すという大義名分がなくなってしまうと、なんていうのかな——暴露本？」

私は笑った。「ううん、もちろんそんなこと書くわけないけど」

「それは程度の問題でしょう。要は節度と書き方です。義父《ちち》もそう言うだろうと思いますよ」

梨子が「へえ」と声をたてた。私の編集者としてのアドバイスに感嘆したのかと思ったら、違っていた。

「杉村さんがわたしたちの前で、会長先生のこと〝義父《ちち》〟って呼んだの、初めてね。いつもは会長、会長って呼んでるでしょ」

ちょっといい感じだわ——と言う。見ると、聡美も微笑んでいる。

自分でもなぜだかわからないまま、私は照れてしまった。この家に満ちている梶田姉妹の父親への思慕の念に、私の心も影響を受けていたのかもしれない。

15

日曜日は雨になった。

明け方になって、私はなにやらおかしな夢を見た。脈絡がなく、切れ切れのさまざまな場面のなかに、さまざまな人と一緒にいた。もう何年も会っていない友人や、兄や姉も出てきた。梶田氏もいた。梨子の顔は見えなかったが、聡美はいた。何本もの映画の、ラッシュばかりを立て続けに見せられたような夢で、目覚めると同時に、頭のなかからパラパラとこぼれ落ちて消えてしまった。なのに、聡美と一緒の場面だけは、はっきりと残っていた。

どういうわけか私は彼女と二人で小船に乗っており、湖のようなところを漂っていた。聡美は泣いており、私は彼女を慰めようとしながら、不器用にオールを漕いでいた。

――底に誰か沈んでるわ。

聡美が水面の下を指さして言う。

――引き上げてあげなくちゃ。

私は彼女が指し示す方向にボートを向けようとするのだが、上手くいかない。舳先《へさき》が逸れていってしまう。

夢の中の私は、沈んでいるのは梶田氏だと知っている。梶田氏は葬式も済み、納骨をしようというところなのだから、そんな場所に沈んでいるわけがないのに、なぜだか沈んでいるのだ。

思うようにボートを操ることができなくて、私は聡美に言う。そっちへは行けそうもないと。すると彼女は悲しそうにうなだれてボートの縁に手をつき、水底をのぞきこみながらこう言った。

――あそこにはわたしが沈んでいるのに。

違う、違う。沈んでいるのはあなたのお父さんだ。あなたはちゃんとボートに乗っているじゃないか。私は懸命に彼女に呼びかけるのだが、聡美は首を振るばかりだ。ボートから身を乗り出し、今にも湖に飛び込みそうになる。やめなさい――と大声をあげて、そこで目が覚めたのだった。

妻も娘もまだ寝ている。私は起き出してトイレに行き、窓から外を見た。そして雨が降っていることに気がついた。秋雨の走りだ。涼しく優しく、静かな雨だ。夏の終止符だ。

もう一度ベッドにもぐりこむと、今度は夢を見ずに眠った。次に起きたときには、枕元の時計が十一時を指していた。二度寝は朝寝坊の元だ。

あわてて起きると、きれいに片付けられたテーブルの上に、妻の書いたメモがあった。

「桃子と一緒に、リトミック体操教室の体験入学をしてきます。二時ごろには終わるので、電話をします。冷蔵庫を開けてみてね」

おおせの通りに冷蔵庫をのぞいてみると、ブランチプレートに盛りつけられた、私の分の朝食があった。それを温めて食べ、新聞を読んだ。

皿を洗っているとき、携帯電話が鳴った。手を拭いて急いで出たが、二つ折りの携帯電話を開いたのと同時に、着信音が途絶えた。

履歴を見ると、「非通知」となっていた。

この携帯電話の番号を知っている人は、それほど多くない。私の世間は狭いのだ。それらの人の電話番号は、すべて登録してある。かかってくれば、(着メロではわからなくても)画面表示ですぐに誰からかわかる。

この「非通知」は誰だろう。

私は携帯電話を手に、書斎に入った。机に向かい、これまでの経緯を文章にまとめることにした。

火曜日まで、義父は大阪に出張している。帰ってきても、会長室を留守にしているあいだに溜まった仕事に追われることだろう。すぐには会えまい。電話でのんびり話している暇もないだろう。出張から戻ると、いつもそうなんだ。報告書を作り、義父の手元に届けておけば、仕事の合間に目を通してもらえる。

手紙ではなく、社内報の記事でもなく、業務報告書を書くように書いた。私が何を感じ、何を思ったかということは、義父に会えたときに伝えられればいい。ほっとしたことも、その少年が哀れに思えたことも、卯月刑事がX線の目を持つ男に見えたことも。

書き終えた文章を読み直していると、また携帯電話が鳴った。

友野栄次郎氏からだった。間違えようがないほど大きな声だ。挨拶をしながら、私は携帯電話を耳から少し遠ざけた。

トモノ玩具で、栄次郎氏の片腕として働いていた関口氏と連絡がとれたという。「関口はさ、梶田さんのことを覚えとるというんだ」

あまり期待していなかったので、嬉しい驚きだった。

「それは有難いです。なにしろ昔のことですから、無理じゃないかと思っていました」

「あいつだってそらで思い出したわけじゃないよ。日記つけとるんだと。二十四、五のときに始めて、今でも毎日書いとるんだそうだ。あんた、信じられるかい？　関口は七十五歳だよ。どうしたらそんなに執念深くなれるのかねえ」

「几帳面な方なんでしょう」

「まあ、そうかなぁ。工場やってるときは、関口が事務の方を全部仕切って、上手くやってくれてたからね」

それでだなと、咳払いも大声でして、

「梶田さん夫婦がうちを辞めるとき、一緒に辞めた従業員がいるっていうんだ。日記に書いてあるそうだ。えーとな——」

栄次郎氏は、手控えたものを読み上げる口調になった。

「のせ、ゆうこ。野瀬祐子っていう事務の女の子でな。この子が一緒に辞めてる。もっとも、ただそれだけだよ。それ以上のことがあったわけじゃない。三人が同じ日に辞めたってことだけ。どうするね？　関口に会ってみるかい？」

お願いしますと、私は答えた。「お伺いしてもよろしいでしょうか」

「それじゃ関口の電話教えるから、相談してごらんなさいよ。あいつはね、今は三鷹《みたか》に住んどるの。わたしと同じ暇な爺《じじい》だから、都合なんて何とでもなるだろうよ」

「わかりました。ありがとうございます。ところで友野さん、さっきお電話いただきましたか？」

「わたし？　いンや、かけとらんよ」

「そうですか。さっき受け損なった電話があったものですから」

「わたしじゃないよ。今かけたのが初めて。関口が出かけとってさ、なかなかつかまらなかったんだ。やっとつかまえて用件話したら、あいつ日記をひっくり返すんで時間とるし。遅くなって悪かったね」

「とんでもないです。お世話になりました」

通話を終え、私はもう一度着信履歴を見た。トモノ玩具の店の番号が出てくる。そのひとつ前が、先ほどの「非通知」だ。

いくら眺めていてもそれ以上の情報をつかめるわけではないが、気になった。またかかってくるような気がした。チラシを見たどこかの誰かが、私に情報を提供しようとしてためらっているのではないか。

もちろん、間違い電話だってこともある。

でも、あるいは――

携帯電話をそばに置いたまま、家の電話で関口氏の自宅にかけた。最初に電話口に出た男性が関口氏だった。どうやら待っていてくれたらしい。

「明日はちょうど病院に行く日だから、そのついででよければすぐ会えますよ」

病院は新宿にあるという。もう十五年近く、降圧剤を処方してもらっているのだそうだ。そのせいか関口氏は新宿の町に詳しく、待ち合わせ場所に、私もよく知っている大型電器店のそばの、私のまったく知らない喫茶店を指定し、道順と目印を細かく教えてくれた。午後一時に会うことを約束した。

義父に提出する文書をプリントし、机を片付け、リビングに戻って、新聞の日曜版をじっくり読んだ。普段はざっと流し見るだけ、それも気の向いた時だけだ。今日は隅々まで、通信販売の「幸運を呼ぶ金印」だの、「懐かしのヒット曲大全集ＣＤ全三十枚セット」だのの広告まで読んでしまった。そのＣＤ全集に収録されている歌謡曲を、何曲知っているか数えてみた。美空ひばりのヒット曲は三曲入っていた。「車屋さん」ではなかった。そういえば菜穂子と、三人でカラオケに行こうと話したことを思い出した。

視界の隅に携帯電話がある。早くかかってこい。私が望んでいる人物でなくてもいい。さっきの電話は私です、たまたま非通知の電話からかけたのですと、教えてくれるなら誰でもいい。

日曜日のテレビはつまらない。読みかけの本でもとってこようか。電話のことを忘れたら、かかってくるんじゃないか。

立ち上がったとたんに家の電話が鳴った。菜穂子からだった。

「今、表参道にいるの。外でお茶を飲んで、買い物をして帰ろうと思ってるんだけど、あなたはどうする?」

携帯電話の特質とは何か。携帯できることだ。おかげで我々は、大事な情報がもたらされるかもしれない電話を待って、家や仕事場でじりじりしている必要はなくなった。野村芳太郎監督の映画に出てくる刑事たちとは大いに違う。

「荷物持ちに行くよ」

携帯電話をズボンの尻ポケットにねじこんで、私は家を出た。

リトミック体操を、桃子はいたく気に入ったらしい。店のなかでも路上でも、隙あらばやって見せてくれようとする。なかなか難しい。私にはついていかれそうにない。

菜穂子は日用品から贅沢品までいろいろ買い込んだ。私は新しいパジャマを買ってもらった。長袖だが薄手なので、秋口にちょうどいいという。

「Tシャツと短パンで寝るのはお行儀よくないと思うのよ」

ついでに、ちくりと注意された。

買い物をしているうちに雨がやんだので、オープンカフェでティータイムセットのケーキをつついていると、私の携帯電話が鳴った。私があまりに急いで電話に出たので、妻は目を丸くした。

液晶画面はまた「非通知」だ。

「もしもし？」

タッチの差だったと思う。相手には、私の「もし」ぐらいは聞こえたと思う。私の耳には、プープーという無愛想な音が聞こえただけだ。

「間違い電話？」と、菜穂子が首をかしげ、笑い出した。

「お父さん、今、電話を飲み込んじゃうような勢いだったね、桃ちゃん」

桃子は、自分で選んだコケモモのパイが思ったほど美味しくないらしく、持て余していた。食べ物を残すと厳しく叱られるとわかっているので、どうやってこれを片付けようか、懸命に思案中だ。

「桃子、お父さんのケーキと取り替えて」と、私は言った。

「いいの？」娘はぱっと顔を明るくした。

「いいよ。ショートケーキはつまんなかった。お父さんそっちのパイが食べたい」

コケモモジャムを使った、どちらかといえば大人向けのパイだ。それでも桃子が惹かれたのは、『小さなスプーンおばさん』のなかに、おばさんお手製の美味しそうなコケモモのジャムが出てくるからだ。おばさんのご亭主は、焼き立てのパンケーキにそのジャムをたっぷり塗って食べるのが大好きなのだ。

桃子はいそいそと皿を取り替え、ショートケーキの大きなイチゴにかぶりついた。

「あなたったら」と、妻が言った。

「うん」うなずいて、私は妻の顔を見た。「家にいるときもかかってきたんだ。これで二度だ」

妻には卯月刑事から聞いたことをすべて話してある。だから、私の考えていることを察したと思う。瞳が動いた。

「迷惑メールじゃないのね？　あとほら、ワン切りしてかけ直させて、請求書を送りつけてくるとか。ニュースで見たわ」

「違うと思うよ。あの手のものは、かけ直させることが目的なんだから、非通知じゃ意味がない」

菜穂子はフォークを置くと、口元を指で押さえた。「あんまり考えすぎない方がよくない？」

「情報提供者かもしれない。いたずら電話かもしれない」と、私は言った。「可能性は何通りかある」

「ええ、そうよ」

「でも僕は、本人じゃないかと思うんだ」

梶田氏を撥ねた少年が、警察へ出頭しようかぎりぎりのところでまだ迷いながら、チラシに載せられた私の電話番号にかけて寄越しているのではないか——と思うのだ。

「根拠なんかないよ。勘だけだ。ただ、こっちが電話に出ようとすると、あわてて逃げ出すみたいなところがどうしてもそう思えるんだ」

妻は私と自分のティーカップに紅茶を注《つ》ぎ足すと、ゆっくりと味わい、それから言った。

「とにかく、待ってみましょう。あなたの勘があたっているなら、きっとまたかかってくるはずよ」

そのとき彼女の携帯が鳴った。私たちは二人とも飛び上がった。液晶画面を見た菜穂子は苦笑いをした。

「出会い系サイトの広告だわ。もう、イヤね。またアドレスを変えなくちゃ」

その日はもう、「非通知」の電話はかかってこなかった。私たちも、そのことを話題にしなかった。

ダイニングテーブルで、リトミック体操教室への入学申込書を書きながら、妻は体験入学の様子を話してくれた。

「そうそう、面白いことがあったの」

菜穂子と同年代の女性が一人で、四、五歳の男の子を三人連れて来ていたのだという。

「顔が似てないから三つ子ではなさそうだし、年子の兄弟なのかなって思ってたら、全然違っていたの。ベビーシッター業の人が、預かったお子さんを連れて来てたのよ。三人とも、違うお家《うち》の子供たちだったの」

ベビーというより、正確にはチャイルドシッターだろう。

「けっこう繁盛《はんじょう》してるんですって。土日でも仕事を休めない親御さんは多いし、そうでなくても、外出とか旅行とかで、子供を預かってほしいっていう需要は増えてるのね。そのベビーシッター会社では、ただ預かって留守番するだけじゃなくて、こういう塾とか教室とかへの送り迎えも引き受けるので、評判になってるらしいわ」

妻も「どうぞご利用ください」と、名刺をもらったという。私は「あおぞら」の取材で会った、グリーンガーデンの庶務課長の話を思い出し、話した。菜穂子は大いに同情する様子で、

「ご近所に頼みにくいっていう気持ちはわかるわ。万にひとつ、何かあったら、預けた方も預かった方も不幸だもの」

私はまた別のことを思い出した。

「お義父《とう》さんは、桃子が赤ん坊のころ、ほとんど抱っこしなかったね。たまに抱いても、

すぐ僕や君に返した」

——落として壊したら、弁償できないからな。

そう言って。

菜穂子は楽しそうに笑った。「そうそう、そうだったわね」

「うちの親父も、兄貴の子供を抱くときそんなことを言ってた」

「そういえばね、怖い話を聞いたのよ。河西《かさい》さんから」

我が家の通いの家政婦さんだ。平日の昼間しか来ないので、私は最初の顔合わせのときに会ったきりである。五十年配のふっくらした女性で、幸い、菜穂子とはうまが合っているようである。

「近頃じゃ、家政婦さんにも若い女性が増えているの。就職難がずっと続いているし、求人のときも〝ハウスキーパー〟って募集するから、イメージも悪くないでしょう」

家政婦の仕事にもちゃんとした契約があるが、場合によっては臨機応変に、雇用主のいろいろな要求に応えなくてはならないことがある。

「河西さんと同じ支部にいる、今年入ったばっかりの若い女の子が、派遣された先で、二歳の男の子の世話を頼まれちゃったんですって。その家には下に赤ちゃんがいて、急に熱を出しちゃったのね。お母さんは赤ちゃんを抱いて病院に行く。ご主人は出張中」

「緊急事態だね」

「ええ。頼まれた方としても、契約外ですと断るわけにもいかないでしょう。仕方なしに引き受けた。だけど、その若い家政婦さんは、生まれてこの方小さい子供の世話なんかしたことがなかった。どう扱っていいかわからない。ましてや、いたずら盛りの二歳の男の子でしょ。ちょっとでも目を離したら、何をするかわからない。赤ちゃんの急病でお母さんの様子がおかしかったことも、自分が置いてきぼりにされたのも気にいらない。泣くわ暴れるわで手に負えない。彼女は途方にくれちゃったわけね」

それでどうしたかというと、クロゼットを探り、奥さんのベルトを一本拝借して、男の子をベッドの柱につないでしまったのだそうである。

「やれやれひと安心だって、掃除とかしているうちに、お母さんが帰ってきた。で、子供の姿を見て、ご近所じゅうに響き渡るような悲鳴をあげたものだから、大騒ぎになっちゃった」

母親が仰天し、激怒するのも無理はない。

「若い家政婦さんは、叱りつけるわけにもいかないし、暴れて怪我でもするよりはこの方がいいと思ったって、泣いて弁解したそうだけど、それはやっぱり通らないわ。その日のうちに解雇されちゃいました。河西さんもね、悪気があってやったことじゃないのはわかってるけどって、嘆いてたわ」

話が途切れ、ちょっと間が空いた。

「あなた、今度は何を考えてるの？」

梶田聡美のことを考えていたのだ。例の「誘拐」事件のことを。

「あれもね——子供を扱い慣れていない人が、何かの事情で梶田夫妻に聡美さんを預けられて、どうしようもなくてやったことだと解釈できないかな」

妻は目をパチクリさせた。「だからトイレに閉じ込めたということ？」

「うん。荒っぽすぎるかな」

「今日はわたし、あなたにビックリさせられる日なのね。ええ、いくら何でもやりすぎと思うわ。それに、聡美さんを閉じ込めた女が、ただ小さな子供を扱いあぐねただけだというなら、〝あんたのお父さんが悪いんだ〟とか、〝言うことをきかないと殺してしまう〟とか叫ぶのは、おかしいんじゃない？」

私は指先で頬を掻《か》いた。「それもさ、何かで聡美さんがぐずったかしたので、ちょっとひどく脅しつけただけだったとか。そういう言葉の加減も知らない女性だったんじゃないかな」

妻は頬をふくらませた。

「それにしたって常識を外れてるわ。聡美さんの件は、三十年近く前の話でしょう。そのころの女性って、自分で子供を生んでいなくても、たとえば兄弟の面倒をみたとか、近所の子をお守りしたとかで、何かしら経験を持ってるものよ。子供を預けられただけで——それも四歳の女の子よ、言って聞かせればわかる歳よ——そこまで取り乱して極端なことをするかしら」

旗色が悪い。そもそも思い付きだ。

「でしょ？ それが今とまったく事情が違うところなの。河西さんの後輩の女の子は、それまで子供と手をつないだことも、赤ちゃんに触ったこともなかったんだそうですもの」

参りました、撤回と、私は言った。妻はふざけて腰に両手をあて、そっくり返った。

「でも、聡美さんが聞いたという脅しの言葉が、彼女の記憶のとおりだったとは限らないわね」

「〝あんたのお父さんのせいだ〟とか？」

「そうそう。記憶って、思い起こすたびに少しずつ変わってゆくものだというし、実際にその女が叫んだ言葉を、四歳の聡美さんが額面どおりに理解して覚えていられたとは思えない。桃子だってそうだもの」

梶田聡美のなかで、小さかった彼女を脅しつけたという女の言葉が整理され、再解釈され、置き換えられたり変えられたりした可能性はあるということだ。

夜更けになって、床につく前に、私は書斎に行き、トモノ玩具の記念写真を取り出して、机に載せた。スタンドを点けて、しみじみと見た。黄色味の強い光の下で、昭和四十九年のトモノ玩具の従業員たちが、社長夫妻を囲んで笑っている。一人しかめっ面の三歳の梶田聡美は、そこに大いなる秘密を隠しているかのように、着物の袖から出た両手の拳を、小さく握り締めていた。

「そうだねぇ」

16

「あ、これが梶田さん夫婦ですね。一緒に写ってるのが、確かお嬢ちゃんだ。名前は何ていったかなぁ」

トモノ玩具の事務方を仕切っていたという関口氏は、友野社長とは対照的な肥満体で、人の好さそうな大黒様顔をしていた。肝臓が悪いだけでなく、糖尿病もあるそうだ。

「太っていられるうちは大丈夫な病気ですから」と、けっこう呑気だ。

あの正月の記念写真を、関口氏は手元に持っていないのだという。太い黒ぶちの眼鏡の奥で、懐かしそうに目を細めた。

「私も焼き増しをもらったはずですがね、整理しないうちにどこかに紛れちゃったんでしょうなぁ。私は写真の整理が苦手でね。他のことはマメな方なんですが」

「それだけ長いこと日記をつけておいでなんですから」

「日記なんてもんじゃない。ただの手控えですよ。ほんの一、二行ですから。ああいうものを長く続けるには、思ったことを書くんじゃなくて、起こったことを書く。思ったことを全部書いてたら、そりゃ三日もすりゃバテてしまいますな」

関口氏は、日記の現物を持ってきてくれた。触ると端から風化して、塵《ちり》になってしまうのではないかと思うほど古びた大学ノートだ。開いて見せてもらうと、なるほど一日あたりの記述は多くても三行ほどで、漢字カタカナひらがな、数字に記号まで混じっており、ちょっと見ると意味がとれないところもたくさんある。書き留めた本人以外の目には、ほとんど暗号に近い。

「梶田さんがね、時間給でトモノ玩具に来たのは、昭和四十四年の十月でした。このへんですな」

該当する書き込みを、指で押さえてくれた。薄れかけた鉛筆書きで「梶田信夫」とある。

「名前の下に、セイサクホ（時）って書いてありますわな？　製作補助で、時間給で雇ったっていうことです」

それから半年後、梶田氏は正社員になり、夫人も事務職に時間給で雇われ、二人は社員寮に住むことになる。「カジタ　二〇二　ニュウキョ」と書いてあった。両親がトモノ玩具に落ち着き、生活が安定してから自分が生まれたのだという聡美の話は正しかった。

「この日記には、社員の出入りとか、得意先の担当者の名前とか、銀行からこれだけ借り入れたとか、そんなことばっかり書いてあります。私も働き盛りでね、会社と仕事のことで頭がいっぱいだった。読み直してみて自分でも驚いたんですが、女房子供のことなんかさっぱり出てこないんだな。ちょうどこのころ、上の子が盲腸炎で、腹膜炎まで起こして大変だったのに、そのことも書いてない」

だから日記は日記でも業務日記だなと、バツが悪そうな顔をした。

「おかげで助かります。それで野瀬祐子さんは——」

「ああ、野瀬さんね。って言っても、私も顔は覚えておらないのです。ここに書いてあるから名前が出てきただけでね。事務の女性でしたはずです」

入社は昭和四十九年四月だった。

「それじゃ、この写真には写ってないですね。四十九年のお正月の記念写真ですから」

「そうなりますな。えーと野瀬さんてのはね、どんな人だったかというとですなぁ」

日記のページをめくって呟く。三箇所に付箋が貼り付けてある。

「入ったときと、辞めたときには、私、書き留めてるんです。ほら、野瀬祐子　ジムって書いてある。で、辞めたのは五十年の九月いっぱいでね。そのとき梶田さん夫婦が一緒だった」

私は書き込みを見た。「カジタ、ノセ退社　二〇二号室　ソウジ」とある。

「野瀬さんは社員寮に入ってなかったんでしょうかね。彼女の部屋番号は書いてない」

眼鏡を押さえながら、関口氏は自分の書き込みを確認し、そうですなあと応じた。

「野瀬さんてのは、独り身の若い子だったんじゃないかな。覚えとらんけど、事務員の女性に、年配者は採用せんですから。そんで、うちのは寮というより社宅でしたからな。所帯持ちの従業員の方を優先しとったんじゃないかな。住宅補助を出すより、結局はその方が安上がりなわけです」

なるほど。

「それで野瀬さんについてはね、探したらもう一箇所書き込みが出てきた」

昭和四十九年十一月十日だ。

「ノセマエガリ（父）」と私は読み上げた。「マエガリというのは、給料の前借りという意味でしょうね。カッコして父というのは」

「お父さんが来たんです。たぶん」と、関口氏は言った。「親御さんがね、娘の給料の前借りに来たですよ。だから私、そのとおりに書いたんでしょう。この当時、出納《すいとう》やってるのは私じゃなかったはずなんだ。後で報告だけ聞かされたんじゃなかったかな。私だったら、そういうのには前借り出しません。だけど、私の見ていないところで、出納係がけっこうそういうことをやったりしてね。叱ったもんでした」

思い出すのも腹立たしいという口調だ。

「給料の前借りってのは、病気だとか怪我だとかよっぽどの事情がない限り、許しちゃいかんのです。それをやるとタガが緩む」

親が子供の給料を勝手に——

「野瀬祐子さんはどんな方だったか、ご記憶ですか」

「それがねえ」関口氏は丸々とした手で、段々のついたうなじを撫でた。「申し訳ないですなあ。思い出せんです。さっぱり印象に残ってない。四十九年の春に入って、翌年の九月で辞めとるわけでしょ」

「梶田さんご夫婦はいかがです」

「そちらもね、大したことは思い出せんです。ここに書いてあることぐらいしか……。お役に立ちませんで、ホントに」

二十八年前のことだからなあと、私も思った。「いえ、とんでもない。昔の話なんですから、そもそも無理をお願いしているんです。この日記があるだけでも凄いですよ」

「ただ、社長も言っとらしたでしょう、梶田さんは製作で入りましたけど、よく運転手やってた人だと思います。うちには軽トラックが二台ありました。運送屋とも契約しとりましたけど、それだけじゃ小回りがききませんで、不便なんでね」

話すうちに、「トモノ玩具」ではなく「うち」になっている。

「社長は根っからの玩具好きでした。今も変わっとらんですね。普通はそういう好き好きな人が、好き好きだけで事業やると上手くいかないもんですが、社長は商才もあったんです。いやぁ、面白い会社でしたよ」

それだけに、漏電《ろうでん》による火事をきっかけとした廃業は、関口氏にとっても痛恨の出来事だったようだ。当時の話を始めると止まらなくなった。私はしばらく拝聴し、きっかけをみて話題を戻した。

「梶田夫妻と野瀬さんが一緒に辞めている。これには理由があったんでしょうか。思い当たるところはおありですか」

「どうですかねえ。何か目覚しいことがあったなら、私も覚えとると思うんです。でも何もない。日記にも何も書いてない。だから、ただ三人一緒に辞めたと、それだけじゃなかったかと思います。社員、補充せんとなりませんからね、人数だけ書き留めておいたんだと思うんですよ」

単なるタイミングの問題か。それだけか。

聡美が知らない女に「誘拐」されたのは、幼稚園が夏休みの八月だった可能性が高い。そして梶田夫妻と野瀬祐子は、九月いっぱいでトモノ玩具を去った——

時間を割いていただいたお礼をと申し出ても、関口氏は固辞して受け取らなかった。何の面倒なこともなかった、昔話ができて楽しかったと笑う。私は丁寧に礼を言い、せめてコーヒー代だけは払わせてもらった。

携帯電話が鳴ったのは、新橋駅の階段を降りているときだった。マナーモードにしていたので、ぶるぶると振動した。

「非通知」だった。

昨日に負けず素早く、私は電話に出た。

「もしもし」と呼びかけて耳をくっつける。駅のコンコースの喧騒《けんそう》が邪魔をする。通話が切れたときのあの無情なプープー音はまだ聞こえない。つながっているのだ。

「もしもし？　こちらは杉村と申します。グレスデンハイツ石川の前でまいたチラシを見てかけてくださった方ですか？」

返事はない。雑音が聞こえる。この駅はなんだってこんなにうるさいんだ？

「聞こえていますか？　電話してくれて有難く思っています。私が杉村です。お話を──」

そこで「プー、プー」が始まった。切られてしまったのだ。一瞬だけ捕まえたけれど、また逃げられた。

確信がわいた。いたずら電話や間違い電話ではない。この「非通知」の番号の元には誰かがいるのだ。私に連絡をとりたい、でも逃げ出したいという二つのベクトルのあいだで揺れ動いている誰かが。


秋分の日には、家族三人で菜穂子の母親の墓参りに行った。春秋の彼岸《ひがん》の習慣だ。爽やかに晴れて涼しい日和《ひより》で、千葉の公園墓地への道中は、楽しいドライブになった。墓参りを済ませると、広場に咲き乱れるコスモスのあいだで、桃子とフリスビーを投げて遊んだ。途中で若いカップルが仲間入りしてきて、二人の連れていた犬も参戦した。おとなしいコリー犬だが、私たちの誰よりもフリスビーのキャッチが上手かった。彼らと手を振り合って別れるころには、案の定、桃子はしっかり〝犬を飼って飼って病〟にかかっていた。夕食は近くの牧場のバーベキューレストランでとり、満腹して帰宅した。

私の携帯電話は、終日沈黙していた。

翌朝、まだ家で朝食をとっているときに、梶田梨子から電話がかかってきた。

「朝早くからごめんなさい」

「どうしました？」

「どうしたわけでもないですけど、土曜も日曜も、何の動きもなかったでしょ。ジリジリしちゃって。杉村さんの方には連絡が入ってるなんてことないですよね？」

残念ながら、ない。

「気持ちはわかります。私も同じですよ。でも卯月刑事があれだけちゃんと約束してくれたんですから、もうしばらく我慢しましょう」

梨子の口調は明らかに焦《じ》れていた。「非通知」の電話のことは話さずにおこう。余計なストレスを増やすだけだ。

お姉さんはどんなご様子ですかと尋ねると、聡美に電話を代わってくれた。苛立ちは彼女も同じだろうに、声は落ち着いていた。

「朝からすみません。梨子はだいぶ神経質になってるみたいです。日曜の納骨のときにも、本当なら、お父さんがお墓に入る前に犯人を見つけたかったって泣いたりしたんです」

「日曜日は、あいにくの雨でしたね」

「はい。でもうちの両親のお墓は、今風のビルのなかにあるので」

「ああ、それなら天気に煩わされませんね」

「ビル自体が新しくて、何もかもピカピカなんです。ちょっと安っぽく見えるくらい」

想像はつく。

「うちの両親はどちらも肉親の縁が薄いでしょう。父なんか、絶縁してて連絡もとれません。だから楽な面もあるんですよ。うるさい伯父さん伯母さんがいたら、こんな重みもありがたみもない金ぴかの墓に入れるなんてって、文句のひとつも言われるところです」

彼と彼の両親が来てくれたんですと、聡美は言った。嬉しかったのだろう、素直に、声に温かみが混じった。

「浜田のお母さまなんて、先に立ってあれこれ世話を焼いてくださって」

実は葬儀の時にも、ずいぶん力になってくれたのだそうだ。

「それは心強い」

「はい。普通なら、姑《しゅうとめ》って煙たいものなんでしょうけどね。わたしは母がいなくて淋しい心細いけど、反面、良いこともあるんだって思いました」

私はトモノ玩具の関口氏に会ってきたことを話した。

「関口さんは事務方の責任者だったそうです。よく太っていて、眼鏡をかけた小父《おじ》さんですが、覚えておられますか」

「さあ……」

「野瀬祐子さんという女性事務員の方はどうでしょう。名前に聞き覚えがあるとか」

申し訳なさそうに声を縮めて、わかりませんと聡美は答えた。

五分遅刻して出社した。今日はシーナちゃんが来る日だ。チラシが思いがけない方向で効果をあげたことを、彼女にも知らせよう。そもそもは彼女の発案だったのだ。

ところが、十時きっちりにタイムカードを押して出てきた彼女は、妙に元気がなかった。「喧嘩しちゃったんです」という。

「誰と」

「彼氏」

今風のアクセントで言った。高校二年のときから付き合っているのだそうだ。

「なんだ、逆二高なんて嘆いていたけど、ちゃんと彼がいるんじゃないか」

「あいつは王子さまじゃないです。今はね、遠距離恋愛ってヤツになっちゃってるんです。あいつ、わざわざ九州の大学になんか行くから」

昨日は半年ぶりのデートだったのに、些細なことから口論になってしまったという。

「シーナちゃんでも、そういうことでヘコんだりするんだなぁ」

「失礼ですよ、杉村さん。わたしだって乙女なんだから」

長々とため息をつく。長身のシーナちゃんの等身大の憂鬱だから、やっぱり吐き出されるまで長くかかるらしい。

「やっぱもう、駄目かなぁ」頬杖をついて呟いた。「物理的な距離ってのは、乗り越えらんないです。向こうが何考えてるのか、わたし、わかんなくなってきちゃってて。まあ、それはお互いさまかな」

「とりあえず、昼飯は約束どおりに何でも好きなものを奢るからさ、元気出してくれ」

シーナちゃんのリクエストしたイタリアンレストランで、卯月刑事のことを報告した。彼女は拍手して喜んだ。

「その子本人のためにも、出頭した方が絶対いいですよ。早く踏み切ってくれないですかね」

とても嬉しいからデザートを二品食べていいかというので、私はOKした。彼女が洋梨のジェラートとカスタードプリンに舌鼓を打っているときに、私の携帯が振動した。

「非通知」ではなかった。ただの迷惑メールだった。私は舌打ちして消去した。

シーナちゃんは、昨日の菜穂子と同じように目をまん丸にしている。

「ドラマでしか見たことないけど、今の電話の出方、誘拐犯人からの連絡を待ってる刑事さんみたいですね。舌打ちなんかするのも、杉村さんにしちゃ珍しいです」

私は事情を話した。私の推測も話した。

「うん……」スプーンを口に突っ込んだまま、シーナちゃんは考え込んだ。「わたしもその推測に一票入れます。それ、たぶんその子ですよ。目撃情報を提供しようとしている人なら、そんな迷い方するはずないですからね。その子の同級生とか友達とかが、その子を名指しでチクろうとしてるんだとしても——」

「やっぱり迷うだろうけど」

「電話すると決めたら電話するでしょう。しないなら最初からしない。チクるだけなら、自分の名前なんか言わなくたっていいんだし、そんなに煩悶しないんじゃないかな」

デザートをせっせと平らげてしまってから、その話を蒸し返して、呟いた。

「梶田さんの遺族が自分のことどう思っているか、知りたいのかもしれないですね」

「うん？　どういう意味かな」

「その子の気持ちを想像してみてるんです。遺族はどのくらい怒ってるのかな。自分のこと許してくれるだろうか。怖いなぁって。それを知りたいけど知りたくない。だって怒ってるのは当たり前だし、そう簡単には許してもらえやしないってこともわかってる。中学一年生ならね」

午後の仕事の合間に、私は本社ビルの会長室へ登った。文字通り登るのだ。最上階にあるから。他の階とは内装がまったく違う。雲上人の住まうフロアである。この階に設置されているものはすべて、書類ストッカーの類《たぐい》でさえ、備品と呼んでは失礼にあたる。調度だ。廊下の絨毯の厚みからして違っている。

義父には会えなかったが、秘書室には地獄の門番よろしく〝氷の女王〟が頑張っていて、私は彼女に日曜日に作成した報告書を渡した。内容を問われたので、「あおぞら」に載せる原稿で、会長に目を通していただきたいものですと答えた。

　卑屈な気持ちになって別館に戻った。

　その日の終業間際になって思いつき、トモノ玩具の正月記念写真をコピーした。そしてグレスデンハイツ石川に向かった。管理室の久保室長に写真を見せ、ここに写っている人のなかに、見覚えのある顔はありませんかと尋ねてみた。

「こりゃまた古い写真だね」

「昭和四十九年に撮られたものなんです」

「うはぁ。そのころは私ゃ、不動産会社の営業マンやってましたよ。ひと昔どころか、三昔ぐらい前だね」

　残念ながら知っている顔はないと言われた。工藤理事長の八一〇号室へ向かおうとしたら、当の本人が背広姿で、たっぷりふくらんだ革の書類鞄を提《さ》げ、エレベータの前に立っていた。幸運だった。

「このあいだ、梶田さんの事故のあったとき、野次馬のなかに、気分が悪くなってしまった女性がいたというお話でしたね。その女性が、このなかに写っていないでしょうか」

　工藤理事長は内ポケットから老眼鏡を取り出し、じっくりと写真を検分してくれた。

「わかりませんなあ。えらい昔の写真でしょ。写ってたとしてもわかりませんよ。あのときだって、その女性の顔をちらっと見ただけでしたからね」

野瀬祐子という女性がここに写っていないことは確実なのだから、私自身、あてがあってやったことではない。一応、訊いてみただけだ。

「ご苦労さんです。何か進展があったんですか？」

興味深そうな顔をする理事長をエレベータに乗せて、別れた。

寄り道したせいで、帰りが少し遅れた。菜穂子が私の顔を見るなり、ついさっき、梶田梨子さんから電話があったのよと言った。私は勢い込んだ。

「卯月刑事が何か報せてくれたのかな？」

「それが、そういうことじゃないの」

物思わしげな顔をしている。妻は少し眉が薄いことを気にしていて、家で素顔でいるときにも、眉だけは描いている。怪訝《けげん》そうな表情を浮かべると、その眉が思いがけない微妙なカーヴを形作る。

「夕方、梨子さんのところにおかしな電話がかかってきたんですって」

いちばんわかりやすく言うなら脅迫電話だと、妻は言った。

私は桃子の耳が気になった。「桃子は？」

「お風呂からあがって、ジュースを飲んでるわ。テレビを観てるから大丈夫」

我々は玄関先でひそひそと立ち話をした。「何だい、脅迫電話って」

「ええ……梨子さんもどう解釈していいかわからないみたいで、要領を得なかったんだけれど。男の声で、梶田の過去を探りまわるなって言ったんですって。ちょっと待って。わたし、聞いたことをメモに書いたから」

妻はスリッパを鳴らしてリビングに引き返し、桃子にひと声ふた声かけてから戻ってきた。メモを私に差し出す。

「梶田の過去を探りまわるな　痛い目に遭う　あいつが死んだのは天罰だ」

そう書き留めてあった。きちんとした楷書だ。電話を切ってから書き直したのだろう。

「どう思う？」怪訝を通り越して、菜穂子ははっきり憂慮していた。

「どう……思ったらいいのかね」

額面どおりに受け取るならば、まさに脅迫だ。

「聡美さんがお父さんの過去を怖がってたこと、まんざら思い過ごしじゃなかったってことじゃないのかしら」

私はメモを読み返しながらうなずいた。

「梨子さんはどんな様子だった？」

「うろたえてはいなかったみたい。むしろ、きょとんとしてるという感じだったわ。これ何なのというような。梨子さんは、お姉さんが昔、誘拐されたことについては知らないのよね？」

「知らない。聡美さんは梨子さんには隠してるんだ。彼女、お姉さんにこのことを話したと言ってたかい？」

　妻はかぶりを振った「聡美さんは午後から出かけてるんですって。まだ帰ってないって」

　私は急いで電話をかけた。梨子がすぐ出た。

「ごめんなさい、お騒がせして」

　何とか笑みを含んではいるが、いつもの彼女に似合わぬ、一歩後ろに引っ込んでいるみたいな声だ。

「いいんですよ。こんな電話がかかってきたんじゃ、びっくりしたでしょう」

　電話があったのは六時ちょっと過ぎだったそうだ。押し殺したような声だったが、相手が男であったことは間違いない、若くはなかった、中年男性のようだった、という。

　私はメモを読み上げ、その男が口にしたという言葉を確認した。梨子はそのとおりだと認めた。

「あの場では、そんな言葉、現実味がなくてピンときませんでした。ドラマの台詞みたいでしょ。だけどこうやってあらためて聞くと、すごい脅し言葉ですよね」

「そちらの電話はナンバーディスプレイがついていますか」

「え？　ええ、ついてます」

「何と表示されました？」

「えーとねえ、何だったかな」

「番号は出なかった」

「出ませんでした。〝公衆電話〟だったかな。うん、そうだと思います」

梨子は急に声をたてて笑った。「嫌ね、わたしったらちょっと怖がってる」

「怖くてあたりまえです」

「でもこれ、いたずら電話じゃないかしら。チラシを見た人が、面白がって」

「それはないですよ。あなたの家の電話にかかってきたんでしょう。チラシを見た人間がやってることなら、私の携帯にかけてくるはずだ。あなたの家の電話番号がわかるはずないんだから」

そうですねと、梨子はもう一歩退いたように囁いた。「でも、調べればわかるかも。父の名前は、チラシに書いてあるんだし」

「いたずら電話をかけるような奴が、そこまで手間をかけるでしょうか。もっと派手な、いや、派手という言い方も変だけれど、マスコミでも騒がれた殺人事件なら話は別ですよ。でも、梶田さんの事件はそうじゃない」

梨子は黙ってしまった。

私は訊いた。「この電話のほかに、最近おかしなことは起こっていませんか。知らない人間が家の近くをうろうろしているとか」

「そんなことは――ないと思うけど。姉にも訊いてみましょうか」

私は迷った。こんなことが聡美の耳に入ってしまったら、彼女はまた取り乱す。しかし、伏せておいては危険かもしれない。

聡美はただの小心な心配性ではなかったのかもしれない。彼女が怯えていたのが正しく、私の考えが甘かったのかもしれない。

——おめでとうございます。

あの笑顔の梶田氏は、あの笑顔にたどりつく前の人生で、私などの思いもつかない暗い場所を通っていたのかもしれない。

聡美だけが、それを察していた。聡美だけが、それと遭遇したことがあったから。

「お姉さんが帰ってらしたら、私に電話してくれるよう伝えていただけますか。私からお話しします。それまでは言わないでおいてください」

わかりましたと梨子は答えたが、

「杉野さん、すごくあわててる」と、ほんの少しだが咎《とが》めるように言った。「なんだか、心当たりでもあるみたい。うちの父は、こんなふうに誰かに脅されなくちゃならないような人間じゃなかったですよ」

「もちろんです」私は力を込めて言った。人が嘘を通したいとき、みんなそうするように。「ですが、身に覚えがなくても恨まれることだってあります。だから心配なんですよ」

「逆恨みってことですか」

発音するのも忌《い》まわしい言葉だが、そういうことだ。

「戸締りに気をつけてくださいね」と言って、私はとりあえず電話を切った。そのあと食事をしたが、せっかく私の好物のお菜が並んでいたのに、ほとんど味がしなかった。

「あなた、大丈夫？」

妻の顔も心なしか強張っている。

「大丈夫だよ。怖いというより、後悔してるんだ。聡美さんの言っていることを、最初からもっとまともに受け止めておけばよかったんじゃないかって」

「警察に報せる？」

この段階では、報せてもまだ何もしてもらえないだろう。それでも卯月刑事には相談してみようか。

食事が済むと、聡美からの電話を書斎で待った。桃子を寝かしつけるのは、妻に任せた。待っているあいだに、妻が丁寧に書き留めてくれた脅迫の文言《もんごん》を繰り返し読んだ。

梶田の過去を探りまわるな。

痛い目に遭う。

あいつが死んだのは天罰だ。

天罰だ。私はその言葉に鉛筆でマルをつけた。古風な言いようだ。でもちょっと引っかかる。何かおかしい。

梶田氏は天罰にあたって死んでしまった。だが、掘り返されては都合の悪い過去が残っている。梶田氏にとってというよりは（あるいはそれと同時に）、脅迫者にとって都合の悪いことが。電話の主はそう言っている。だから掘り返すな。

それは別におかしくはない。おかしいのは——

そこに電話が鳴った。聡美からだった。事情はわからなくても、雰囲気を察しているのか声が硬い。

「何かあったのですか?」

私が事情を説明しているあいだ、彼女はひと言も発しなかった。立ちすくんだような沈黙に向かって、私は話した。

「やっぱり……」

ようやくそう言った。泣いてはいなかった。泣いているより悪かった。

「大丈夫ですよ、何かが起こったわけじゃない。まだ電話がかかってきただけです。これからいくらでも手を打つことができます」

「梨子に取材をやめさせます。本を出すのもやめさせます。最初から、もっと強く止めておけばよかった」

「聡美さん——」

「ごめんなさい。わたし、やっぱり怖いです」

ひとつ息をついて、私は問いかけた。「お気持ちはもっともです。でも聡美さん、何があったのか知りたいというお気持ちはありませんか」

正直言うと、私にはある。電話を待ちながら考えているうちに、それに気づいた。梶田姉妹を危険にさらしたくはないが、知りたいという気持ちは強い。この脅迫者はどこのどいつだ。何を探りまわるなと脅しているのだ。

「わたしは——もういいです。知りたくありません。父はもう死んでしまいました。掘り返すことなんか、何もないです」

「それだと、あなたはこの件をずっと引きずることになる」

「かまいません。今までと何も変わらないもの」

いつもいつも後ろを気にして、通り過ぎてきた時間を気にして、両親の過去にあるものに怯えて。

いつかそれが、何かとてつもなく悪いことを運んでくるのではないかと怖がる生活。

聡美が四歳のときから過ごしてきた人生。

「卯月刑事に相談してみませんか」

電話のなかの沈黙が乱れた。

「わかりません。今はよく考えられません。梨子と話してみます」

「聡美さん」私は思い切って言った。「この際、梨子さんにもあなたが四歳のときの出来事を話した方がいいです。梨子さんも気味悪がってはいるが、実感はない。それは彼女には知らないことがあるからです。お父さんとお母さんの、タクシー運転手になる以前の人生についても、話してあげてください。あなたの不安を、具体的に打ち明けるんです。忍びないでしょうが、今はそれが必要じゃないですか」

承知しましたと、聡美は他人行儀な言葉で言って、話は終わった。私はまたメモと向き合った。

17

一夜明けて、梶田梨子が会社を訪ねてきた。

私の顔がよほど真剣だったのだろう。園田編集長は持ち前のプチ意地悪精神を発揮することなく、素直に私が会議室を使うことを認めてくれた。

一見して、梨子の様子に変わったところはなかった。私に微笑みかけ、編集部員たちには如才なく挨拶した。

「姉から全部聞きました」

今日は秋らしい長袖の白いブラウスに臙脂《えんじ》色のミニスカートだ。口紅の色もそれに合わせてある。右手の薬指に、大粒のルビーの指輪が光っている。

「どう思われました」

「怖い体験ですよね。お姉ちゃん、可哀想」

目を伏せて、両手を組み合わせる。

「わたし、全然知りませんでした。杉村さんは姉から聞いてたんでしょ？」

「聞いていました。すみません」

シーナちゃんのそれとは違って、梨子はため息まで可憐だった。

「わたしだけ仲間はずれだったのね。何か、それはちょっと心外」

もう一度、すみませんと私は言った。梨子は頬を緩ませた。

「でもね、それはいいです。わたしに嫌な話を聞かせたくなかったってことなんだものね。それに杉村さん、わたしそんなに怖がってないですから」

確かにそう見える。

私はふと後悔した。昨夜、あのまま梶田姉妹の家に駆けつけて、二人の話し合いを傍聴すればよかった。この万事に快活で前向きな娘が、自分の生まれる以前の両親の人生に関する新しい情報を与えられたとき、どんな驚きを見せたのか。

だが昨夜は、妻と娘を置いて家を空ける気になれなかったのだ。脅迫者は梶田家に電話をかけてきた。梨子が父親の過去を探りまわり、何人かに取材していることも知っている。となると、私の存在も知っている可能性がある。私の方にも、何らかの形で接触してくることだって充分に考えられるのだ。

ほんのわずかでも、我が家にも「痛い目に遭うぞ」などという脅迫電話がかかってくる危険性があるのならば、私はその電話に妻を出したくなかった。今日も、留守番電話にしておくように言ってある。

「姉はとっても怯えてますけど、あの人、もともとそういう怖がりさんだから。わたしは違います。負けませんよ」

「じゃ、お父さんの本を作るんですか」

「作りますよ。だって、やめたら負けじゃないですか」

勝気な笑い方をする。いや、もう勝っているかのような笑い方だと私は感じた。おかしな話だ。

「昔、何があったんだか知らないけど、わたしの父も母もちゃんとした人間です。人から恨まれる筋合いもないし、逃げ隠れする必要なんか全然ないです」

杉村さん、まだ手伝ってくれますかと、彼女は座りなおして訊いた。

「わたし、本を出したいんです。売れるかもしれないんでしょ？」

私はすぐ返事ができなかった。臆しているのではなく、自分でも把握しきれないほどたくさんのことを、一度に考えていたからだ。

「お姉さんは反対してるんじゃないですか」

「泣かれちゃいました」と、梨子は言った。

「怖い体験をしているからですよ。あなたにもそんなことがあったらいけないと怯えているんです」

「わたしは大丈夫。それに姉の言う、その誘拐とやらですか。わたし、そんなに大げさなことじゃなかったと思うんです。近所の人とトラブったかなんかした程度じゃないですか。小さいことを、姉が勝手にふくらませちゃってるんですよ。杉村さんは姉のことよく知らないから、真に受けちゃってるのね。会長先生はそのこと、ご存知なんですか？」

私は黙ってうなずいた。

「何ておっしゃってました？」

「心配していますが、あなたがおっしゃるように、聡美さんには気の小さいところがあるとも言っていました。それが本当に誘拐事件であったかどうかはわからない、と」

「ね、そうでしょ」梨子は笑顔になった。いかにも気合を入れるぞという様子で、両手を握って肩をゆすった。

「わたし、頑張ります。とりあえず、次の日曜日に水津へ行ってこようと思ってるの。そのつもりで予定を立ててましたから」

「遠出はやめた方が――」

「大丈夫です。一人では行きませんよ」

挑戦的な目をして私を見た。この娘は何に対してこんなに逸《はや》っているのだろう？

結局、梨子は来客用の粗茶にも手をつけず、きびきびと立ち上がった。

「杉村さん、お願いですから、わたしの担当を下りないでください。本を出したって、何も起こらないという方にわたしは賭けるわ。電話で人を脅すなんて卑怯《ひきょう》なことをする奴は、臆病者に決まってる。それ以上のことなんかできやしませんよ。ね？」

そして会議室を出て行こうとして、思い出したように振り返った。

「そうそう。姉から連絡がいくかもしれないけど——やっぱり結婚を延期するって言ってます」

私はちょっと口を開いた。「またその話の蒸し返しですか」

「うん。浜田の家に迷惑をかけるようなことがあっちゃいけないって。向こうの親に事情を話すのかって訊いたら、そんなみっともないことできないって、また泣かれちゃった。だから何か言い訳するんでしょうね」

「それは——結婚そのものをとりやめるということですか」

「どうかな。とりあえずは延期して、わたしが本を出して、それで何事も起こらなかったなら、また考えるんじゃないですか」

梨子が帰ってからも、私はしばらく会議室に残った。ずっと机に肘をつき組み合わせた手に顎を載せて考えていた。依然として砂のように手ごたえがなく、籾殻《もみがら》のようにつかみようがなく、把握しきれない漠然とした思考に、首まで埋まっていた。

ノックの音がした。編集長が顔をのぞかせる。

「済んだなら、空けてくれない？ 来客があるの」

「編集長」

「何よ」

「私は今、どんな顔をしています？」

「いつもの顔よ。ど偉い会長さまの、のほほんとした婿殿の顔」

疑り深い探偵の顔には見えないらしい。無能な編集者に見えなかっただけ、幸いか。

「『ああ、やっと時期《じき》がきた』と、ネコがいいました。『あたしはなん日《にち》ものあいだ、まって、まちつづけていたけど、やっときょう、その日がきたんです。あたしのせなかにおのりなさい。そうして、すぐにでかけましょう』

おばさんがせなかにとびのると、ネコは、雪《ゆき》をけたてて、かけだしました」

私は桃子のベッドの脇に座り、『小さなスプーンおばさん』を読んでいた。今夜は第九話「おばさんとひみつのたからもの」だ。

桃子は眠そうで目が半分閉じている。それでもお話に惹きつけられて、懸命に睡魔に抵抗している。

「お父さん、ネコのひみつのたからものって、何だろう？」

「それを先に知ってしまったら、つまらないよ」

「ちょっとだけ教えてくれない？　ヒント」と言って我が愛娘《まなむすめ》は大あくびをした。

「今夜はここまでにしとこうか」

「えー、おしまいまで読んでェ」

昼間は何事もなかったと、菜穂子に聞いた。おかしな電話もなかった。あなた、大丈夫よ、あんまり思いつめない方がいいわ。

「それじゃ、あと一ページだけだよ」

半ページのうちに眠ってしまうだろう。

「『坂《さか》のわきのシラカバの木《き》には、カササギがいっぱいとまっていました』」

カササギたちはおばさんを背に乗せたネコをからかおうとする。ほれ、ネコがきた！　私がカササギらしい甲高《かんだか》い声色を出そうと息を吸い込んだとき、ズボンのポケットのなかで携帯電話が鳴った。

「非通知」の表示が、目に飛び込んできた。

私は本を手にしたまま、急いで立ち上がった。桃子は眠ってしまっている。後ろ手にドアを閉めながら、廊下で携帯に出た。「もしもし、杉村です」

沈黙が聞こえた。つながっている。

「杉村です。何度かお電話いただいている方ですね？　切らないでください。どうか切らないで」

電話の向こうに、息遣いのようなものがある。人がいる。

「あの……」

聞き違いではない。幻聴でもない。私にそう呼びかけてきた。

遠くか細い声だ。携帯電話会社のアンテナや、中継基地を通るあいだに、よくぞかき消されずに届いてくれた。ああ、これは子供の声だ。怯える少年の声だ。私の心は躍った。心臓が目の裏あたりまで飛びあがり、次にはまっしぐらに足の裏まで急降下して、そこで跳ね躍る。

「君、君だよね？」

できる限り優しく、桃子に本を読んでやるときの声で、私は呼びかけた。

「よく電話してくれたね。ありがとう。よく決心して、かけてくれた」

相手は黙って聞いてくれている。私は身体ごと前のめりになって語りかけた。

「事情はわかってるんだ。君の気持ちもよくわかる。いや、わからないかもしれないけれど、僕も一生懸命想像してみたんだ。怖かったろう。今も怖いよね。起こってしまったことはもう元に戻せない。だけどね、このまま逃げてしまったら、君はずっとその怖い気持ちを背負い込むことになるよ。そんなの嫌だろ？　かえって辛いよな」

電話の向こうの沈黙が揺れている。さざめいている。

「梶田さんにはね、お嬢さんが二人いるんだ。二人とも、お父さんが大好きだった。だからとても悲しんでる。でもだからって、君を許さないってことじゃない。そんなことは絶対にない。二人がいちばん悲しんでるのは、お父さんの身に何が起こったのか、さっぱりわからないってことなんだ。それを考えてみてくれないか？」

「梶田さん」と、私の携帯電話が囁いた。

「そう、梶田さんだ」

沸き立つ感情の下をすり抜けるようにして、私の理性が私に囁きかけてきた。相手の声をよく聞け。

「梶田信夫さんだ。亡くなった人はそういう名前だ。運転手さんで、六十五歳でお嬢さんが二人いて」

理性が私をつつく。今の声を聞いたか？　ちゃんと聞いてるか？

さっき「梶田さん」と囁いたあの声は、子供の声ではなかった。

先行する心に引っ張られ、私の頭は機能を失っている。だが耳はちゃんと働いている。

あれは、女性の声だ。

私は言葉を失い、非通知の表示を出し続けている携帯の画面を見た。そしてもう一度切れてしまっていることを覚悟しつつ、耳に当てなおした。

そこにはまだ、震えるような沈黙があった。その沈黙が問いかけてきた。

「杉村三郎さんで、いらっしゃいますね」

まぎれもなく女性の声だった。耳を澄ましてようやく聞き取れるくらいの小さな声だが、間違えようがない。

「はい、杉村です」

私の声を聞きつけたのだろう。リビングのドアを開けて、菜穂子が半身をのぞかせた。目顔で問いかける妻に、私も目顔で応じた。

「私は杉村三郎です。梶田信夫さんが亡くなった事件で、情報を求めてチラシをつくり、グレスデンハイツ石川の前で配った者です。チラシをご覧になってお電話をくださったんでしょうか」

ちょっと間を置いてから、電話のなかの女性は答えた。「——そうです」

菜穂子が私に寄り添い、私の耳元に自分の耳を寄せた。

「何度かお電話いただきましたか。それともこの電話が初めてでしょうか」

返事がかえってくるまで、私は息を二つした。呼吸音が電話に入らないよう、充分に気をつけた。

「前にも何度かお電話いたしました。でも、あの、切ってしまいました。申し訳ありません」

私は妻にうなずきかけ、一瞬だけ携帯電話を彼女に向けて、「非通知」の表示を見せた。

「気にしないでください。こうしてお話ができて、有難いです」

すみません——と、その女《ひと》は詫《わ》びた。私には推《お》し量《はか》りようもない感情で、その声はかすれていた。

「梶田さんが亡くなったことは、存じ上げていました。自転車に撥ねられたそうですね」

「はい。残念なことです」

「撥ねた人は見つかったんでしょうか」

「まだですが、もうすぐです。警察は捜査を進めています」

そうですか、それはよかった。消え入りそうな声が言った。また沈黙が来る。それを知りたくてかけてきたのか。だったら、ここで電話を切られてしまう。この女は誰だ？　どう呼びかければ繋《つな》ぎとめられるだろう。

しかしその女は、思いがけない質問を投げてきて話を続けた。「梶田さんには、お嬢さんが二人いらっしゃるんですねえ」

「はい、そうです」

「わたしは……一人しか存じ上げないです。聡美さんとおっしゃいました」

私は目を瞠った。妻がわたしの肘をつかむ。

「あなたは梶田さんのお知り合いでいらっしゃいますか」

「昔、たいへんお世話になりまし――」

語尾が崩れた。泣いている？

「ごめんなさい」と、謝る声は完全に涙声だった。

「チラシのことを聞いて、梶田さんを轢《ひ》いて逃げた自転車が、まだどこの誰なのかわからないと、初めて知りました。とっくに解決したと思っていたんです。いえ、そうあってほしいと願っていました。わたしはあの、あの場にいても、何もできませんでしたし。お嬢さんには本当に申し訳なくて」

頭がくらりとした。妻が私にぴったりとくっつく。

あの場にいた？

「ひょっとして、あなたは、倒れている梶田さんを見て、気分が悪くなってしまった方じゃないですか」

「ええ、そうです……。それもご存知でしたか」

「管理人さんに聞いたんです。あなたはグレスデンハイツ石川に住んでおられるんですね？」

「ああ、いえ、住んでいるわけではないんです」

「では、あの折には、たまたま外から訪ねていらしてたんですか」

辛そうに鼻をすすり、呼気を震わせて、その女は答えた。「グレスデンハイツ石川には、わたしの叔母が住んでいるんです。母の妹で、もう高齢ですが、毎年、お盆休みには子供たちや孫たちと海外旅行に行きます。そのとき、わたし留守番を頼まれるんです。鉢植えに水をやったり、猫がいますから餌をやったり——」

そこまで手が届いたなら、私は立ったまま自分の膝を打っていただろう。だから八月十五日だったのだ。

「ですから、梶田さんの事故のその後のことは存じませんでした。お盆休みが終わったら、わたしはこっちに——自分の家に戻ってきてしまいましたから。それでもあの、八月十五日の事故のことで、こういうチラシがまかれてるよって、先週、ちょっと用があって電話しましたら、そんな話が出て参りまして」

詳しいことを知りたくて、私の携帯電話にかけては切っていたのだろう。

それほどまでに躊躇《ためら》う、この女にはどんな理由があるのだ。梶田氏とどんな関係にあるのだ。

声の感じでは、三十代後半か四十歳ぐらいに思える。ただ、電話を通すと声は変わるものだ。久保管理室長は、気分が悪くなって倒れた女は「若くはなかった」と言っていたけれど――

話し言葉に独特の抑揚があることも気になった。方言というほどのことではないが、少なくともいわゆる標準語ではないイントネーションだ。語尾が全体に上がり気味だし、「わたし」が「わだし」と聞こえる。この女はどこに住み、どこからこの電話をかけているのだろう。

「梶田さんは、八月の盆休み中なら、あなたがグレスデンハイツ石川にいると知っていて、お訪ねしたということなんですね」

「はい、訪ねてきてくださいました」

「あの日、あなたは梶田さんとお会いになったわけだ」

返事の代わりに、呻《うめ》くような息が聞こえてきた。

「本当に申し訳ないです」

泣き崩れるのをこらえるために、息を止めてしゃべろうとしている。

「目の前で梶田さんが倒れているのに、わたし逃げてしまいました。梶田さんがお帰りになって、間もなく救急車のサイレンが聞こえてきて、大騒ぎになっているようなので、外へ出てみたんです。そうしたら――もう血が、血が流れていて、居合わせた方たちが、亡くなってるようだって教えてくださいまして——」

私は口を挟まずに耳を傾けた。妻も身体を硬くしている。

「逃げたりしないで、おそばについているべきでした。そもそもは、わたしなんかを訪ねてきたから、梶田さんはあんなことになったんです。でもわたしには、そんな資格はないんです。梶田さんにお会いするべきじゃありませんでした。梶田さんの奥様やお嬢さんに合わせる顔だってないんです」

息が苦しいのか咳《せ》き込んだ。その咳を聞いて、この女は声から受ける印象ほど若くはないと、私は察した。あるいは五十歳を超えているかもしれない。

「さっき、梶田さんにはたいへんお世話になったとおっしゃいましたね？」

彼女の咳がおさまるのを待って、私はゆっくりと尋ねた。水面に人の影が落ちただけで、この魚は逃げてしまう。

「あなたは梶田さんに恩を受けたことがある。よくわからないけれど、迷惑をかけたこともあるのかもしれない。それはいつごろのことなんでしょうか。だいぶ昔のことですか」

涙に乱れる呼気を、しばらく聞いた。それから、その女は答える代わりに、私に尋ねた。

「杉村さんは、ご存知なんでしょう？」

「とおっしゃいますと」

「わたしのことを、梶田さんから聞いておられるんじゃないんですか、犯人探しを手伝うくらいですから、梶田さんとは特別にお親しかったんでしょう。もしかして、杉村さんは、聡美さんとご結婚なさる方ですか」

探りを入れられているのだろうが、そんな感じはしなかった。しゃべりたくて、ぶちまけたくて仕方がないのだけれど、それが怖い。私がきっかけを――許しを与えるのを、彼女は待っているのだという気がした。

そのきっかけは何だ。何が合図になるのだろう。私は必死に頭を働かせた。

「私は聡美さんの婚約者ではありません、梶田さんとは、仕事上のお付き合いがあって、お世話になっていました」

嘘ではない。七年半前、梶田氏のかけてくれた祝福の言葉は、今でも私の胸にある。

「とてもいい方でした。亡くなって残念でたまりません」

それも嘘ではない。合図は何だ。何を言えば、この女は扉を開けてくれる？

「ああ。それじゃ杉村さんも運転手さんなんですね」

誤解を訂正せず、私は黙っていた。

「奥様も亡くなられたそうで……優しい方でしたのに」

女は言って、ぐすんと鼻をすすりあげた。

「聡美ちゃんも可愛くて。うちで作ってるお人形より可愛くって。おとなしくていい子で、奥様が内職を届けるとき、よく一緒について来てて――」

どこにもつながらずに過熱する一方だった私の頭の回路が、一箇所だけ、やっと連結した。

トモノ玩具だ。

菜穂子と結婚するときに、私の一生涯分の博打《ばくち》の割り当て分は使い果たしたと思っていた。こんな度外れて大きな博打をうつ以上、この先、一か八かの局面に立たされることなど、もう二度とあるまいと。

まだあった。

呼吸を整えて、私は訊いた。

「あなたは野瀬祐子さんですね？」

肯定の返事はなかった。それでも、正解を引き当てたとわかった。

「やっぱりご存知なんですね。全部知っているんですね、わたしのことを」

影が形になり、朦朧《もうろう》としていたものが焦点を結んだ。電話の向こうの遠い声が、突如として人格を持った。肉声になった。

「知ってるんですよね。だから最初に電話に出たときも、あんなことをおっしゃったんでしょう？　わたしだってわかったから」

違うのだ。私は「非通知」の電話の主を、警察への出頭を迷う、中学一年生の少年だと思っていた。だから呼びかけた。怖かったろう、だけどこのままだと、ずっと引きずることになるぞと。

とんでもないボタンのかけ違いだ、野瀬祐子は言葉の意味を取り違えているのだ。

「すみません。お電話なんかするべきではなかったです。お許しください」

野瀬祐子は泣き崩れた。それでもこの人の心のなかには、少しばかりの安堵があるように、私は感じた。やっと話せる。ここに知ってる人がいる。もう知られているのだから、話してしまったっていいんだ。

それがわかったから、私は誤解を解かなかった。何でもいい。解放してください。あなたが抱え込んできた秘密を。

ああ、やっと時期がきたとネコは言いました。あたしは待って、待って、待ち続けていたけれど、やっと今日、その日が来たんです。

私は言った。「こうして電話をかけてくださったことは、間違いではありませんよ」

ひとしきり泣いて、何度も何度も謝り、そして野瀬祐子は私に問いかけた。

「教えてください」

私なら必ず答えてくれるはずだという確信――願いのこもったその声が、はるばると距離を隔て、時間を超えて私の耳を打った。

「梶田さんは杉村さんに、わたしのことを何とおっしゃってましたか。わたしのせいでとんでもないことに巻き込んでしまったのに、梶田さんは、わたしを責めたことなんか一度もなかったんです。あの日お会いしたときも、昔と同じように優しいことをたくさんおっしゃって、わたしを気遣ってくださってました。だけど、本当はどうだったのか、わたしは怖くて怖くてならないんです」

だって——わたしは——わたしは——

「自分の親を手にかけたような女です。生きてちゃいけない人間なんです。それなのに梶田さんは、どうして——わたしに、あんなに親切に——わたしを許してくだすったんでしょう。どうしてそんなことができたんでしょう」

どれほど鮮明で、思い出したくなくても思い出してしまうほど強烈な記憶であっても、それを言葉にせず隠している年月が長ければ、風化は起こる。野瀬祐子の話はしばしば脈絡を失い、前後関係がわからなくなった。彼女はずっと泣いていたので、声も聞き取りにくかった。

聞き出す私の側にも問題があった。彼女は私がすべて知っていると思い込んでいる。そう思わないと、電話をかけてきたことが取り返しのつかない過《あやま》ちになってしまうから、その考えにしがみついていた。

私はボロを出さないように、用心深い聞き手であることを迫られた。難しい芝居だった。

携帯電話を耳にあて、そんな、めったにないような綱渡りを続ける私を、妻は上手に誘導してリビングに連れて行ってくれた。ソファでは私の隣に座り、ずっと一緒に野瀬祐子の声を聞いていた。途中で一度だけ、忍び足で桃子の様子を見に行き、すぐ戻ってきた。

二十八年前の八月、野瀬祐子は実の父親を殺害した。

酒びたりで博打好きで、どうしようもない男だった。年がら年中娘から金をせびり取り、足りなければ彼女の勤め先に押しかけて、勝手に給料を前借りして使い果たしてしまうような人間だった。

トモノ玩具からの給料の前借りのことは、私の方から尋ねた。彼女は飛びつくようにその事実を認め、やっぱり杉村さん、そんな細かいことまで知っているんですねと驚いた。

殺害に至る、詳しい経緯は聞けなかった。三十年近く経っても、野瀬祐子のなかでその出来事は言語化されていないのだろう。できないのだろう。だから彼女は、その部分については、聞いているでしょう、知っているでしょう、仕方がなかったんです、わざとやったことじゃなかったんですと繰り返すばかりだった。

それでも、夜遅くなっても帰宅しない父親を案じて――それ以前にも、警察のトラ箱に放り込まれたり、他家の軒先で寝込んでしまって迷惑をかけたりすることが、何度もあったから――探しに行き、案の定、酔いつぶれて道端で獣のようにうずくまっているところを見つけたことが、発端になったらしいことはわかった。

「お酒さえ入らなければ、むしろおとなしいような人でした。でも酔うと人が変わりました。わたし何度も殺されかけました。お金がないっていうと、すぐカッとなるんです。殴られたり蹴られたりして、しょっちゅう痣だらけでした。目立つところは殴らないんです。外面《そとづら》はすごくいい人だったから、そういうところは心得ていました」

昭和五十年のその暑い夜、彼女はまたぞろ襲ってきた父の暴力の発作《ほっさ》から身を守ろうとした。その結果、父親は死んだ。

「何が面白くなかったのか、父がわたしにつかみかかってきたんです。べろべろに酔っていました。払いのけようとして突き飛ばしたら、よろけて倒れて、頭を打って……」

当時の八王子の町、トモノ玩具からもそう遠くない、野瀬祐子の住んでいたアパートのあたりは、現在のように住宅やビルが立て込んではいなかった。夏の夜の底に、草っ原も林もほうぼうにあった。街灯は少なく、闇は濃かった。

彼女は死体を闇に預けて、その場から逃げ出した。

「子供のころから、私の家は父の酒乱のせいでめちゃめちゃでした。母は早くに病気で死んだんですが、あれだって父に殺されたようなものです。兄がいましたけど、とっくに家を出ていました。わたしも中学を出るとすぐに仕事について、家から逃げ出しました。父に見つからないように、喰いものにされないように、必死でした。だけどいつも、どうやってか見つけられてしまうんです。父はわたしがどこに逃げても、必ず見つけ出してしまうんです。そのへんもすごく狡猾《こうかつ》で、頭が働くんです。トモノ玩具にいたときも、そうでした。ある日仕事が終わってアパートに帰ったら、父がドアの前にいてニヤニヤ笑っていたんです」

でも、それももう終わりだ。もう父親はいない。自分がこの手でけりをつけた。野瀬祐子は興奮し、勝ち誇り、それでいて死ぬほど怯えていた。

だから、トモノ玩具で唯一親しくしていた梶田夫妻の家に駆け込んだ。

「父があんな人間でしたから、わたしは人が怖かった。とりわけ、年長の男の人が嫌でたまりませんでした。でも梶田さんは違いました。人付き合いの下手なわたしに、最初から優しくしてくれた。奥さんもそうでした。兄さんや姉さんみたいな感じがした。だから、頼るところといったら、梶田さんしかいなかった」

梶田夫妻は、それ以前から、野瀬祐子が父親に苦しめられていることを知っていた。だから事情を聞くと、彼女をかばおうと決めた。どんな理由があろうとも殺人は殺人だ。祐子は罪を問われるだろう。そんな理不尽な話があるかと、梶田氏は怒ったそうだ。

「私らみたいな弱い立場の人間には、警察がどんなに残酷で容赦ないものか、私はよく知ってるんだと言いました。事情なんて酌《く》んじゃくれない。人殺しだって決めつけられて、刑務所に放り込まれてそれでおしまいだよ、人生台無しだよって」

それはトモノ玩具に入る以前の、危なっかしかった人生から、梶田氏が得た教訓だったのかもしれない。

三人は相談した。今ならまだ間に合う。こっそり死体を始末してしまおう。遠くへ運んで埋めればいい。誰にも見つからないように。もともと住所不定の父親だ。ふらりと娘の元に来て、しばらく居候《いそうろう》し、また出ていってしまった。それで通る。死体さえ発見されなければ、誰にも疑われはしない。

梶田さんは、あなたのお父さんの死体を運ぶのに、トモノ玩具の軽トラックを使ったのですねと、私は尋ねた。あの会社では、社用車の鍵の管理が甘かったから。

私が知っていて確認しているのだと思い込んでいる彼女は、何のためらいもなくそうだと答えた。友野栄次郎氏がこのことを知ったら、いったいどんな顔をするだろう。記憶に残っていない、だから「ちゃんとした従業員だった」はずの梶田夫妻が、玩具を運ぶ軽トラックを、そんな目的のために使ったことがあると知ったならば。

梶田氏は一人でやると言った。だが気丈な梶田夫人は、一人では無理だ、自分も手伝うと言った。事の次第に、ただただ怯えてすくみあがってしまっている野瀬祐子は、最初から勘定に入っていなかった。

問題は聡美だ。死体の処分など、どのくらい時間がかかるか見当もつかない。遠くへ運ぶなら、ひと晩かかるかもしれない。そのあいだ、聡美を一人でほったらかしにするわけにはいかない。かといって、どうして連れていくことができるだろう。たった四歳の子供なのだ。

「それでわたし、梶田さんと奥さんが出かけているあいだ、聡美ちゃんを預かったんです」

最初は、社員寮の梶田夫妻の部屋で待っていることにしようと思ったそうだ。だが、冷静な梶田氏は、それでは危険だと考えた。当時、トモノ玩具は夏休み中だった。帰省している社員もいて、寮は空《す》いていた。それでも無人になっているわけではない。梶田夫妻が戻るのが遅くなり、朝になれば、彼らが子供を置き去りに留守にしており、代わりに、寮に住んでいない野瀬祐子がいる。しかも様子が尋常ではない——何かの拍子に誰かが気づいて、不審に思うかもしれない。

だから梶田夫妻は、野瀬祐子に、聡美を連れてアパートに帰り、そこで待っているようにと言ったのだ。

「連れて行ったときにはよく眠っていたんですが、やっぱり何か感じたんでしょう。聡美ちゃんは夜中に目を覚まして、お父さんとお母さんがいなくて、知らない家にいて、怖かったんでしょうね。泣き出しました。わたしはもうどうしていいかわからなくて、聡美ちゃんが騒げば近所の人にも変に思われるし、怖くて怖くて、一緒になって泣いて」

今も梶田聡美の記憶に残る「誘拐」は、この一夜のことだったのだ。

孤独な生活をしていた野瀬祐子は、子供の扱いに慣れていなかった。しかも、父親を手にかけた直後に、その死体の後始末を他人に託して、待っているしかない状況だ。ヒステリックになったのも、泣き騒ぐ聡美を怒鳴りつけたのも、聡美に外に出られては困るからとトイレに閉じ込めたのも——

無理もないとは言いたくない。だが、想像することはできた。

私は、尋ねはしなかった。聡美ちゃんに、「こんなことになったのはあんたのお父さんのせいだ」とか、「言うことをきかないと殺してしまう」とか言いましたか？

訊いても、本人にもわからないだろうと思ったからだ。その類のことは言ったのだろう。聡美をおとなしくさせるために、その場で思いつく限りのことを言ったのだろう。

その夜は、野瀬祐子自身が、狂気の淵にいた。その身体からあふれ出た暴力の余波も残っていた。四歳の梶田聡美はそれを感じ取り、そこから死の匂いを嗅《か》ぎ取って怯えたのだ。

その怯えが、さかのぼって記憶を変えていったということは充分にあり得る。また、四歳の聡美には、そんなことがあるまで両親が親しくしており、聡美に対しても、不器用ながらも優しく接していたに違いない野瀬祐子という女性と、自分を閉じ込めて脅かした怖い女とを、同じ人物としてとらえることが、どうしてもできなかった。二つの女性像はおぼろに乖離《かいり》したまま、聡美のなかではひとつのタブーとしてくくられて、封印されてしまったのだ。

あるいは、聡美の耳には恐ろしい脅しの言葉に聞こえたものも、実はそうではなかったのかもしれない。野瀬祐子は、聡美に向かって言ったのではなかったかもしれない。

「こんなことになったのはお父さんのせいだ。お父さんが悪いんだ」

その「お父さん」は、彼女の父親のことだったのかもしれない。

「梶田さんご夫妻は、いつ帰ってきたんですか」

「翌日の昼ごろだったと思います。ひと晩で、お二人とも面変《おもが》わりするくらいに疲れきっていました」

聡美は二晩閉じ込められたと言っている。夜がそれほどに長く、終わりのないように感じられたのか。母親が助け出しにきてくれるまでの時間もまた、記憶のなかで延びてしまったのか。

死体は秩父《ちちぶ》の山中に埋めたという。現在に至るまで、野瀬祐子はその正確な場所を知らない。知らなくていいと、梶田氏が言ったそうだ。

これからも知られないだろう。過失致死にしろ傷害致死にしろ、死体遺棄にしろ、とっくに時効だ。この先、秩父山中のどこかから白骨死体が発見されたとしても、もう事件が掘り起こされることはないだろう。

もう大丈夫だと、梶田夫妻は野瀬祐子に言った。何も心配することはない。

だが、そうはならなかった。

夫妻と野瀬祐子は、互いの顔を見ることができなくなった。陽のあたる場所で、何事もなかったかのように一緒に暮らしていくことはできなくなっていた。

どことも知れぬ山中に葬られた死体が、梶田夫妻と野瀬祐子の真ん中に、三人にしか見ることのできない幽霊となって立ちふさがるからだ。三人の瞳が合うと、そこに焦点が結ばれて、饐《す》えた汗の臭いを漂わせる、惨めな酔っ払いの亡霊が立ち現れる。

だからトモノ玩具を辞め、ちりぢりに別れることにしたのだ。違う場所で、違う人生を歩むことにしたのだ。それでも、野瀬祐子の引越しの荷造りを、夫妻は手伝ってくれたという。

「あんなことがなければ、梶田さんは、トモノ玩具でずっと勤めて、役職にだって就《つ》いていたかもしれません」

違う人生は、それぞれにとって、困難の度合いを増した人生になった。少なくとも梶田夫妻は、失速した翼をもう一度風に乗せるまで、何年かの月日を要したのだ。

「連絡を取り合うことはなかったですけれど、何かのときのために、ずっと電話番号ぐらいは教えあうようにしてきました。それでちょっと、今どうしてるか、元気でいるかとか、近況みたいなものを教えあって。そういうときでも梶田さんは、いつもわたしを心配してくだすったんです。でも、まとまった話なんかできなかった。わたしは、そこでもまた逃げておりました。今度は梶田さんから逃げたんです。いつも逃げ腰でした。申し訳なくて申し訳なくて」

違うと思った。野瀬祐子は、梶田氏の声を通して聞こえてくる、過去の音から逃げたのだ。二十八年前の真夏の夜に、彼女の耳に残った最後の音から。

それは父親の断末魔の声か。それとも、彼女自身の押し殺した悲鳴か。

「あの事件以来、お会いしたのは先月が初めてです。二十八年ぶりでした」

最後にひとつだけ、私は尋ねた。

「先月の十五日に、梶田さんはどんな用件であなたを訪ねたのですか」

野瀬祐子は答えてくれた。それを聞いて、私は深くうなずいた。

聡美が嫁《とつ》ぐことになった。披露宴に来てくれないか——と言われたのだそうだ。

「わたしのせいで、梶田さん夫妻はせっかくの良い仕事を辞めて、東京を離れることにもなりました。小さい聡美ちゃんには、わけのわからないまま、淋しい思いや辛い思いをさせたと思います。生活だって苦しくなったでしょう。わたしはこの二十八年、それが気になって気になって仕方がありませんでした。事件のことが、聡美ちゃんに何か悪い影響を残していたらどうしよう、あんなことがあったせいで、聡美ちゃんの人生が変わってしまっていたらどうしようって」

心配ないよ。聡美は立派な大人になった。もう三十二歳だ。いい男を見つけて結婚する。それを見に来てくれよ。晴れ姿を見てやってくれ。どんなに言葉を尽くして説明するよりも、聡美の幸せな顔を見てもらえれば、一目瞭然だ。梶田氏はそう思ったのだろう。だから初めて会いに行った。

それが聡美の聞いた、「ちゃんとしておかないといけないこと」だったのだ。

野瀬祐子は心から祝福したが、出席することはできないと断った。

「わたしには、そんな資格はありません。遠くから幸せをお祈りしていますと申し上げました。梶田さんは私の気持ちをわかってくださったようで、すぐお帰りになりました」

そしてグレスデンハイツ石川の出入口で自転車に撥ねられたのだ。

長い話の終わりに、私は言った。あなたには、梶田さんの亡くなったこの事件を見届ける資格がある。義務もある。

「あなたは最初に、梶田さんご夫妻が、本当はあなたのことをどう思っていたか知りたいとおっしゃった。その答えは、とっくに出ているんじゃないですか。梶田さんが、二十八年前にあなたをかばったことを後悔し、あなたを――人でなしだと思っていたならば、どうして聡美さんの結婚披露宴に来てくれなんて言うでしょう。違いますか」

野瀬祐子はまた泣いた。だが自分を責め、自分を苦しめて泣いている。さっきまでの涙とは違っていたと思う。

彼女もわかっていたのだ。言われるまでもなく、心では知っていた。それでも、誰かの口からそう言ってほしかったのだ。

わたしたちはみんなそうじゃないか？　自分で知っているだけでは足りない。だから、人は一人では生きていけない。どうしようもないほどに、自分以外の誰かが必要なのだ。

野瀬祐子に、梶田夫妻はもういない。私は彼女がそれを認め、それに耐えられるようになるために、ほんの少しだけ手伝いをした。

「犯人がわかったらお報せします。もうすぐ解決するはずなんです。また、私のこの携帯にお電話いただけますか」

しばらくのあいだ考えてから、それはできないと、彼女は言った。もう二度とお電話いたしません。

「でも犯人が捕まれば、マンションの前のタテカンがなくなりますね？」

「ああ、看板があることはご存知ですか」

「叔母に聞きました」

タテカンがなくなったら、事件が解決したとわかる。それでいいと、彼女は言った。

「あなたの叔母さんも、昔のこと——梶田さんのことは何もご存知ないんですか」

「知りません。話せませんでした。叔母も父のことはうんと嫌っておりましたし、父は表向きはずっと消息不明なのに、心配している様子もありません。縁が切れてほっとして、父のことなんか、もうすっかり忘れているのかもしれないです。だから、打ち明けようかと思ったこともありますけれども、できませんでした。やっぱり怖かったです」

チラシのこともタテカンのことも、あくまで「叔母さんの住んでいるマンションの前で起こった事件」という形でしか聞き出すことができない。野瀬祐子は、そこでも歯がゆく辛い思いをしたに違いない。

秘密は人を孤独にするのだ。

「杉村さん、梶田さんのお墓参りにいらしたら」

「はい」

「わたしの分のお線香もあげていただけますか。わたしはもう——梶田さんご夫妻のそばには近づけません」

承知しましたと、私は言った。

電話を切るとき、ありがとうございましたと彼女は言った。

今どこに住み、何をしているのか。今も野瀬祐子という名前なのか。尋ねなかった。その必要を感じなかった。でもひとつだけ、訊きたくて訊けなかったことがある。

あなたは今、お幸せなのですか。

時計を見ると、午前三時だ。妻も私も眠れそうもなくて、まだリビングのソファに並んで腰かけている。

「ねえ、あなた」

菜穂子がぽつりと言った。

「梶田さんご夫婦にとって、どうして梨子さんが〝いちばん星〟だったのか、わたし、わかるような気がするわ」

野瀬祐子をかばうため、善意でしたことであっても、真夜中に死体を運び、闇に紛れて山を登り、土を掘り、誰かに見られないかと怯えながら、死後硬直の始まった死人《しびと》をそこに埋める——そんな作業をしたことが、夫妻の心に傷をつけないわけはなかった。

夫妻が梨子を授かったのは、その出来事から五年後だ。タクシー会社での仕事が安定し、生活も落ち着いた。もう大丈夫だ。もう過去は追いかけてこない。誰にも知られないまま、闇が呑みこんでくれた。

この子は、我々がこれから築いてゆく新しい人生に輝く、希望の星だ——

一方の聡美は、頑是《がんぜ》無《な》い年頃ながらも、両親の味わったその恐怖を知っている。その後の苦労も知っている。

知っている子供は、知っているからこそ不憫《ふびん》であり、知っているからこそ無垢《むく》ではなかった。

梨子は言っていた。夫妻は姉さんばかりを頼りにしたと。それは彼女の姉が、彼女の両親の小さな戦友だったからだ。

梶田聡美を「怖がり」にしたのは、二十八年前の八月の暑い夜の体験ではなかったかもしれないと、私は思った。そのとき限りの出来事ならば、柔軟な子供の心は、早晩、その闇を忘れただろう。

聡美の心に焼きつき、蝕《むしば》み、今も彼女が遠いところを見るときに瞳を翳《かげ》らせる原因となっているものは、むしろ、梶田夫妻の事件の後の年月の方だろう。

子供はすべての暗闇にお化けの形を見出す。そして千にひとつ、万にひとつには、その暗闇に、本物のお化けが隠れていることがある。一度本物のお化けを見た聡美には、すべての暗闇に隠れるお化けが、実体あるものとなったのだ。

だからこそ、梶田夫妻が引きずったものを、聡美も引きずった。夫妻よりも、もっともっと永く。

18

卯月刑事から連絡が入ったのは、昼休み、本社ビルの前庭に出て、今多コンツェルン写楽クラブのメンバーの写真を撮っているときだった。「あおぞら」の同好会メンバー募集欄の記事に添えて載せるためである。

写楽クラブは写真愛好家の集まりだ。当然のことながら機材にも凝りに凝っているそんな人たちの集合写真を、私はデジタルカメラで撮っていた。被写体たちは楽しそうに笑いさざめいていた。

三回目のシャッターを押したとき、携帯電話が鳴った。

「つい先ほど、梶田さんを撥ねた自転車に乗っていた少年が、母親とスクールカウンセラーの先生に付き添われて出頭してきました」

私はただ「ありがとうございました」とだけ言った。

「さっき目をつぶっちゃったよ」

「撮られるのには慣れてないからね」

写楽クラブの会員たちの陽気な声が聞こえてくる。

「先方では、梶田さんのご遺族と今後のことについて相談するために、弁護士を頼んでいるそうです。梶田家にお詫びに伺う意思もあるようですが、少年本人よりも、むしろ母親がかなり参っている様子なので、実際にお訪ねするまでには、少々時間がかかるかもしれません」

通話を終えると、私は四枚目と五枚目を撮った。ピントは大丈夫？　ちゃんとフレームにおさまってる？　などと口々に私をからかいながら、会員たちは昼休みの残りを過ごすために引き上げていった。

私は前庭の植え込みの縁に腰をおろし、カメラを膝に載せ、携帯電話の電源を切った。おっつけ、梶田姉妹も連絡してくるだろう。私は今、聡美と梨子、どちらとも口をききたくなかった。

聡美には、まだ何をどう話していいかわからない。考えがまとまらない。野瀬祐子の語ってくれた過去の真相を、彼女に伝えていいかどうかもわからない。梨子には——尋ねなければならないことがあるのだけれど、どう尋ねればいいのかがわからなかった。

今の私には、何がわかっていて、何がわからないのかもわからなくなっていた。

たったひとつだけ確かなのは、野瀬祐子は、梨子に、あんな脅迫電話をかけてはいないということだ。

誰もかけてはいないということだ。

社員食堂で昼食を済ませ、編集部に戻ると、今日は外回りの打ち合わせをいくつか済ませて、直帰すると言い置いて鞄を持った。印刷会社と話し合わなくてはならないことが溜まっていたし、企画ものに登場してもらう予定の会社の社員と会う用事もあった。

「電話があったら、メモだけ書いておいてください」

曇り空で、風は冷たかった。今朝の天気予報で、十月下旬の陽気だと言っていた。長っ尻の夏に待たされていた秋は、気短かになっているようだった。

用事を二つ済ませて、次の目的地へ急ぐために、御徒町《おかちまち》からJRの上野駅へ向かっているとき、その歌を耳にした。

足を止めて周囲を見回すと、人通りの多い歩道に面して、間口一間《いっけん》にも満たない小さなCDショップがあった。店舗の前にワゴンを出し、手書きのポップを立ててある。ワゴンの横に据えられた小さな脚立《きゃたつ》の上に、まん丸のフォルムのCDラジカセが置いてあった。

その歌は、そこから流れていた。

私は大急ぎでCDショップに入った。店のいちばん奥まったところに、ぎょっとするような金髪で、袖なしのTシャツを着た若い男がいて、いらっしゃいと気のない声を出した。

「今、外でかかってる曲ね」

私の肩越しに、店員はラジカセのある方を見やった。

「なんていう曲なのかな。聞き覚えがあるんだけど、タイトルがわからないんだ」

店内には別の曲がかかっている。騒々しい外国曲だ。ここにいては、店員の耳には外の歌が聞き取れない。私は彼を手招きしながら、大またでワゴンのところへ引き返した。怠惰そうな返事にそぐわず、店員もきびきびと歩道へ出てきた。

「ああ、これですか」

リフレインの部分を聞いただけで、彼はすぐに言った。

「『恋に落ちて』ですよ」

「恋に落ちて」と、私は繰り返した。

「そうそう。もうけっこう前のヒット曲ですけど」

「有名な歌かな」

「大ヒットしましたからね。テレビドラマの主題曲で」

「ドラマの主題曲」

私はでくのぼうのように復唱した。

「『金曜日の妻たちへ』って、すっげえあたったドラマです。〝キンツマ〟」

店員はへらへらと笑った。片方の耳につけた三つのピアスが安っぽく光る。それでも彼は親切だった。

「どんな内容のドラマかな。恋愛もの？」

「そうっスね。ていうか不倫ものです」

不倫もの。今度は口に出さず、心のなかで私は確認した。

「篠《しの》ひろ子《こ》が出てたな。多摩ニュータウンの方の洒落た住宅地でロケしてて、ドラマの舞台だってんで、わざわざそっちまで見学に行くファンがいたくらい、話題になったドラマですよ。ほら、キムタクと山口智子《やまぐちともこ》の〝ロンバケ〟のとき、新大橋を見にいくファンがいっぱいいたみたいに」

どっちも古い話だけどぉと、彼は一人で照れたように笑った。

「これがそのドラマのテーマ曲で——というか、これが不倫の恋の歌だってことは、よく知られているんだろうか」

「そりゃみんな知ってるッしょ。歌詞もそうですから。土曜の夜と日曜にもあなたに会いたい、みたいな」

「今の二十代や三十代の人でも知っているものかな」

「ドラマをリアルタイムで観てなくても、知ってても不思議じゃないスよね。ほら、カラオケがあるから。誰かがカラオケで歌ったことが、そのまま情報源になるんです。だって今時の若い子、昭和三十年代や四十年代のムード歌謡が面白いって、レコード盤を探しに来たりもするスからね」

私は財布を出した。「このCDください」

「毎度どうも」

思いのほか親切で、外見よりは歳をくっているらしい店員は、テレビドラマの主題曲集はいろいろ出てるけど、これはお買い得っスよ、曲数が多いっスからねと、またへらへら笑いながらCDを袋に入れてくれた。

曲のタイトルは「恋に落ちて」だよねともう一度確認して、私は駅に向かった。

「どうしたの？　早退《はやび》け？」

驚く妻をリビングに引っ張っていって、私はオーディオセットにCDをかけた。説明するより先に、まず「恋に落ちて」を聞かせた。歌詞カードも読んだ。

それから妻に、私の考えを話した。

小一時間後には、二人で書斎のパソコンの前に座り、栃木県水津町のホームページを見ていた。

「うちのカーナビはときどき調子が悪くなるから、道順を調べておいた方がいいわ」

妻はそう言って、地図を持ってきてくれた。

日曜日、私は朝早く起きた。妻も起きてきて、私のために弁当を作ってくれた。ランチバスケットに詰めたサンドイッチと、サーモポットに入れた熱いコーヒーだ。

「開館前から行って、ずっと待つつもりなんでしょう？　どのくらいかかることになるかわからないんだし、そこから離れられないんだもの、食べものを持っていくべきよ」

ありがとう——と受け取った。

「待ちぼうけになった方がいいんだけどね」

私の言葉に、妻はどこか凜《りん》とした表情になって、強くかぶりを振った。

「それは違うわ。今日はっきりした方がいいのよ」

そして私の背中を押した。

「あなたの読みは外れていないと思うもの。いってらっしゃい」


初めて訪れる土地だが、道はよく整備されているし、事前の下調べもしておいたので、迷うことなく着いた。時計を見ると午前十時五分前だった。

水津町歴史記念館。石碑につけた銅板のプレートにはそう刻まれている。すぐ下にカッコ付で（旧水津町役場）と添えてある。

見渡す限りの田んぼと畑。そのなかに、点々と大きな民家が散らばっている。堂々たる日本家屋で、蔵のある家も見える。北側と東側を、北関東の強い吹き降ろし風を遮る防風林に囲まれている家が多い。

私の頭上には、のどかな秋の青空が広がっていた。

旧水津町役場は、ミニチュアの城を、すべて木材で造ったらこうなるだろうと思われるような建物だった。三階建てだが、三階部分はごく小さくて、瓦屋根をいただいた小屋のようなものが、二階の上にちょこなんと乗っかっている。それがちょうど天守閣のように見えるのだ。長い年月の風雨に耐え抜いた外壁の羽目板は、ほとんど黒に近い色になっている。細かいひび割れが走り、乾燥のせいか白っぽい粉が浮いていた。

町の中心部も私鉄線の水津駅も、ここからかなり北東に離れたところに位置している。こんな田畑の真ん中に移築される以前は、旧水津町役場もそこにあったのだろう。建物も隠居生活に入るのだ。幸せな老後だと、私は思った。

歴史記念館の開館は十時ちょうどだった。入館料百円を払って、私はなかに入った。受付にいる、水色の事務服を着た中年の女性が、朝一番でやって来た見学客に、興味深そうな視線を投げてきた。

館内は私の貸切だった。私は悠々と展示物を見学し、こういう施設を訪れるたびに、一度やってみたいと思っていたことを実行した。「順路」の表示を逆にたどるのだ。やってみてわかった。こうした展示は、たいていの場合、時代の古い順から並べられてゆく。本当は逆にするべきなのだ。いちばん現代に近いところを出発点にするべきなのだ。その方が、時をさかのぼってゆくようで面白い。小さな町の小さな歴史に、実のところ、瞠目《どうもく》するようなものは何もなかったけれど、時間巻き戻しの興趣が、私をけっこう楽しませてくれた。

出口の近くに、現在の水津町の航空写真と並べて、水津町の歴史年譜が掲示されていた。道路が開通したとか、企業が誘致されてきたとか、台風や地震で被害が出たなどの大事な記述は、太字になっていた。

梶田氏がこの地で生まれた年には、何もなかった。

館内をぐるりと一周し、外へ出るときにはまた受付の前を通る。先ほどの女性が、「東京からいらしたんですか」と声をかけてきた。

「はい」

「お仕事ですか」

「そんなところです」

私はポロシャツにチノパンツを穿《は》いていた。

「なんも見るもののないところですけど、ゆっくりしていってください。手打ちそばが美味しいですよ。つなぎの少ない本物の田舎そばですから」

彼女は私に、一枚刷りの「水津町観光マップ」をくれた。

「実は、ここで人と待ち合わせているのです。しばらく外のベンチにいることになりますが——」

「あらまあ、大変ですね。どうぞどうぞ」

建物に隣接して駐車場がある。コンクリートで舗装されており、「来館者用駐車場」というペンキの薄れかけた看板のそばに自動販売機があった。ベンチが二脚、建物に背を向けて、端の方に並んでいる。

私の車も、駐車場を独占していた。建物の裏手に近い方に、自転車が二台とまっていた。一台はたぶん、あの受付の女性の通勤の足なのだろう。

車からサーモポットと持参してきた本を取り出し、ベンチに腰をおろした。

正午になると、澄み渡った青空に童謡「ふるさと」の甘いメロディが響き渡った。私は立ち上がって足腰を伸ばし、周囲を見回してメロディの出所を探した。遠くの畑の向こうに、プレイをし始めたばかりの「テトリス」の画面そっくりに、まばらなビルの形が見える。そのなかに、一本だけ落ちてきた四マス分の縦棒のような電波塔があった。秋の陽射しに細長い胴体を白く輝かせている。てっぺんにぐるりとくっついているいくつものアンテナやスピーカーが、風変わりなキノコのようだ。あれが発信源だろう。

午前中は、一人の来館者もなかった。

車に戻り、運転席で弁当を食べた。コーヒーはまだけっこう熱かった。ラジオでＮＨＫのニュースを聴いた。事件はいくつかあったが、おおかたは平和だった。私がこんな場所であてもないことをやっているうちに、東京が壊滅してしまった様子はなかった。

二時ごろになると、家族連れがひと組やってきた。駐車場に停めたワゴン車から、若い両親と幼い男の子が三人降りてきた。にぎやかに館内に入っていった。子供たちが館内でも騒いでいる声が、ときおり聞こえてきた。

彼らが帰ると、私はベンチで一人になった。眠気がさしてきた。

自分では読みかけの本の字面《じづら》に意識を集中していたつもりだが、いつの間にかうとうととしていたらしい。近づいてくる車のエンジン音で、はっと目が覚めた。

ブルーグレイのセダンが一台、駐車場に入ってきた。洗車したばかりなのか、車体が光っている。運転者は、私の車と同じ列の、いちばん遠いところに駐めた。ドアが開く。助手席から、梶田梨子が降りてきた。

インディゴブルーのワークシャツにジーンズを穿いていた。髪はポニーテールにしていた。二十二歳の若い娘ではなく、化粧をして背伸びしている女子中学生に見えた。

私はベンチに座っていた。

運転席のドアが開き、降り立った運転者が、車の前に回って彼女のそばに来た。梨子と同じような出で立ちの、長身の男だった。おそろいのファッションに身を包んだ若いカップルだ。

梨子は彼の腕に腕をからませた。片手を彼女にとられながら、空いた方の手で、男はサングラスをはずした。

浜田利和だった。

私はベンチから立ち上がった。本をどうしようかと一瞬迷ったが、小脇に挟んだ。

駐車場を横切り、近づいてくる二人は、歩きながら肩や腰をぶつけ、盛んにじゃれあっている。互いの顔ばかり見ているので、私に気づかなかった。二メートルほどの距離になって、私が呼びかけようと口を開きかけたとき、梶田梨子の視線が私をとらえた。

彼女は止まった。

いつか「睡蓮」で見た聡美と同じだった。誰かが彼女に対して誤動作をした。だからシステムがフリーズしてしまい、すべての動きが停止したのだ。

私に気づくというより、そんな梨子に気づくのが遅れて、浜田利和は彼女よりも一歩前に出た。からみあっていた二人の腕がほどけかけた。

そして彼も私を見た。一瞬だけ、どこの誰だかわからないという顔をした。

それから、彼の目がぽかんと見開かれ、顎が半分ほど下がった。

いつでも機敏な梶田梨子は、私に先んじて問いかけてきた。

「杉村さん」

声は震えていなかった。この秋空のように澄んでいた。それでいて、身を切り裂く真冬の突風のように鋭かった。

「ここで何をしてるんです？」

並んでベンチに座ると、浜田利和のインディゴブルーのシャツから、男性用コロンの香りがした。梨子は浜田の車の助手席にいる。私が、まず十五分だけ、彼と二人きりで話をさせてくれと言ったからだ。

フロントガラス越しにこちらを見ている梨子は目を細めていた。私と浜田の会話を、くちびるの動きで読み取ろうとするかのように。私たちの交わす会話を、取って食おうと待ち構える捕食者のように。

「いつからですか」と、私は訊いた。

浜田利和は、開き直りふてくされたような顔をしていても、やっぱり健康で闊達そうに見えた。

「いつって」

「梨子さんとの付き合いです」

彼は手の甲までよく日焼けしていた。その手をあげて、自分の髪をかきあげた。

「どのくらいになるかなぁ。四ヵ月か五ヵ月。そんなもんでしょう」

「聡美さんと婚約したのは？」

「半年前です」ぶすっとして、彼は答えた。

ベンチの縁に尻を載せ、膝を大きく前に張り出して、前のめりになっていた。そのまま首をよじって、ようやく私の目を見て言った。

「いいですよ。何を言われたってしょうがない。褒められた話じゃありませんからね」

そう言いつつも、彼の口元には薄笑いが浮かんでいた。

ある女性と結婚の約束をしながら、その妹とも親密になる。彼女を車の助手席に乗せ、二人きりで遠出し、腕をからませて歩く。私にはその神経が理解できない。だが広い世間には、それを褒めることのできる価値観もあるのかもしれない。浜田利和は、その価値観のなかで生きているのかもしれない。

「そんなつもりがあったわけじゃないんですよ。気がついたらこうなってたんだ」

薄笑いを消して、彼はくちびるを歪めた。自転車から落ちた幼い子供が、誰が見ていなくても、痛くない、僕はこの程度で泣きべそかいたりしないと強がってみせるときのような仕草で、拳の甲でそのくちびるをぬぐった。

「これからどうするつもりなんです」

「どうするって……」

また笑う。彼の表情は万華鏡《まんげきょう》のようだ。ちょっと動かすだけでくるくると柄が変わる。だが、最初に万華鏡のなかに入れられたガラス片にない色は現れない。どれほどがらりと絵柄が変わっても、色彩の基調は定められた範囲の内にある。

彼の顔の上いっぱいに浮かんでいる色の基調は、卑《いや》しかった。

「僕は聡美と結婚するんですよ。予定通り」

自分の膝のあいだの地面に視線を落とし、彼は言った。スニーカーを履いた彼の右の爪先のすぐそばに、噛んで捨てられたガムの残滓《ざんし》がへばりつき、からからに乾いていた。私にはそれが、たった今彼が吐き出した言葉のように見えた。

「梨子さんはどうするんです」

「別れますよ。そういうことで話がついてるんです。僕が聡美と結婚するまでの付き合いだって。それ以降は、仲のいい兄妹になるんです」

私は目を上げて、浜田の車のなかの梨子を見た。彼女は真っ直ぐに私を睨み返し、それからサイドミラーの方へと目を逸らした。

「聡美さんが気づいてないと思いますか」

針で刺されたかのように、彼はビクリと反応した。上半身ごと私に向き直った。

「彼女、それらしいことを何か言ってるんですか？　あんたに何か話したんですか」

私は黙っていた。

「それともあんたが——聡美に言いつけたのか？」

万華鏡はくるくる回って絵柄を変える。だが、見える色はひたすらに卑しい。

「私は何も言っていません。ここへ来たのも私一人の考えです。今日、梨子さんが水津へ来ることは知っていませんでした。一人で来るわけではないことも知っていました。一緒に来る相手があなたであろうということを察したのは、つい一昨日のことです」

だから私はまた博打をうったのだ。妻が言うとおり、しかしそれは、勝ち目の薄い勝負ではなかった。

「あなた方二人は、携帯電話に、同じ着メロを使っていますね？」

「あんた何を言ってるんです？」

私は声を強めた。「同じ着メロを使っているでしょう？　あなたから梨子さんに電話したとき、梨子さんからあなたに電話したとき、『恋に落ちて』が鳴るようにしてある。あなたから、梨子さんからの電話だとわかるようにね」

不倫の恋を歌った歌だと、私は言った。

「面白い趣向だ。あなたの発案ですか」

浜田は妙にひるんだ。「梨子が言い出したんですよ」と、弁解がましく言った。「女の子っぽいでしょ。そこがまた梨子らしいんだけど」

「古い歌ですがね」

「何かの折に、聡美に教えてもらったんだって言ってましたよ。不倫の恋の歌だけど、名曲だって」

それをほいほい使ったわけか。皮肉というより、いっそ意地悪なやり方ではないか。

聡美は、梨子の着メロのひとつが「恋に落ちて」であることを知っていたのだろう。そして、私と浜田と三人で「睡蓮」にいるとき、浜田の着メロも「恋に落ちて」を鳴らすのを耳にした。

聡美はたぶん、CDショップの親切な店員に教えてもらったりしなくても、「恋に落ちて」がどんな内容の歌であるのか知っていたのだろう。

だからあのとき、止まってしまったのだ。

一瞬、死んだのかもしれなかった。

「聡美さんは事実を知りません。しかし、うすうす察してはいると思います。知らないふりを続けている彼女の気持ちを考えてみてはいかがですか」

浜田は大きな肉付きのいい掌で、つるりと顔をぬぐった。汗をかいているようには見えなかった。

「梨子が誘ってきたんです」

そう言った。

「いずれは義理の兄と妹の間柄になるんだから、僕のことをよく知りたい、僕と仲良くなりたいってね」

「遠ざける必要はないと思った？」

「だってそうでしょう？　聡美の妹は、僕の妹にもなるんだから」

「兄と妹には、兄と妹の付き合いというものがあるでしょう」

チッと舌を鳴らして、浜田はまた地面に目を落とした。せわしなく貧乏ゆすりを始める。ベンチの脚がカタカタ鳴った。

「梨子は楽しい娘《こ》なんですよ。付き合ってみてびっくりしました。聡美と全然違うんだ。甘えん坊で、ねだり上手で、いつも僕を幸せな気分にしてくれました。僕がいないと駄目なんだ、他の男じゃ駄目なんだってこともよくわかったし」

「だけどあなたは聡美さんと結婚する。梨子さんはあなたがいないと駄目だ、それほどあなたを好いているということがわかっていながら」

「しょうがないでしょう。順番だ。先に出会ったのは聡美の方なんだから。梨子にもよく言い聞かせました。僕らの仲は、僕が聡美と結婚するまでだって。今日ここに来たのだって——」

急に声を潜めて、ちらりと自分の車のフロントガラスに目をやってから、

「僕としては、最後のデートのつもりだったんです」

じっと動かない怖いものを、つっついてさっと逃げ出すような今の視線の投げ方では、梨子の表情までは見えなかったに違いない。

彼女は助手席で、両手で顔を覆っていた。

東京でも、冬場の風の強い夜には空が澄み渡り、驚くほど多くの星が見えることがある。ぼんやりと見上げていて、ばらばらに散らばっているように見える星々が、あああれは星座だ、こっちとこっちとこっちをつなげると北斗七星になるのだと、ぱっとわかって嬉しくなることがある。

切れっ端ほどの嬉しさもないが、私の頭のなかでは、その現象が起こっていた。ばらけていたものがつながった。

「梨子さんは、これまで文章を書いたことなどないし、緻密《ちみつ》に計画を立てて物事を進めるのが苦手な気質《たち》でした。それでも、彼女の取材も、作っているノートも、驚くほどきちんとしていた。あれは、あなたが手伝っていたからですね？　梨子さんの取材に付き合うのは、今日が初めてじゃないんでしょう」

浜田は顎の先を突き出すようにして、なげやりにひとつうなずいた。

「あなたは梨子さんから、お父さんの本を出す計画を聞いていた。それを手伝っていた。一方では聡美さんが、それを嫌がっていることも知っていた。彼女が四歳のときに体験した、怖い出来事のことも知っていた」

「誘拐されたとかいう話でしょう？　あんなの、大したことじゃないですよ。聡美は何でも悪い方へ悪い方へ考えすぎるんです」

それは間違いだ。本当に大したことだったのだ。聡美の記憶は、二十八年前に実際に起こった辛く悲しく恐ろしい出来事の、唯一の証拠となるものなのだ。

しかし、こんな男にそれを話すわけにはいかない。私は気分が悪くなりそうだった。

「梨子さんと付き合うだけでなく、梨子さんが、聡美さんの怖がっていることをしようとしているのを知りつつ手伝うことで、あなたは二重に聡美さんを裏切っているんですよ」

私の目の前の陽が翳った。車から降りてきて、梨子が正面に立っていた。

「十五分経ったわ」

そして浜田の隣に腰かけた。

彼らはお揃いのスニーカーを履いていた。同じデザイン、同じ配色だ。まだ買ったばかりのもののようだった。

あいだに浜田を挟んでも、私には彼女の体温を感じることができた。怒りに燃えている。それは本当は純粋な怒りではなく、恥も混じっているのだと気づかないまま、彼女は純粋な少女の目をして私を見た。

「トシを責めないで。トシがわたしを誘惑したなんてことじゃない。わたしたち愛し合ってるの」

こんなふうに愛し合う男女に、私は何を言えるだろう。

「お姉さんはどうなります？」

「ちゃんと話すわ。打ち明けて、婚約を解消するの。そしてトシはわたしと結婚するの」

　私と浜田のあいだは十センチほど開いているが、梨子は彼に身を寄せている。だから今、彼女の果断な宣言を聞いて、彼がぶるりと震えたのを感じたことだろう。

「あなたは浜田さんを通して、お姉さんがなぜ、あんなにも、亡くなったお父さんの過去を調べて本を作ることを嫌がっているか、理由を知っていたんですね？」

　梨子はうなずいた。しゃんと背中を伸ばして座り、浜田の膝に左手を置いている。私は今にも彼が彼女の手をまさぐり、子供が母親の手を握るように握り締めるのではないかと思った。

　だが、彼の手は動かなかった。膝のあいだにだらりと垂れている。

「だけど、言ったでしょ？　うちの父はちゃんとした人でした。他人の恨みをかうとか、そんな犯罪なんかに関わる人じゃない。姉は勝手に想像をふくらませて、ひとりよがりで怖がっているだけなんです。わたし――腹が立ったわ」

「お姉さんに？」

　梨子は憤然と言った。「そうですよ。だってうちの両親のこと、全然信用してないってことじゃないの」

　あなたはお化けを見ていないから、あなたは梶田夫妻の〝いちばん星〟だったから、そんな残酷なことが言えるのだ。私は心のなかだけで言い返した。

「八月にお父さんが亡くなって、お姉さんが、十月に予定されている結婚式を先に延ばすと言い出したときには、あなたはどう思いました？　喜びましたか」

梨子の目つきがきつくなった。

「なんでそんな嫌らしい言い方をするの？」

「浜田さんに聞いたからですよ。彼はあなたに、あなたたち二人の付き合いは、浜田さんが聡美さんと結婚するまでのものだ、時間制限があるんだと言われたんでしょう？」

梨子は私ではなく、浜田の顔をのぞきこんだ。彼女の方から彼の手を持ち上げて、指と指をからませて、いっそう強く握り締めた。

「本当は婚約を解消したくても、トシは言い出せなかったんです。お姉ちゃんに悪いって。お姉ちゃんが可哀想だって。その気持ちわかるから――トシの優しさがわかるから、板ばさみになっちゃうの、見てられなかったから、わたし一旦は承知しました。トシがお姉ちゃんと結婚するまでに、一生分の良い思い出をつくって、それで別れようって。それから先は、トシの義理の妹として生きていくんだって。決心したのよ。本当よ」

「そして浜田さんに、こっそりと、取材や原稿書きを手伝ってもらっていた」

「そうですよ。いけません？　父の本を作りたいというわたしの気持ちに嘘はありませんでした。最初に杉村さんに話したとおりです。そしてその本は、わたしとトシの愛し合ってた記念にもなるんだわ」

私はそんな本の担当編集者なのだ。

「聡美さんの気持ちは揺れていた。私や会長に、結婚式を延期しない方がいいと言われたし、浜田さんのご両親にもそう勧められた。だから不安を抱えつつも、一度は延期しないことにした。あなたはそれが気に食わなかった。盛んに反対していましたね。あなたは私にこう言った。お父さんを殺した犯人が捕まらないのに、浮かれて結婚してる場合じゃないと」

「それはホントにそう思ったから！」

私は彼女が、「準備したきゃすりゃいいんですよ。どうなったって知らないから」と言ったのを思い出した。あのときもたぶん、電話の向こうで、こういうきつい顔をしていたのだろう。受話器を握りつぶし、電話線を噛み切ってしまいそうな顔をしていたのだろう。

「そうかな。恥ずかしくありませんか。お姉さんの結婚を妨げるために、お父さんをだしにしたんですよ」

「違うわよ。どうしてそんなこと言えるの？　杉村さんに何がわかるっていうのよ」

叫ぶ梨子を押し返して、私はたたみかけた。

「だが、あなたがどれほど文句を言っても、結婚の準備は急ピッチで進んだ。浜田さんはそういう流れに逆らいはしなかった。そうでしょう？　彼は結婚をとりやめるつもりなんかなかった。聡美さんと一緒に私に会いにきたとき、浜田さんはとても幸せそうでした」

やめてよと、梨子は歯を剝《む》いた。「聞きたくないわ。聞きたくありません！」

「あなたを愛しているという浜田さんは、聡美さんと一緒にいるときには、誰よりも聡美さんを愛しているという顔をしていたんですよ。本当にお似合いのカップル——」

梨子が私に何かを投げつけ、それが顔にあたって地面に落ちた。くしゃくしゃになったハンカチだった。優雅なレースの縁取りが台無しだった。

息を切らして震えている。頬は鉛色《なまり》、目のまわりだけが真っ白だ。美しさも可憐さも、片鱗《へんりん》も残っていない。

「だからあなたは、嘘をついたんですね」

澄んだ白目のなかで凍《こご》っている彼女の瞳を見据えて、私は言った。

「今度こそ、お姉さんが結婚式を——いや、結婚そのものを白紙に戻してしまうように仕向けるために、ありもしない脅迫電話がかかってきたなどと嘘をついたんだ」

あれはでっちあげだった。誰も梨子に電話などかけなかった。誰も梨子を脅しはしなかった。だから彼女は、会社まで私に会いに来たとき、ちっとも怖がっていなかったのだ。

知恵はあっても、芝居は下手だ。

突っ張っていた梨子の肩から、急に力が抜けた。うなじのあたりでポニーテールの髪が揺れた。

「——思いつきだったの」

私にではなく、浜田にでもなく、地面に説明しているようだった。地べたにへばりついて乾燥した、ガムの屑《くず》に向かってしゃべっているようだった。

「お父さんの納骨のとき――トシのお父さんとお母さんが来て、お姉ちゃんともう――すっかり家族みたいに仲良くしていて。わたし、たまらなかった」

トシはいいのよ、トシは仕方ないと、かばい宥めるように、つないだ彼の手を揺さぶる。「お姉ちゃんといるときは、そういう顔をしてなくちゃならないもの。上辺《うわべ》をつくろってなくちゃならないもの」

深くうなだれたまま、浜田が何か言った。私には彼の顔が見えない。前のめりになった背中しか見えない。

ごめんよ、と言ったようだった。

「それであの――辛くて悲しくて、やっぱりわたし、トシを諦めなくちゃならないのかなって思って。でね、杉村さんの家に電話したとき、奥さんが出たでしょ？」

二十四日の夕方のことだ。私の帰宅が遅れて、梨子からの電話に妻が出た。その伝言で、私は脅迫電話がかかってきたことを知らされたのだった。

梨子は泣いていた。いつ泣き出したのか、私は気づかなかった。涙がいく筋も頬を伝い、顎の先にたまっている。

「はい杉村でございますって。主人はまだ帰っていないんですよ、ごめんなさい。帰りましたらお電話させますね」

あの晩、妻が言ったであろう受け答えを、梨子は暗誦するように呟いた。

「奥さんだもの、そういうの当たり前よね。でもわたし、胸が張り裂けそうだった。お姉ちゃんがトシと結婚したら、やっぱりこういうふうに電話に出るんだ。誰かに挨拶するときは、こういうように言うんだって思ったら――」

はい、浜田でございます。主人がいつもお世話になっております。聡美の声で、彼女の口調で私は考えた。「睡蓮」で浜田が遅れて来るというときに、彼女が彼の名字を呼び捨てに、申し訳ありませんと慎ましく詫びたときのことを思った。

「杉村さんのお家《うち》で見た、杉村さんと奥さんの結婚写真のことも思ったの。お姉ちゃんもトシと、あんなふうに並んで写真に写るんだなって。わたしはそれを見せられるんだわ」

確かに、聡美と二人で我が家を訪れたとき、梨子は私と妻の写真を見つめていた。

浜田とつないでいない方の手を拳にして、梨子は自分の膝を叩いた。何度も何度も叩きながら叫んだ。

「絶対に、絶対に我慢できないって思ったの。許せない。こんなこと許しちゃいけないって」

梨子の身体が揺れる。つられて、浜田の上半身もぐらぐらする。彼女はこんなに華奢《きゃしゃ》で、彼はこんなに頑健なのに。

膝を打つのをやめると、梨子はすうっとしぼんだようになった。

「だからとっさに――脅迫電話がかかってきたなんて、作り話をしちゃったんです」

それ以前にも、夢想したことはあったと言った。もしもわたしが誰かに脅されたなんて言い出せば、お姉ちゃんぶるっちゃって、結婚どころじゃなくなっちゃうだろうな――

「どうしてわかったんです？　あれが嘘っぱちだって。最初から気づいてました？」

あの夜、妻の書き留めてくれた脅迫電話の文言を眺めているうちに、自分が何に引っかかっているのか、私にはわかった。その時点で、これは梨子の作り話ではないかとも思った。だが、本当に確信したのは野瀬祐子の告白を聞いてからだし、なぜ梨子がそんなつまらない嘘をつくのか、その動機を察したのは、上野の町中を歩いていて、彼女と浜田の携帯電話の着メロが、「恋に落ちて」であることを知ったときだ。

「脅迫電話の内容がおかしかったからですよ」と、私は言った。「誰にしろ、梶田さんを殺した人間が、それについて探りまわられては困るから脅しをかけてきたのなら、あんな言い方をするはずはないと気がついたからです」

梶田の過去を探りまわるな。痛い目に遭うぞ。そこまではいい。だが、問題はその後だ。

あいつが死んだのは天罰だ。

「本気で脅しをかけるつもりなら、そんな言い方をするはずがありません。おまえも梶田と同じようになるぞとか、おまえも殺してやるぞとか言うでしょう。たとえ、自分が梶田さんを殺したのではなくっても、現実に梶田さんが轢き逃げされて亡くなり、犯人が捕まっていないという状態では、それを利用して脅そうと思うのが自然じゃないですか」

だから、梶田が死んだのは天罰だという表現を使うのは――いや、思わずその表現を使ってしまうのは――梶田氏が死んだのは不幸な交通事故で、警察ではその犯人を特定しており、轢き逃げ事件は間もなく解決すると知っている者だけなのだ。

梶田氏は計画的に殺されたわけではないと、はっきり事実を知っているから、知らん顔をして、おまえも殺されたいのかなどという言葉を選ぶことができなかったのだ。その点では、梨子はとても素直だった。

そして私も、今となってみれば情けない話だが、梶田氏を撥ねた少年の存在を知っていたからこそ、そちら側の視点でばかりものを見ていて、脅迫の文言の不自然さに気づくのが遅れてしまったのだった。

「それでも私には、まだあなたの動機がわからなかった。あなたと浜田さんを組み合わせて考えることができなかった。私は――男女関係のことには鈍い人間なんですよ」

梨子と浜田を結びつけ、そこに歪んだ星座を見てしまえば、後はあっさりと見通すことができた。梨子は結婚式を延期させたいのだ。聡美の結婚をとりやめにさせたいのだな、と。

ここに来て初めて、私の機嫌をうかがうような目になって、梨子は尋ねた。「今日、ここで張り込んでれば、わたしとトシが二人でやってくるってことは、どうしてわかったんですか」

張り込むとはまたたいそうなお言葉だ。私は苦笑した。

「ヤマ勘です。あてずっぽうですよ。でもあなたは、水津へは一人では行かないと言ってたじゃないですか」

「じゃ、一日待ってるつもりだったの？　ずっとここに、まる一日？」

「妻が弁当を作ってくれましたからね」

出し抜けに、梨子の表情が変わった。目じりが吊りあがり、頰がひくひくした。瞳の底に青白い炎が点火した。

「わたし、杉村さんの奥さん、嫌いよ。大嫌い！　何よ、上品ぶっちゃってさ」

唐突な毒舌に、私ばかりか浜田も驚いて身を起こした。梨子は顔を突き出し、私の胸倉をつかもうかというふうに手を伸ばしてきた。

「杉村さんも嫌いよ。さぞかしお幸せで、お仲のよろしいご夫婦なんでしょうね？　何の苦労もしないで贅沢に暮らしてて、他人のこと見下してとやかく言って。何様だと思ってんのよ。フン、会長先生の愛人の娘のくせしてさ」

彼女の唾が、私の顔に飛んできた。

梨子――と、うろたえたように浜田が彼女を抱きかかえようとした。梨子はその腕を振り払った。

「杉村さん、恥ずかしくない？　奥さんがお金持ちで、そのお金にたかって生きてるの、男として情けなくない？　奥さんが妾《めかけ》の娘なら、杉村さんは男妾じゃない！」

「やめろ。おまえ自分が何言ってるのかわかってんのか？」

浜田は声を荒らげた。梨子は飛び立つようにベンチから立ち上がると、走っていって、ひっかくようにして浜田の車のドアを開けた。

赤いスニーカーがひらりとしたかと思うと、乱暴にドアが閉まった。

私と浜田はベンチに座り込んでいた。浜田は梨子の乗り込んだ自分の車と、私の顔を見比べていた。

「すみません。八つ当たりですよ。わかるでしょう？　ああいう娘なんです。まだまだ子供なんだ」

私は動揺してはいなかった。こういうストレートな痛罵《つうば》を浴びるのは、初体験ではなかった。私の母の口の毒は、梨子のそれを千人分ぐらい集めて濃縮したほどに強力だ。

「もう引き上げます」浜田は腰をあげた。「帰り道で事故らないように気をつけなくちゃな」

去ろうとする彼を、私は質問で引き止めた。

「あなたは、梨子さんが嘘をついたことを知っていたんですか」

ジーンズの尻ポケットに指を引っかけ、妙にくだけた感じになって、彼はうなずいた。

「やっちゃったって、すぐ電話をかけてきましたからね。これで結婚式が延びるよって」

「彼女を叱らなかったんだ」

浜田は黙って爪先を見つめている。

「あなたとしては、時間を稼げるのは有難いことだったんだな。結婚が白紙に戻るところまではいかなくても、結婚式を延期できれば、そのあいだに事態が変わるかもしれない。梨子さんの熱が冷めて、あなたから離れてくれるかもしれない。あるいは聡美さんにバレて、聡美さんの側から変化を起こしてくれるかもしれない。そうでしょう？」

結婚式はみだりに延期しない方がいい。園田編集長が話していたことを、私は思っていたのだった。延期したことで、隠れていた問題が表面化することもある――。

ちょっと黙り込んでから、あさっての方向を見て――ちょうど電波塔のある方角だ――浜田は言った。「そういえば聡美、このごろ僕と会うときも、婚約指輪をしてないな」

何か察してるという合図かもしれませんねと、他人事のように言った。

「だけどあいつも、はっきりとは言わない。表面的には、何も起こってないみたいなふりをしてた。僕のおふくろと仲良く家具を見に行ったり、嬉しそうに披露宴の衣装を選んだりしてね。どっちもどっちじゃないですか」

彼を殴らないように我慢するために、私は本を持ち替えた。

浜田が私を見ていた。その顔を仰いで、私は、万華鏡のなかに、これまでにもっとも卑しい絵柄を見つけた。

浜田は言った。「あんたから見たら、僕はだらしない男でしょうよ。目先の恋愛感情に振り回されて、その場しのぎを繰り返してる。見下げ果てた男です。自分でもわかってますよ。でもね、あいにく僕には、あんたみたいに、愛情なんて厄介《やっかい》なものを抜きにして、これと狙いをつけた有利な結婚相手を確実に射落とすような根性がないんです。そこまでの戦略性はない。もっともっと生身の男なもんでね」

浜田が車に乗り込み、エンジンをかけ、駐車場から出ていくまで、彼らの車の影さえ見えなくなるほど遠ざかるまで、私はじっとベンチに座っていた。

私の母は、私が子供のころから、毒のある口でさまざまなことを教えてくれた。正しい教えもあれば、間違った教えもあった。私が未だに判断を保留している教えもある。

そうした「未決」の教えのなかのひとつが、今、水津町という生まれて初めて訪ねた土地の、だだっぴろい田んぼと畑のなかの駐車場で、「既決」の箱のなかに移った。

「男と女はね、くっついていると、そのうち品性まで似てくるもんだよ。だから、付き合う相手はよく選ばなくちゃいけないんだ」

「既決」の箱の真ん中あたりにある教えも、私はついでに取り出して再吟味した。

「人間てのは、誰だってね、相手がいちばん言われたくないと思ってることを言う口を持ってるんだ。どんなバカでも、その狙いだけは、そりゃあもう正確なもんなんだから」

茜《あかね》がかってきた空のどこかで、鳥が鳴いた。

帰ろうと、私は思った。

そんなつもりがあったわけではなかった。気がついたらそうなっていた。私は、世田谷の松原にある義父の家を訪ねていた。

広大な敷地を囲む総檜《ひのき》の板塀は、都内屈指の高級住宅地であるこの町でも目立っている。私は玄関ではなく通用口に回った。車は塀のそばに寄せて駐めた。

インターフォンで名乗ると、家政婦さんの声が応じた。私の姿を、通用口の木戸の柱の上に設置された防犯カメラの赤いライトが見つめている。

敷地内には、菜穂子が私と結婚するまで暮らしていた今多家の古びた日本家屋と、義兄一家が暮らすタイル張りの現代建築の家とが、手入れの行き届いた庭園を隔てて建っている。茶室もあるし凝った東屋《あずまや》もあるし、住み込みの雇用人が使っている離れもあるから、庭園の森のなかに、建物がいくつか散らばっているという表現の方が正しいかもしれない。

前回、私がここを訪れたのは、義兄が催した花見の宴会のときだった。庭の木立にめぐらせた赤い提灯《ちょうちん》に浮かび上がる、満開の桜が美しかった。この庭のなかには、桜の木だけでも十本あるのだ。

今は、庭のそこここに点在する常夜灯がほの白く光っているだけで、私の目には、庭のなかを抜けてゆく敷石しか見えなかった。池のそばを通り過ぎるとき、鯉《こい》が跳ねたのか、ぱちゃんと水音が立った。

義父は和服姿で、庭に面した座敷にいた。縁側に置いた肘掛け椅子に座り、読書用の眼鏡をかけていた。

「書斎で話そう」と言って、私を先に行かせた。突然の訪問を、驚いている様子は見えなかった。時刻は午後八時を過ぎていた。

何度訪れても、造作の素晴らしさに感心することはあっても、馴染むことのできないこの屋敷のなかで、義父の書斎だけは別だった。どうしてか自分でも不思議だったが、たぶん、ここにある見事な書架の列と、大量の本のおかげだろう。本はいつでも、私と私の知らない世界とをつなぐ、親切な仲介役だった。菜穂子が本好きでなかったなら、どれほど彼女に心惹かれても、私は結婚に踏み切ることはできなかったろう。

書棚を背に、義父は机に向かって座った。私はその前に背もたれの高い椅子を寄せて腰かけた。そう、この位置関係も、私を落ち着かせてくれる要因なのだ。これは家族ではなく、主従の位置取りだった。私にふさわしいポジションは、義父の隣ではなく、義父と同席することでもなく、義父の机のこちら側なのだ。

「報告書は読ませてもらったよ」と、義父の方から口を切ってくれた。複数の光源の間接照明が、義父の顔の半分をほの明るく、半分を暗く見せていた。

「怪我の方はもういいのか」

「大丈夫です。ご心配をおかけしました」

家政婦さんが紅茶を運んできた。

「車で来たんだろう」

「はい」

義父は飲酒運転には厳しい。私も今はまだ、アルコールが欲しいとは感じなかった。紅茶の香りが妙に懐かしかった。

家政婦さんが下がると、義父は紅茶に匙《さじ》二つ分の砂糖を入れた。

「自転車の子供が出頭したことは、聡美が報せてくれたよ。私は会議でいなかったんだが、メモが残っていた。そのあと、あの娘とはまだ話していないんだ」

「私からお報せするべきところです。また後手《ごて》に回りまして申し訳ありません」

「そんなのはいいんだ。まあ、良かった」

梶田が生き返るわけじゃないが――と呟いて、義父は紅茶に口をつけた。そしてもうひと匙の砂糖を足した。

「どうしたんだね」と、私の顔を見て尋ねた。

紅茶をかき混ぜる義父の手元を見ながら、私は野瀬祐子のことを話した。今日、水津へ行ってきたことを話した。そこであったことについて話した。

話し終えて顔を上げると、義父は紅茶のカップの脇に肘をつき、そこに頬を載せていた。

「そういうことか」

「はい、そういうことです」

義父は微笑した。

「えらくへこんでいるようだが、君は歳の割に純情なんだな」

「そうでしょうか」

野瀬祐子の件を指して言っているのだろうか。梨子と浜田のことを指して言っているのだろうか。

「どっちも、そうそうあることじゃあないが、驚くほどのことでもない。少なくとも、キャッと叫んで机の下に隠れるようなことじゃないだろう」

「でも、梶田夫妻の関わったことは——犯罪です」

「法律に触れるという意味じゃそうだがな」

照明の落とす影が、猛禽《もうきん》のような義父の目鼻立ちを一段と鋭く見せていた。それでいて、義父はとてもくつろいでいるようにも見えた。とても親《ちか》しく見えた。

一瞬、私はぞっとした。

義父の表情は語っていた。法に触れこそしないものの、私はもっともっと凄いことを何度もやってきたよ。裏切りも企みも、駆け引きも暗闘も、収奪も秘匿《ひとく》も。人間はそういうものだ。必要に迫られれば何でもやるんだ。義父はひとかけらの粉飾もなく、私にそう言っているのだ。問題は、それを背負っていかれるかどうかだけだ、と。

私はその語りかけを読み取り、そしてそれを親しく感じる。

私がそう感じると確信しているから、義父は微笑を浮かべているのだ。

「野瀬祐子のことを、聡美に教えてやるつもりかね」

刹那《せつな》に通り過ぎた洞察に気をとられていて、私の返事が遅れた。義父は質問を繰り返した。

「どうするつもりなんだね」

「正直、迷いました。でも今は、本当のことを言わなくていいと思っています」

「本人も、それどころじゃなくなるだろうしな」

素っ気無い言い方だった。冷たいのではなく、ただ現実的なのだった。

「そっちの対処は君に任せる。それと——本の話は立ち消えだな。もうその必要もないんだし」

「私は少し、残念な気もします」

「それが編集者というものかね」

「さあ、わかりません」

本当にわからない。

「聡美と梨子と浜田とかいう男のことは、君が関与することじゃない。言うまでもないだろうが……。それとも、まさか仲裁役を買って出る気か？」

「いえ。私の手には負えません」

義父は低く声をたてて笑った。

「しょうもないものだ、若い者は。放っておくのがいちばんだ。揉めるだけ揉めて、自分たちで解決するだろうよ」

「会長は、浜田氏に会ったことがおありでしたか」

「いや、ない。紹介されていなかった。結婚式に招待はされたが、あれも儀礼的なものだろう。聡美も私が出席するとは思っていなかったろうよ」

「そうですか」

聡美と梨子を可愛がっていたのではないのか。梶田家を訪ね、彼女たちに土産を買って行ってやったことだってあったというのに。

それはそれ、これはこれ――か。

私は香りのとんだ温《ぬる》い紅茶を飲んだ。

「君はいつか、私に訊いたな」

ずらりと並ぶ書籍の背表紙の方を眺めながら、義父は言った。

「梶田について、何か感じたことはなかったかと。遊楽倶楽部で話したときだ」

「はい、伺いました」

その質問に、義父はなぜかしら面白そうに目を光らせて、私の顔を見たのだった。

今もあのときと同じ表情をしている。

「感じたことはあったよ」

そう言って、義父は懐手《ふところで》をした。和服の袖からのぞく腕は痩せていた。読書用のやわらかな間接照明の下でも、皮膚が荒れていることがわかった。

老人の腕、老人の皮膚だった。老いていた。くたびれていた。

ふと、友野栄次郎氏の顔が目に浮かんだ。

義父は言った。「もちろん、この男が昔犯罪に関わったことがある、なんて具体的なことじゃない。私は千里眼じゃないからな」

財界では、千里眼の持ち主だと言われた時期もあったはずだけれど。

「ただ何となく――コツンとくるものがあった。あれの目の奥に何かあるような印象を受けた。上手く言えん」

「それなのに、個人運転手として梶田さんを雇われたわけですね」

ちょっと考えてから、義父は私の言葉を訂正した。

「それなのにではなく、それだからこそ、だ」

義父が背もたれに寄りかかると、黒い革張りの椅子の背は音もなくしなって、老人の身体を受け止めた。

「私の今の立場は、二重三重の安全装置に囲まれている。会社が囲ってくれているわけだ。どうして囲うかというと、私が会社の安全装置だからだ。まあ、今じゃ安全装置の一部でしかないがね」

少し放心して、目だけをいたずら小僧のように輝かせている。

「ときどき、それに飽きることがある。うっとうしくなるというかな、つまらなくなるというかな。今風に言えば、ウザいということだな」

私は小さく笑った。義父も笑った。

「だから、わざとそれに抗《あらが》ってみたくなることがあるんだ。発作みたいなもんだ。梶田を雇ったときもそんな気持ちだった」

義父の言葉を、私は解釈しようと試みた。

自分にはまだ、信用できる人間と信用できない人間を見分ける目があるだろうか。その力があるのだろうか。自分で作りあげた、今多グループという壮大な安全装置を抜きにしても、私はまだ通用するだろうか。ちょっとそれを試してみようじゃないか——

「もっとも、雇ってすぐにそんなことは忘れた。梶田は運転が上手かった。私と気も合った。何より、口が堅いことが良かった。あれは〝石の口〟の持ち主だった。そういう人間は珍しい。少々使える、才気走った人間よりも貴重だ。これからの世の中じゃ、ああいう人間は絶滅種になるかもしらんな」

梶田氏自身に、けっして外に漏らすことのできない秘密があったからだ。だから〝石の口〟になった。

「まあ、そういうことだ。それだけだよ」

和服の袖のたくしあがっていたのを直し、義父は私に向き直った。

「ご苦労だった。手間をかけさせたな」

私は黙って頭を下げた。

「しばらく桃子の顔を見ていない。近いうちに、一緒に飯でも食おう」

「はい。桃子も喜ぶと思います」

時折、こんな会話がある。だが実現するのは三度に一度だ。義父の時間は義父のものではないのだから。

唐突に、私の心の、未だに地図の描かれていない未開の地から、そこに棲《す》む蛮族が雄たけびをあげるように、ひとつの思いが押し寄せてきた。

いつか本当に、義父の生涯を綴った本を出したい。私がそれを作りたい。

義父がどんな人間なのか知りたい。義父が自身でも把握していないようなところまで、隅々まで掘り起こした義父の人生の地図を描きたい。私は義父を探検したい。

だから――

長生きをしてください。紅茶に砂糖は二匙までにして。

19

何事もなかったかのように、新しい一週間が始まった。

シーナちゃんは、少年が出頭したことを喜んでくれた。可哀想だけど、ずっと引きずって苦しむよりはいいですよ。

私もそう思う。心からそう思う。

あれから、考えずにはいられなかった。梶田夫人は癌《がん》の告知を受け、死の足音が近づいてくるときに、何を思ったろう。とうとう秘密を守り通したことに安堵したろうか。それとも、まだ孫の顔を見ないうちに死なねばならないのは、ある種の報《むく》いなのだと思ったろうか。

真夏の焼けたコンクリートの上に横たわり、意識が途絶える前の刹那に、梶田氏は何を思ったろう。死の間際に誰の顔を思い浮かべたろう。先に逝《い》って待っている妻の顔。愛する娘たちの顔。ほんのしばらく前に目の当たりにしていた、二十八年の歳月を経た野瀬祐子の顔だろうか。

梶田夫妻は、野瀬祐子を守るために死体を処分したことを、一度ぐらいは後悔したのではないか。

野瀬祐子のしたことは、どれほど切羽詰《せっぱ》まった事情があろうとも、やはり罪なのだと思ったことはなかったろうか。

さらに踏み込んで、もっと余計なことまで考えずにはいられない。野瀬祐子は、本当に父親を殺したのだろうか。二十八年前、梶田夫妻が真夏の八王子の夜の底に駆けつけたとき、祐子の父親は、本当に死んでいたのだろうか。ただ突き飛ばし、倒れただけだ。ひょっとして、まだ息があったとしたら？　あるいは、梶田夫妻がトモノ玩具の軽トラックに「死体」を乗せて運んでいる途中に、秩父の山中で穴を掘っている最中に、その「死体」が息を吹き返したとしたら？

野瀬祐子はともかく、梶田夫妻までもがあわてて八王子を逃げ出さずにはおられなかったこと――祐子だけ逃がして、夫妻はトモノ玩具に残ったってよかったのだ――彼女の父親をどこに埋めたのか、最後まで教えなかったこと。その二つを考え合わせると、私の想像はあらぬ方向にまで広がっていってしまうのだ。

そして腹の底から恐ろしくなり、悲しくなって、無理やりその想像を断ち切る。

真実はもう、永遠にわからないのだと考える。真実にも寿命があるのだと。

それでも、暗い秘密は人生を苛《さいな》む。どれほど努力して立て直しても、それは人生のどこかに残る。そして、当人にも思いがけないところに影を落とす。梶田夫妻が、梶田聡美に残したものがそれだ。

夏の日に、赤いTシャツを着て、風を切って自転車を駆る少年よ。君はその轍《てつ》を踏んではならなかった。

「杉村さん、あのねぇ」

シーナちゃんが珍しくはにかんで私に言った。

「彼と仲直りできたんです」

「そりゃ良かった」

「三時間も長電話しちゃったんですよ。今月、わたしお小遣い大ピンチ」

「大丈夫だよ、シーナちゃん」

「え？ それってつまり、ずっとお昼を奢ってくれるっていうことですか？ わたしが社食や立ち食い蕎麦《そば》で我慢しなくていいように」

「そうじゃないよ。遠距離恋愛だからって、諦めることはないって意味だよ」

「なぁんだ」

「近くにいたって、ズレるときはズレちまうんだからさ」

のっぽのシーナちゃんは、私と同じ高さで、きれいな目を瞠った。

「杉村さんに恋愛のアドバイスをしてもらえるなんて、思ってもみなかったわぁ」

梶田聡美から電話がかかってきたとき、私は桃子と風呂に入っていた。大急ぎであがって、バスローブを着たまま書斎で話した。

ご迷惑をおかけしましたと、彼女は言った。声の調子からして謝っていた。涙声ではなかった。泣き尽くした後なのだろう。

「梨子さんとは――」

「話しました。杉村さんと水津でお会いした夜に、あの子が家に帰って来てすぐに」

それでどう思ったのかとは、尋ねなかった。それでも彼女は言った。「今後のことは、よく相談して決めるつもりです」

「どなたと相談するんです？」

聡美は黙った。

「聡美さん」私は呼びかけた。「とても申し訳ないですが、私の力では、あなたの四歳のときの出来事の真相を確かめることはできませんでした」

気の抜けた、ため息にちょっと色がついたくらいの声で、聡美は「ああ」と言った。

「ですけれどね。トモノ玩具の社長さんや関口さんと話してみて、思いました。あの出来事は、やっぱり誘拐なんかじゃなかったと思いますよ。何かトラブルはあったんでしょう。しかし、それは重大なものじゃない。あなたが二十八年間もそれを引っ張ってきてしまったのは、間違いでした。だからそのことは、もう忘れるようにしませんか」

「順路」の表示を逆にたどり、時をさかのぼるのは、博物館や歴史記念館を見物したときだけのお楽しみにしておけばいい。そして建物から外に出れば、陽が照っている。

「ご両親の昔の苦労を、あなたは知っていた。それも懐かしい思い出にしましょう。あなたがその気になれば、できるはずです。そしてこれからは、前を向いて生きるんです」

あなたがどんなにビクビクして、幸せが逃げていかないように気をつけていても、常に後ろを振り返り、何かが襲いかかってこないかどうか確かめていても、それは何の備えにもならない。

現実に、浜田は聡美を裏切った。

聡美の幸せは逃げてしまった。

だから後ろを向いていたって意味はない。

私はそれを、一生懸命諭《さと》した。

電話のなかの沈黙があまりに深いので、私はもう彼女がそこにいないのではないかと思った。私は虚空《こくう》に向かって説教をしているのではないのかと思った。

やっと、聡美の声が聞こえてきた。電話機そのものが震えているかのように、彼女の声のわななきを、耳と手で、直に感じた。

「――初めてじゃないんです。以前にもありました」

「何がですか」

「梨子が――こういうことをするのは」

私は手で目をこすった。髪が濡れているので、頭を動かすと水滴が落ちた。

「梨子が高校一年のときです。そのころ、わたし、勤め先で知り合ったある男性と交際していました。いい人でした。結婚したいなと思ったのは、その人が初めてです」

だから折を見て、家族にも紹介したそうだ。

「それからしばらくして、彼が……本当に気まずそうな顔をして、わたしに打ち明けてくれたんです。梨子から電話があるって。呼び出されて、何度か会ったこともあると」

そのときも、梨子は言ったそうだ。あなたはお姉ちゃんの恋人だし、いずれは結婚するんでしょ。そしたらわたしのお義兄《にい》さんになるんだわ。だから仲良くなりたいんです。

「彼は一人住まいでした。そこにも、梨子は押しかけてきたそうです。スーパーでどっさり買い物をしてきて、お夕飯をつくってあげるって。妹なんだからって」

聡美の恋人としては、困惑しても、無下《むげ》に退けるのも難しかったろう。

「梨子に悪気がないのはわかってるし、可愛い子だし、何よりわたしの妹なんだし、断り辛かったと謝ってくれました」

それでもとうとう打ち明けることになったのは――

「梨子がね、彼をホテルに誘ったんだそうです。お義兄さんとしてじゃなく、男性として好きになっちゃったって」

甘えん坊で、ねだり上手で、男を幸せな気持ちにさせる梶田梨子。

しかし聡美の恋人は、浜田利和よりはるかにましな男だった。

「ごめんよって、言われました。だけど正直言って気味が悪い。どう対処していいかわからない。少し距離を置いて、君とのことも考えさせてほしいんだって。本当にいい人でしょう？　わたしは承知しました」

「そのとき、梨子さんとは――」

「話しませんでした。彼の、考えさせてくれっていう台詞は、わたしへの思いやりが言わせたことだとわかっていました。彼とはもう終わりだとわかりました。だけど、それを梨子に悟られたくなかった。わたしが傷ついてることを、あの子に知られたくなかった」

わたしにもわたしの意地がありますと、無残にも突っ張った口調で、聡美は言った。

「梨子も知らん顔をしていました」

私はいろいろ考えた。たくさんのことを言おうと思った。あなたと梨子さんはご両親の愛を争って育った。あなたは梨子さんが〝いちばん星〟であることを羨み、梨子さんはあなたがご両親の戦友であることを妬《ねた》んだ。

あなたは怖がりだが、梨子さんは闘士だ。あなたを打ち負かすために、あなたの持っているものを横取りすることで、あなたより自分の方が強いということを証明する。それが梨子さんの生き方だ。それをわかっていて、負けも認めないし勝とうともしない。それがあなたの生き方だ。

よそう。こんな分析が何になる？

私は沈黙を守っていた。

「わたしたち、二人だけの姉妹なのに」と、聡美は呟いた。「どうしてこんなことにばっかりなるんでしょう」

二人だけの姉妹だからこそ、梨子さんはいつでもあなたを標的にしてきたのだと言いたかった。あなただってわかっているはずだと言いたかった。

その代わりに、こう言った。

「あなたの人生はあなたのものですよ。それを横取りすることは、誰にもできない」

「そうでしょうか」

「そうです」

「両親が生きていたら、こんなわたしたちを見て、さぞ悲しむでしょうね」

「ご両親は亡くなりました。何もご存知ない。だから悲しんだり苦しんだりもしません」

電話がまた震えた。聡美は泣いている。怯えて泣いてばかりいるこの人の人生の、これが最後のひと泣きになるように、私は祈った。

「父がいたら、きっと梨子の味方をするわ。わたしに身を引けっていいます」

思わず、私は叱りつけた。「そんなバカなことがあるもんですか。何を勘違いしているんです？」

「だって父は梨子の方を愛してたから」

「私も娘の父親です。あなたは娘で、父親じゃない。だから私の言うことをお聞きなさい。梶田さんがお元気だったら、真っ先にすることは、浜田利和をブン殴ることですよ。そして、私の大切な娘たちの人生から出ていけと怒鳴りつけるでしょう」

私の額を伝った水滴が、頰から顎へ流れた。聡美の涙の感触がした。

「今回も、梨子さんと浜田さんのことを、察しておられたんじゃありませんか」

聡美は返事をしてくれなかった。私は彼女を追い詰めた。

「まったく気づいていなかったわけじゃないんでしょう。違いますか」

「――はい」

「浜田さんと会う時でも、わざと婚約指輪をはずしていたのもそのせいですね？」

答えるかわりに、聡美は小さく「バカみたいですよね」と自嘲した。

「彼も気づいていたみたいですよ。だがそれを重く考えていた様子はなかった」

どっちもどっちだと吐き捨てた、あの口調が耳のなかで蘇《よみがえ》る。今でも胸くそ悪い。吐き気がするほどだ。

「そんなサインを出しながらも、それでもあなたは彼を問いただすこともしなければ、怒りもしなかった」

「怒りませんでした」

だが聡美は、今は怒っている。どんどん早口になる。

「やっぱり知らん顔をしていました。それがいちばんいいと思っていたんです。知らなければなかったことと同じです。わたしはそれでよかった。だから、そっとしておこうと思っていたんです」

怖かったから、何も起こらないうちからお化けを探していたくせに、いざ本物のお化けが現れたときには、見て見ぬふりをすることにした。それもやっぱり怖かったから。

「私たちが結婚してしまえば、梨子だって浜田を諦めなくちゃならなくなります。万事、それで解決すると思っていました。今度こそ、わたしは幸せになれるはずでした」

「たとえあなたが許しても、一度に姉妹の両方と深い仲になって、ふた股をかけるような不誠実な男と一緒になったって、幸せになんかなれやしませんよ」

それは間違いだ、それは単なる君の意見だ。義父なら言うだろう。幸せになれるかどうかは本人次第だ。余計なことを言うんじゃない。

でも私は言ってしまった。

聡美は嗚咽《おえつ》した。声が上ずり、高くなった。

「わたし、調べてくれなんてお願いしませんでしたよね？　こんなこと、調べてくれなんて頼みませんでしたよね？」

それは事実だ。

聡美は梨子に、浜田に対して怒っているのではなく、私に怒っているのだった。

「どうして水津になんか行ったんです？　頼まれもしないのに。どうして放っておいてくださらなかったんです？」

「聡美さん――」

「杉村さんみたいな恵まれた人に、わたしの気持ちがわかるはずないわ!」

私も聡美も、沈黙のなかに逃げたかった。でも避難場所になるべき沈黙は二人をつなぐ電話線のなかに縮こまってしまっていた。

「申し訳ありません」と、私は言った。

ごめんなさいと、聡美は言った。人間の耳に届く周波数の、限界ぎりぎりまで小さくなった声だった。

でもあなたは幸せになれる。何かに、誰かに追いかけられて、キャッと叫んで机の下に隠れても、いつかはそこから出なくてはならない。出ていけば、世界はまだそこにあるのだ。

幸せになってくださいと私が言う前に、電話は切れた。

受話器を置いて、ようやくそこから出てきてくれた沈黙に、私はすっぽりと包まれた。

くしゃみが飛び出した。

昨今は便利なものだ。インターネットを検索するだけで、居ながらにして何でも調べることができる。

妻と二人で、いくつものカラオケボックスの情報を取り出し、片っ端から検討した。学生が群れ集まって騒がしくなるほど手軽ではなく、バカバカしいほど高級でもなく、四歳の娘を連れていってもいい程度に居心地のよさそうな店を。

そうして、自分たちの品定めが正しいかどうか確かめるために、張り切って三人で出かけた。

我々の選択眼に誤りはなかった。個室の備品は清潔で美しく、料理や飲み物は美味しく、曲数は豊富で、店員は愛想がよかった。唯一の欠点は、隣で歌うグループの声が、ときどき聞こえてくるということだけだ。

最初のうちは桃子の一人舞台だった。お隣さんに負けじと歌った。妻も私も笑い転げ、手拍子を打って励まし、時には一緒に歌った。

そして、いよいよ妻のデビューだ。

「実はね、こっそり練習してたの。河西さんにも聞いてもらったの。河西さん、カラオケが上手なのよ。趣味の会に入ってるんですって」

前奏が始まると、妻は桃子に、これはおじいちゃまがお好きな歌なのよと説明した。

「お母さん、頑張って」

「うん、頑張る」

歌い出しが少し遅れた。妻はあがっていて、歌声もマイクを持つ手も震えていた。学芸会の子供のようだった。こんなふうに震える声ならば、私は一生聴いていたいと思った。

妻の瞳は明るかった。歌声は優しかった。ありとあらゆるものを洗い流してくれた。

私は桃子を膝に載せて聴き入った。

——おめでとうございます。

私を祝福してくれたときの、梶田氏の笑顔を思い浮かべながら。

ちょいとお待ちよ　車屋さん
お前見込んで
たのみがござんす　この手紙
内緒で渡して　内緒で返事が
内緒で来るように
出来ゃせんかいな

エェ相手の名前は
聞くだけ野暮よ
唄の文句にあるじゃないか
人の恋路を邪魔する奴は
窓の月さえ　憎らしい
エェ車屋さん

この作品はフィクションであり、実在の個人、企業、団体等とは一切関係がありません。

詩集『砂金』
西條八十《さいじょうやそ》作
名著復刻　詩歌文学館（日本近代文学館）

『小さなスプーンおばさん』
アルフ＝プリョイセン作　大塚勇三訳
（株式会社学習研究社）

右記の二作より、それぞれ引用させていただきました。
また、美空ひばりさんの「車屋さん」という歌がなければ、この作品は成立しなかったと思います。
篤くお礼申し上げます。

著者

解説――破れた世界を小糸でかがる

杉江松恋

彼女は、素描の名手である。

そして、知の探求に熱心でもある。ひらたく言えば、たいへんな「知りたがり」だ。

宮部みゆきは、そんな作家です。登場人物に魅力があるとか、稀代のストーリーテラーであるとか、口当たりは柔らかいのに機能的な文章を書くとか、いろいろ言葉を費やして作風を説明することはできるのだが、右の通りにまとめてかまわないと私は思う。

素描がうまいというのはつまり、耳や目がぼけていなくて手がよく動くということだ。だから聴いたこと、見たものの印象を、ひとふでがきで表現できる。ご存じのとおり、これは人物描写にたいへん役立つ能力なのである。『誰か』の中から「ひとふでがき」の良い例をあげてみましょうか。ええと、主人公・杉村三郎の妻である菜穂子について。

本書は、杉村が菜穂子の父親・今多嘉親の意を汲み、彼の運転手として勤めていた梶田の遺児姉妹に便宜を図ることから始まる物語だ。姉妹は、梶田の伝記を出版することで、父親を自転車で轢いて殺した犯人をあぶり出そうとしているのである。彼女たちと関わるうちに、杉村は梶田の死の背後にある複雑な事情を知るようになる。

　これでわかるように、杉村菜穂子は事件の当事者ではない。だから小説のプロットにおける重要なピースでもなくて、杉村という人物の性格づけのために登場する脇役にすぎない。本来は、彼女の描写に多くの字数を費やすことはできないのですね。

　そこで、ひとふでがきである。彼女は「最近は、和紙を使って紙人形を作ることに凝っている」と紹介される。あとの文章で「二十九歳だが、笑うと二十四歳に見える」とも書かれる女性ですよ。その年頃にしては、ずいぶんと可愛らしい趣味ではないか。そして実際、菜穂子は可愛らしい、お人形さんのような女性なのである。心臓に持病があるため体が弱く、始終大事に扱われてきた嘉親の一人娘。杉村と知り合ったとき、彼女は「児童図書館の読み聞かせ会で、ボランティアを」していたという。菜穂子について読者が与えられるのはこんな些細な情報だけで、内面はいちいち説明されない。しかし、それで十分なのである。断片の集合が、杉村菜穂子の全体を見事に表現している。

　ファンの方ならご存じだろう。宮部作品では強烈な「引き」を持つ謎が冒頭に呈示されることが多い。不思議なことに、その謎は成長するのだ。これは話が逆でしょう。通常のミステリーの場合、謎は解明されるにしたがって小さくなっていくものである。どんな魅力を誇っていた謎も、要素に分解され、構造を分析されれば謎とは呼べないものに変わる。最後に残るのは、きわめて即物的な個人の事情です。しかし宮部作品は違う。いつまで経っても謎の魅力が褪せないのである。なぜならば、物語が進行するにつれて、謎に未知の側面があることがわかり、ますますその神秘性が深まっていくからだ。

一九九二年の『火車』(新潮文庫)がその好例。これは、婚約者のもとから突然姿を消した関根彰子という女性の行方を追う、人捜し小説である。「関根彰子」の秘密は二段重ね、三段重ねになっていて、彼女について知れば知るほど謎は深まっていく。

この小説で探偵役を務めるのは、本間という休職中の刑事である。しかし作者は、彼を衝き動かしているものが職務意識ではなく、依頼者への義務感でもなく(本間に調査を依頼した人物は、舞台から早々に退くのだ)、純粋な好奇心である、と作中で宣言している。「関根彰子」がとった不可思議な行動の意味を知りたいという欲求が、彼を動かしているわけです。もちろんこの衝動は、本間一人のものではない。その背後にいる宮部自身が、激しく知ることを欲しているのだ。作者の餓えはもちろん読者にも伝染し、真相解明を強く願わせる。これが、宮部作品が持つ「ページを繰らせる」力の正体なのである。宮部作品を読むと、誰もがみな、その先を「知りたく」なってしまう。

こうした小説の構造を支えているものが、先に挙げた素描の技なのである。技、といっても宮部が採っている手法は単純だ。知っていることだけを書く。知らないことは書かない。ただそれだけ。登場人物と読者に、いつも同じものを見せるということだけなのである。ただし、その視点にぶれを生じさせないために宮部は細心の注意を払って描写を統御している。

たとえば『誰か』の冒頭では、杉村の義父である嘉親の個人運転手・梶田が暴走自転車に轢かれて死んだ、という以外に事件に関する情報はほとんど与えられない。しかし、物語が進行するにつれて、背後に豊穣な秘密が隠されていることがわかっていくのである。一つの秘密は、梶田の過去だ。嘉親に雇われる以前、彼は変転の多い人生を送ってきた。そのことは梶田の長女・聡美の告白により、初めて読者の関知するところとなる。また聡美と妹の梨子に接した杉村は、姉妹間に意見の相違があることを発見する。梶田の過去についての調査は、その齟齬の正体を明るみに出すことにもつながっていくのだ。第二章で登場した姉妹に対する杉村の印象が、以後の章でどのように変化していくか、注目して読むと興味深い発見が多いはずです。

秘密の根はまったく別の方向にも伸びている。杉村と今多家の関係も、物語が進むにつれて次第に明らかになっていくのだ。杉村の妻・菜穂子は、嘉親の婚外子であり、したがって嘉親が率いる今多コンツェルンの継承権を与えられていない。婚姻関係で結ばれているとはいうものの、杉村は基本的に今多家の人間ではないのですね。しかし、世間は彼をそうとは見てくれない。今多という大樹に寄り添うことを選んだ者と見なすのである。その偏見が杉村を孤独にする（彼は実の母親からも縁を切られた人物なのだ）。物語の初めでは、杉村は幸せな夫婦生活を送る平凡な男性に見える。しかし彼の抱えている孤独の中味が露わになるにしたがい、その心に備わっている毅然とした姿勢が読者にも理解できるようになるのである。

こうした具合に、物語の重層的な構成要素が適切なペースで開陳されていく。決して早足の歩みではない。ハリウッド映画のような、起伏にとんだ展開が準備されているわけでもない。にもかかわらず物語に対する読者の関心は決して減じることがないのである。卓越した技のなせる芸当というしかないでしょう。

少々脱線するが、こうした職人芸を表現するのに、もってこいの言葉がある。「下手の長糸・上手の小糸」というのだ。私はこれを小関智弘の『職人ことばの「技と粋」』(東京書籍)という本から教わった(小関は、旋盤工としての長い職歴があり、東京の職人事情について詳しい作家だ)。もともとは裁縫の教えについての言葉で、縫いものをするときに、糸とおしの回数を減らそうとして針にいちどに長い糸を通しておくと、糸がからむなどしてかえって余分な手間がかかる。上手な人はむしろ手間をおしまずに適当な長さの糸で縫うのだそうである。上手の小糸でちょこちょこと縫い合わせていくという地味な努力が、作品の出来映えを下支えしているわけです。上手の小糸とはつまり、場面場面でおろそかにされることがない、的確で緊密な描写のことである。宮部という作家の真価は、こうした細部にこそ見てとることができるのです。

『誰か』という作品の成立背景について、少し書いておきたい。本書は二〇〇三年十一月に書き下ろし長篇として実業之日本社から上梓された作品である。執筆時期から見て、作品が二〇〇一年の『模倣犯』(新潮文庫ほか)と連続性を持つことは間違いないでしょう。本書の中には、『模倣犯』で宮部が得たものが多く盛りこまれている。

『模倣犯』は、毎日出版文化賞、芸術選奨文部科学大臣賞などの栄誉に輝いた、宮部作品としても最重量級の部類に入る大作である。この作品で特徴的だったことは、作中の事件についての解釈を、宮部が徹底して拒んだことだ。女性を誘拐監禁しては次々に殺害する猟奇犯を追う小説だが、三部構成の結末ぎりぎりまで宮部は犯人の真の動機を明らかにしなかった。犯人の行為は残忍きわまりなく、救われない最期を迎える登場人物も多い。おそらく、読者の中には物語の重さに耐えられない人も出たはずである。それを知っていながら、宮部は事件を解釈し、読者を救済することを潔しとしなかったのだ。上手の小糸に徹し、作者は三千五百枚の間ほぼ沈黙を貫いた。

この作品には、ルポライターの前畑滋子が事件の取材者として登場する。しかし彼女は、事件の深奥に迫りながらも肝腎の真相に到達することはできないのである。逆に事件の解釈に失敗することによって、狂言廻しの役割を果たしている。おそらく前畑は、不可解な事件に対して咀嚼しやすい答えを準備したがるマスメディアや、知識人に対する批判という意味を背負わされたキャラクターなのでしょう。「この事件は〜である」という結論を出した瞬間に事件は風化を始める。それを避けるためには、ぎりぎりの臨界点まで、ただ「見守る」しかないのである。

言い換えればこういうことです。作家がもし「起こったこと」の全体像を描きたいと欲したならば、中途で解釈者になることの誘惑に負けず、傍観者であることの辛さに耐え、厳しい現実を見届ける任務を誰かに背負わせなければならない。その視点が神の高みに達することは決して許されない。あくまで地面を這う虫の位置にあるべきで、起こることを起こる順番で目撃する、平凡人の目に徹していかなければならないのである。逆説的な物言いになるが、そうした凡人の視点以外から「全体」を見通すことは本来できない。ましてや、描かれた物語が一読者の心に浸透するほどの切迫感を持つことも不可能なのであります。

もともと宮部作品には、私たちが生きる現実の、どうしようもなく残酷な側面が必ず盛りこまれる傾向があった。受け入れるのは辛いが、「ある」以上は目をそらすことができない現実である。一九九八年の『理由』(朝日文庫ほか)で宮部がルポルタージュ的文体を採用して鳥瞰的に事件を描こうとしたのは、非情の視点を入手し、すべてを描こうとしたためだったでしょう。もちろん『理由』は、十分な成功をおさめた作品だ。しかし、宮部は挑戦を止めなかったのである。『理由』から『模倣犯』に加えられたもの、それは推移を見守る「個人」の存在であった。不安に耐え、すべてを見届けることを決意した「誰か」が、宮部小説には必要だったのです。それは宮部が現実に向き合うことを選択した時点で、作家としての必然事となっていた。

『誰か』は、宮部がそうした態度を作品の形で初めて表明した、記念すべき作品である。作者に成り代わり、そして読者の代弁者として、事件の一部始終を見届ける杉村三郎こそは、宮部みゆきが初めて書いたハードボイルド・ミステリーの主人公なのだといえます。

ハードボイルドという小説のスタイルには様々な定義があり、残念ながら完全な統一見解というものはない。便宜的にあえて定義するならば「複雑かつ多様で見渡すことの難しい社会の全体を、個人の視点で可能な限り原形をとどめて切り取ろうとする」文学上の試みというべきか。

作者は、自分が新しいスタイルの小説に挑戦していることに自覚的だったでしょう。その証拠に、本書では現実が二面性を持つことが絶えず問題にされています。たとえば、物語の後半に至って初めてその本性をむき出しにしてくる登場人物の存在がある。神ならぬ身の杉村には、その登場人物の本質を見抜くことはできない（しかし、後から読み返すと、その性質を示唆する客観描写を作者がきちんと挿入していることがわかる）。真っ当に見える人の中に、思わぬ毒が潜んでいることもある。いや、毒に汚染される可能性のない人間などいないのだ。杉村には見えなかった毒が、彼の心を傷つける。多くのハードボイルド探偵たちが舐めてきたのと同じ辛酸を彼も味わうのです。

陰惨な悪の部分に対比されているものがある点にも注意されたい。杉村の妻子の存在は、読者の心をしっかりと暖めてくれるでしょう。また作中では、印象的な形で美空ひばりの「車屋さん」（作詞・作曲　米山正夫）が用いられる。それも「善きもの」の象徴なのである。世界は安穏とした平和だけで成り立っているのではないし、その逆でもない。現実には光と影の二面が常に備わっているのだ。杉村三郎は、そうした現実のありさまを見届けるために創造された「傍観者」なのである。

杉村三郎は二〇〇六年の『名もなき毒』（幻冬舎）で再登場を果たしている。同書で扱われているのは、閾値《いきち》の低い犯罪だ。ごく普通の生活を送る人々が、本人の与り知《あずか》らぬところで毒に汚染され、犯罪の被害者となっていく。逆に、ふとしたはずみで道を踏み外し、加害者となる者もある。その無感動な状態、犯罪に対する感性が鈍くなっているありさまが、杉村の視点から描写されているのである。二〇〇六年に筆者が行ったインタビューによれば、この連作は少なくともあと一作は書かれる予定であるという。

本書を読むにあたってぜひ併読してもらいたいのが、アメリカのハードボイルド作家マイクル・Z・リューインのアルバート・サムスン・シリーズである。中東部インディアナポリスの私立探偵であるサムスンは、いわゆるタフガイのイメージからはもっとも遠いところにいる中年男である。シリーズ第四作にあたる『沈黙のセールスマン』(ハヤカワ・ミステリ文庫)は、別れた妻と暮らしている十七歳の娘が彼の元にやって来て、ひと夏をともに過ごすという作品だ。人生の暗い面(とある企業の絡んだ不正が描かれる)と明るい面(サムスン父子の交流)が並行して描かれるという点が『誰か』と共通している。また第五作『消えた女』は失踪した女性捜しの物語だが、プロットに『火車』の原型ではないかと思われるパターンが用いられている。宮部ファンの方ならば、この心優しき中年男の物語を間違いなく楽しめるはずだ。杉村三郎ともども、どうぞご愛顧ください。

また宮部は二〇〇七年に大作『楽園』(文藝春秋)を発表している。こちらは『模倣犯』で一敗地にまみれた前畑滋子が再登場する一篇である。前作の失敗を発条《ばね》に、人間として成長した前畑の活躍が読みどころである。現実の悲劇を受け止める姿勢は、杉村シリーズ同様深みを増している。本書を楽しめた読者には、ぜひお薦めしたい。

（作家、書評家）

単行本　二〇〇三年十一月　実業之日本社刊
ノベルス版　二〇〇五年八月　光文社刊
JASRAC出0715188―701

文春文庫

誰《だれ》か　Somebody

定価はカバーに
表示してあります

2007年12月10日　第1刷

著　者　宮《みや》部《べ》みゆき

発行者　村上和宏
発行所　株式会社 文藝春秋
東京都千代田区紀尾井町 3-23　〒102-8008
TEL 03・3265・1211
文藝春秋ホームページ　http://www.bunshun.co.jp
文春ウェブ文庫　http://www.bunshunplaza.com
落丁、乱丁本は、お手数ですが小社製作部宛お送り下さい。送料小社負担でお取替致します。

印刷・凸版印刷　製本・加藤製本

Printed in Japan
ISBN978-4-16-754906-0

文春文庫

東野圭吾の本

（　）内は解説者。品切の節はご容赦下さい。

秘密
東野圭吾

妻と娘を乗せたバスが崖から転落。妻の葬儀の夜、意識を取り戻した娘の体に宿っていたのは、死んだ筈の妻だった。推理作家協会賞受賞のロングセラー。（広末涼子・皆川博子）

ひ-13-1

探偵ガリレオ
東野圭吾

突然、燃え上がる若者の頭、心臓だけ腐った死体、幽体離脱した少年。奇怪な事件を携えて刑事は友人の大学助教授を訪れる。天才科学者が常識を超えた謎に挑む連作ミステリー。（佐野史郎）

ひ-13-2

予知夢
東野圭吾

十六歳の少女の部屋に男が侵入し、母親が猟銃を発砲。逮捕された男は、少女と結ばれる夢を十七年前に見たという。天才物理学者が事件を解明する、人気連作ミステリー第二弾。（三橋暁）

ひ-13-3

片想い
東野圭吾

哲朗は、十年ぶりに大学の部活の元マネージャー・美月と再会。彼女が性同一性障害で、現在、男として暮らしていると告白される。しかし、美月は他にも秘密を抱えていた。（吉野仁）

ひ-13-4

レイクサイド
東野圭吾

中学受験合宿のため湖畔の別荘に集った四組の家族。夫の愛人が殺され妻が犯行を告白、死体を湖に沈め事件を葬り去ろうとするが……。人間の狂気を描いた傑作ミステリー。（千街晶之）

ひ-13-5

手紙
東野圭吾

兄は強盗殺人の罪で服役中。弟のもとには月に一度、獄中から手紙が届く。だが、弟が幸せを摑もうとするたび苛酷な運命が立ちはだかる。爆発的ヒットを記録したベストセラー。（井上夢人）

ひ-13-6

文春文庫

ミステリー

（　）内は解説者。品切の節はご容赦下さい。

我らが隣人の犯罪　宮部みゆき

僕たち一家の悩みは隣家の犬の鳴き声。そこでワナをしかけたのだが、予想もつかぬ展開に……。他に豪華絢爛「この子誰の子」「祝・殺人」などユーモア推理の名篇四作の競演。（北村薫）

み-17-1

とり残されて　宮部みゆき

婚約者を自動車事故で喪った女性教師は「あそぼ」とささやく子供の幻にあう。そしてプールに変死体が……。他に「いつも二人で」「囁く」など心にしみいるミステリー全七篇。（北上次郎）

み-17-2

蒲生邸事件　宮部みゆき

二・二六事件で戒厳令下の帝都にタイムトリップ――。受験のため上京した孝史はホテル火災に見舞われ、謎の男に救助されたが、目の前には……。日本SF大賞受賞作！（関川夏央）

み-17-3

人質カノン　宮部みゆき

深夜のコンビニにピストル強盗！　そのとき、犯人が落とした意外な物とは？　街の片隅の小さな大事件と都会人の孤独な肖像を描いたよりすぐりの都市ミステリー七篇。（西上心太）

み-17-4

心室細動　結城五郎

二十年前の事件を暴く脅迫状。関係者は次々に心室細動を起こし急死する……。過去の罪に怯え、破滅へと向かう男のリアルな恐怖を描くサントリーミステリー大賞受賞作。（長部日出雄）

ゆ-6-1

陰の季節　横山秀夫

「全く新しい警察小説の誕生！」と選考委員の激賞を浴びた第五回松本清張賞受賞作「陰の季節」など、テレビ化で話題を呼んだ二渡が活躍するD県警シリーズ全四篇を収録。（北上次郎）

よ-18-1

文春文庫

ミステリー

（　）内は解説者。品切の節はご容赦下さい。

紫のアリス
柴田よしき
夜の公園で死体と「不思議の国のアリス」のウサギを見た紗季。その日から紗季に奇妙なメッセージが送られてくる。恐怖に脅える紗季を待ち受けていたのは？　傑作サスペンス。（西澤保彦）
し-34-1

Ｍｉｓｓ Ｙｏｕ
柴田よしき
誰かがあたしを憎んでる――。有美は二十六歳、文芸編集者。仕事も恋も順調な毎日が同僚の惨殺で大きく狂い始める。平凡なヒロインが翻弄される、ノンストップミステリー。（岩井志麻子）
し-34-3

象牙色の眠り
柴田よしき
京都の邸宅街で富豪の家族におきた殺人。屋敷に住むのは美貌の未亡人と息子、前妻の残した長男と長女、二人の家政婦。彼らの秘密が明らかになると……。長篇サスペンス。（法月綸太郎）
し-34-4

Ｃｌｏｓｅ ｔｏ Ｙｏｕ
柴田よしき
「お願い、専業主夫になって」。突然の失業のうえオヤジ狩りにあった翌日妻が囁いた。そんな二人を正体不明の悪意が襲う。ついに妻が誘拐され……誰かが俺たちを憎んでる。（斉藤由貴）
し-34-5

淑女の休日
柴田よしき
幽霊が出る。女性に人気のシティリゾートホテルで、そんな噂が囁かれ始めた。鮎村美生《みお》が調査を開始した直後、目撃者の美津子が殺される。女性の哀しさを描くミステリー。（西上心太）
し-34-6

凍るタナトス
柄刀一《つかとうはじめ》
死後に人体を冷凍し、未来の進んだ医療技術によって甦らすことを願うクライオニクス財団。永遠の生を夢見る科学集団で「氷の殺人」「炎の殺人」とも呼ぶべき謎の連続殺人が！（千街晶之）
つ-13-1

文春文庫

ミステリー

（ ）内は解説者。品切の節はご容赦下さい。

だまし絵歌麿
高橋克彦

江戸を大波が襲った夜、当代きっての絵師・歌麿の女房が殺された。事件の真相を追う同心・仙波の前に明らかとなる黒幕の正体と、あまりに意外な歌麿のもう一つの顔とは？（寺田博）

た-26-7

蒼い記憶
高橋克彦

オゾンの匂いがきっかけで甦った花奈子の面影とあの村の記憶。両親が焼け死んだ生き神信仰の村で、男が見たものは？表題作ほか「夏の記憶」「記憶の窓」など全十二篇。（明野照葉）

た-26-8

おこう紅絵暦《べにえごよみ》
高橋克彦

筆頭与力の妻にして元柳橋芸者のおこうが、嫁に優しい舅の左門とコンビを組んで、江戸を騒がす難事件に挑む。巧みなプロットと心あたたまる読後感は、これぞ捕物帖の真骨頂。（諸田玲子）

た-26-9

イントゥルーダー
高嶋哲夫

突然、自分に息子がいて重体であることを知らされた私。日常の暮らしに侵入する謎の影。最先端のコンピュータ犯罪と切ない父と子の絆を描きサントリーミステリー大賞に輝く野心作。

た-50-1

ミッドナイトイーグル
高嶋哲夫

北アルプスに墜落した火球の謎を追う報道カメラマン。横田基地に侵入した北朝鮮の工作員に接触する女性記者。国を家族を救えるのか。男と女は絆を取り戻せるのか。入魂のサスペンス。

た-50-2

セカンド・サイト
中野順一

キャバクラのボーイ・タクトは、店のナンバーワンのエリカにストーカー退治を依頼され、新人の花梨《かりん》に他人の未来を知る不思議な能力があるのを知る。サントリーミステリー大賞受賞作。

な-51-1

（　）内は解説者。品切の節はご容赦下さい。

文春文庫

夏樹静子の本

夏樹静子
夏樹静子のゴールデン12《ダズン》
作家デビュー25周年を記念して全短篇から選んだベスト12篇。「死ぬより辛い」「特急夕月」「一億円は安すぎる」「逃亡者」「足の裏」「凍え」「二つの真実」「懸賞」「カビ」などを収録する。
な-1-22

夏樹静子
一瞬の魔
資産家老女の架空名義の預金一億円を横領した男女銀行員の心理を巧みに描く表題作ほか、「黒髪の焦点」「鰻の怪」「輸血のゆくえ」「深夜の偶然」の短篇全五篇を収録する。（大村彦次郎）
な-1-23

夏樹静子
最後の藁《わら》
その朝、院長は死体で発見された。傍のブランデーグラスとボトルからは濃度のちがう青酸ソーダが検出された。自殺か、他殺か。推論と捜査が動機と犯行を結ぶ傑作推理三篇。（佐野洋）
な-1-25

夏樹静子
幻の男
夫殺しの疑いをかけられた社長夫人・蕗子。アリバイを証明するのは身元不明の「幻の男」だけ――？　日常に潜む悪意と欲望の危うい交差を描いた表題作ほか全三篇を収録。（大草秀幸）
な-1-26

夏樹静子
花を捨てる女
毎日新鮮な花束を買っては捨て、墓参を欠かさなかった女。その行動の裏には、アリバイとは違う「ある企み」があった……。表題作ほか傑作ミステリー全六篇を収録。（海月ルイ）
な-1-27

夏樹静子
モラルの罠
車の運転中に、一酸化炭素中毒で亡くなった母。排気管に鼠がつまっていたのは果たして偶然か。安全で便利なはずのシステムが突如凶器と化すミステリー作品集。（白石公子）
な-1-28

文春文庫

ミステリー

（　）内は解説者。品切の節はご容赦下さい。

西澤保彦
黄金色《きんいろ》の祈り
他人の目を気にし、人をうらやみ、成功することばかり考えている「僕」は、人生の一発逆転を狙って作家になるが……。作者の実人生を思わせる、異色の青春ミステリ小説。（小野不由美）
に-13-1

西澤保彦
神のロジック 人間《ひと》のマジック
ここはどこ？ 誰が、なぜ？ 世界中から集められ、謎の〈学校〉に幽閉されたぼくたちは、真相をもとめて立ちあがった。驚愕と感嘆！ 世界を震撼させた傑作ミステリー。（諸岡卓真）
に-13-2

楡周平
無限連鎖
全米各地で再び同時多発テロが起きた直後、今度はセレベス海で日本のタンカーが乗っ取られる。爆薬を積んだ船は東京湾へ。刻一刻と近づく危機に、日米首脳の決断は――。（郷原宏）
に-14-1

二階堂黎人《れいと》
猪苗代マジック
猪苗代の高級スキー・リゾートで十年前と同じ手口の連続殺人が発生。だが、十年前の犯人はすでに死刑になっていた。狡猾な模倣犯と名探偵・水乃サトルの息詰まる頭脳戦！（羽住典子）
に-16-1

貫井徳郎
神のふたつの貌《かお》
牧師の息子に生まれた少年の無垢な魂は、一途に神の存在を求めた。だが、それは恐ろしい悲劇をもたらすことに……。三幕の殺人劇の果てに明かされる驚くべき真相とは？（鷹城宏）
ぬ-1-1

乃南アサ
紫蘭の花嫁
謎の男から逃亡を続けるヒロイン、三田村夏季。同じ頃、神奈川県内で連続婦女暴行殺人事件が……。追う者と追われる者の心理が複雑に絡み合う、傑作長篇ミステリー。（谷崎光）
の-7-1